조선·청 관계와

사신외교

조선·청 관계와 사신외교

인　쇄　2023년 12월 26일
발　행　2023년 12월 29일

저　자　김창수
발행인　김광석
발행처　전남대학교출판문화원

등　록　1981. 5. 21. 제53호
주　소　61186 광주광역시 북구 용봉로 77
전　화　(062) 530-0573
팩　스　(062) 530-0579
홈페이지　http://www.cnup.co.kr
이메일　cnup0571@hanmail.net

값　20,000원

ISBN　979-11-93707-07-4 (93160)

이 연구는 아모레퍼시픽 재단의 학술연구비 지원을 받아 수행되었음

조선·청 관계와
사신외교

김창수 저

전남대학교출판문화원

일러두기

□ 본문 사용된 연호, 월, 일은 모두 음력을 기준으로 했고, 필요한 경우에는 음력 일자 뒤에 양력을 환산하여 표기하였다.
예) 인조 15년 12월 8일(양력 1637년 1월 3일)

□ 사료의 원문 및 번역문을 제시할 때 사용한 기호의 의미는 다음과 같다.
( ) : 원문에는 없으나 독자의 이해를 돕기 위한 보충 내용
【 】 : 원문에서 세주나 두주로 표기한 내용
밑줄 : 원문 내용 중 필자가 강조한 부분

□ 각주의『고문서해제Ⅹ』『淸光緖朝中日交涉史料』『淸季中日韓關係史料』『淸代中朝關係檔案史料續編』등 사료집 다음에 표시된 #는 문서번호를 뜻한다.

□ 이 책은 필자의 박사학위논문과 발표한 논문들을 수정·보완하여 편집한 것이다. 해당 목록은 아래와 같다.

· 「19세기 朝鮮·淸 관계와 使臣外交」, 서울시립대학교 국사학과 박사학위논문, 2016
· 「19세기 후반 대청(對淸)사신의 파견과 역할 -전통적 외교의 지속과 변용의 측면을 중심으로-」『중원문화연구』30, 2022
· 「17~18세기 조선 사신의 외교 활동과 조선·청 관계 구조」『조선시대사학보』, 2019
· 「조선후기 한중 문인 교류 연구의 흐름 -교류 기반과 양상을 중심으로-」『전북사학』55, 2019
· 「건륭연간 외교 공간의 확장과 조선 사신의 교류 -조선·청 지식 교류의 기반에 관하여-」『한국학논총』51, 2019
· 「19세기 후반, 연행사와 청 문인의 교류양상」『동국사학』61, 2016
· 「19세기 후반 대외위기와 조선 사신의 교섭 양상」『한국사학보』65, 2016

이 책은 필자의 박사학위논문 「19세기 조선·청 관계와 사신외교」를 수정 보완한 글입니다. 조선후기 한중관계사를 공부하기 시작한 지 벌써 17년이라는 긴 시간이 지났음에도 내놓은 성과가 부족하여 뿌듯함보다는 부끄러움이 앞섭니다. 국가 간의 관계를 연구하게 된 계기를 되짚어 보면, 학부시절 일국사 중심의 시각으로 그려진 역사 연구들만 접하면서 왠지 모르게 답답해하는 중에, 관계라는 렌즈를 사용한다면 조금 더 넓은 역사를 볼 수 있지 않을까 하는 기대 때문이었습니다. 석사학위논문에서는 17세기 후반 청에서 '삼번의 난'이 발생했을 때 대외 위기에 관한 정보들이 조선에 지속적으로 유입되었고, 이것이 국내 정치에도 영향을 주었다는 것을 확인했습니다. 이를 통해 조선·청 관계가 적어도 17세기 후반까지 안정적이지 않다는 것을 알 수 있었습니다.

제가 느낀 조선과 청 관계의 유동적 성격과는 반대로 양국의 관계는 이른 시기에 '전형적'으로 규정되었고 이러한 입론은 여전히 영향력을 가지고 있습니다. 그러나 200여 년이 넘는 기간 동안 지속된 양국 관계를 '전형'으로만 설명하기에는 한계가 있다고 판단했습니다. 또한 연구의 시기와 대상에서 전근대 연구자들은 병자호란을, 근대 연구자들은 임오군란 전후 시기에 초점을 맞추어 연구의 연속성이 분절되어 있었습니다. 따라서 박사과정에서는 '전형적'으로 규정된 조선·청 관계를 역사화하는 작업과, 분절된 시간의 연속성을 파악하는 것을 주요 목표로 삼아 연구를 진행했습니다. 조선·청 관계의 구조와 변화, 지속, 변용의 현상을 구체적으로 밝히기 위해, '사신(使臣)'이라는 소재를 선택하고 조선·청 관계가 지속되는 동안 이들의 파견과 활동을 분석하여 문제에 대한 답을 찾고자 했습니다.

조선은 청이 지향한 외교 의례를 철저히 준수했습니다. 정월 초하루 행사, 경조사, 청 황제의 명령이 내려올 때마다 사신을 파견했습니다. 이들 사신은 청 왕조가 정한 외교 의례를 성실히 수행했으므로 언뜻 보면 조선의 외교는 '전형적'이라고 표현할 만도 했습니다. 그렇지만 국경을 접하고 있는 두 나라 사이의 '외교'는 의례로만 해결될 수 없었습니다. 조선은 의례의 구조 속에서 자신의 요청을 전달하는 사신(使臣)을 파견하거나, 형식과 비용을 간소화하여 역관을 수반으로 하는 재자관(齎咨官)을 보내기도 했습니다.

교섭의 측면도 공식적으로는 '인신은 외교를 할 수 없다[人臣無外交]'라는 원칙에 의해 제한받았습니다만, 조선의 이익과 관련된 사안에 대해서는 전권(全權)이라고 할 수 있을 정도의 권한을 사신에게 부여했고 또 외교비용까지도 지급하였습니다. 이러한 관행은 조약을 매개로 하는 새로운 국제관계 속에서 일부 변용되면서도 여전히 지속되었습니다. 정리하자면 사신과 재자관은 의례라고 하는 특수성과 교섭이라고 하는 보편성 위에서 장기적으로 운영되었다고 볼 수 있습니다. 이 책에서는 사신의 파견구조와 교섭 활동을 기본 축으로 시기적 변화와 특징을 구체적으로 논증하고자 했습니다.

대학원 진학을 선택한 이후 이 책이 나오기까지 많은 분의 도움을 받았습니다. 배우성 선생님께서는 '성심(誠心)'이라는 단어 그대로 마음을 다해 지도를 해주셨습니다. 학부 시절 역사에 대해 딱딱하기 그지없는 사고방식에서 무지한 질문을 던져도, 늘 본인의 시간을 할애하여 성의껏 응대를 해주셨습니다. 지금 학생들을 가르치는 입장이 되어보니 선생님께서 쓰신 시간과 에너지가 얼마나 큰 의미를 지니는지 조금이나마 이해할 수 있게 되었습니다. 선생님과의 만남 덕분에 학문의 길에서 벗어나지 않을 수 있었다고 생각합니다.

아울러 구범진 선생님은 저에게는 또 다른 지도 선생님입니다. 짧은 인연에도 불구하고 외교사료의 강독법부터, 문제의식을 확장하고 자료를 엄밀하게 검토하는 부분까지 늘 아낌없는 조언을 해주셨습니다. 지면을 빌려 고맙고도 감사한 마음을 전합니다. 박사논문의 심사위원들께서 거친 문제의식과 사료의 역사적 의미를 꼼꼼히 검토해주신 덕분에 학위논문의 얼개를 만들 수 있었습니다. 정재정, 이익주, 노대환, 노관범 선생님께 다시 한번 감사드립니다. 역사에 대한 관심을 지속할 수 있도록 좋은 수업을 해주신 시립대 국사학과의 선생님들께는 늘 고마운 마음을 간직하고 있습니다.

중세국제관계사연구반은 저와 학문의 여정을 함께하는 모임입니다. 2009년 석사학위를 마치고 우연한 만남이 인연이 되어 연구반을 만들었습니다. 연구반은 학문의 시야를 확장하고 열정적인 연구자들을 만날 수 있는 소통의 공간이었습니다. 외교사연구반 또한 저에게 큰 지적 자극을 주었습니다. 동아시아적 시야와 사료의 정밀한 교차 검증 과정을 공유할 수 있어 연구자로서 큰 도움을 받았습니다.

책을 내기 전 불안한 마음으로 초고의 검토를 부탁했을 때 흔쾌히 수락해주시고 또 상세한 논평을 전달해준 손성욱, 임영길 선생님, 또 시기별 내용을 확인해준 유바다, 박범 선생님, 난삽한 문장을 검토해준 이옥지, 김수연, 김현정 선생님께도 감사드립니다. 아울러 책을 낼 수 있는 연구환경을 마련해준 전남대학교 사학과 선생님들께도 감사의 말씀을 드립니다.

마지막으로 가족들에게 고마움을 전하고자 합니다. 역사공부라는 불안한 길을 선택했을 때 언제나 그렇듯 말없이 지지해주신 부모님, 한없이 부족한 사위임에도 늘 따뜻한 말과 격려를 해주셨던 장모님·장인어른께도 감사드립니다. 무엇보다도 자신만의 시간을 써야 하는 연구자와 결혼하여 여유 없는 삶을 함께해준 아내에게는 고맙다는 말로는 부족하다는 것을 잘 알고 있습니다. 부모의 바람보다 훨씬 씩씩하게 크고 있는 아이에게도 고마움을 전합니다. 이 책을 통해 작은 결실을 맺을 수 있었던 것은 모두 가족 덕분입니다.

| 목차 |

서론

1. 문제제기

조선·청 관계는 한중관계 속에서 가장 '전형적'이라고 평가되어 왔다.[1] 이러한 평가 배경에는 동아시아 국제관계 속에서 이례적이라고 할 만큼 빈번하게 사신을 파견했다는 점, 청이 요구한 예제(禮制)를 조선이 준수했다는 점, 그리고 외교문서를 왕래했다는 점이 자리 잡고 있다. 중국이 동아시아에서 차지하고 있는 군사·경제·문화적 위상을 염두에 둘 때, 중국과의 밀접한 관계는 외교적인 측면과 함께 조선의 다양한 영역에 큰 영향을 주었다. 특히 조선과 청 관계는 전쟁을 통해 국교(國交)가 성립되었으며, 그 직후 명·청 교체가 이루어졌다는 점에서 조선의 정치·사상의 향방에 핵심 요인으로 작용하였다. 따라서 조선·청 관계에 대한 해명은 양국 관계 및 조선의 정치·사상을 이해하는 주요한 기반이 된다.

병자호란(1637) 이후 반세기가 넘는 기간 동안 양국 관계는 긴장과 불안의 연속이었다. 그렇지만 정치적 긴장과 별개로 양국은 밀접한 관계를 유지했다. 청의 수도가 심양(瀋陽)에 있을 때 수시로 사신이 왕래하였음은 물론, 청이 멀리 북경(北京)으로 천도한 이후에도 조선에서는 매년 정기적으로 사신을 파견하였다. 여기에 더하여 청에 경조(慶弔)가 생길 때마다 보냈던 비정기 사신, 외교문서만 신속히 전달하기 위한 역관(譯官)의 행차까지 포함하면 서울과 북경 어디쯤에는 반드시

---

1) 전해종, 『한중관계사 연구』, 일조각, 1979(重版), 50~54쪽.

조선 사행단이 왕래하고 있었다고 해도 과언이 아니다.

한편 조선은 의례 측면에서 청의 요구를 모두 수용하였다. 1960년대 중국적 세계질서(Chinese World Oder)의 구조에 관한 연구에서는 청으로부터의 위임장과 관인(官印) 수여, 작위 하사, 외국 사신 호송, 황제의 회사(回賜), 변경 및 북경에서의 무역 허가, 이와 함께 조공국의 역법(曆法) 사용, 정기적 공물(貢物) 납부, 의례에 따른 고두(叩頭) 등을 조공제도의 요건으로 정리하였다.[2] 조선은 이러한 조건에 모두 해당하는 외국이었다. 따라서 경제·의례·군사·정치적 측면에서 조선을 '전형적(또는 본질적)' 조공 국가로 정의하는 것도 무리는 아니었다.[3]

그러나 이러한 관점으로 양국 관계를 이해하는 방식에 꾸준히 문제 제기가 이루어져 왔다. 먼저 '전형적 관계'의 공간적 범위와 시간적 지속성의 문제가 지적되었다. 역대 중국의 대외관계에서 나타나는 시간성과 공간성을 고려할 때 조공과 책봉 외에 다양한 관계(羈縻, 會盟 등)가 존재했기 때문에 조공·책봉으로 중국의 대외질서를 설명하는 것에는 한계가 존재한다는 것이다.[4] 이에 동아시아 국제관계의 유동적 성격을 고려하여 '책봉체제'보다 '책봉관계'라는 용어를 제안하는 경우도 있다.[5] 흔히 '전형'이라고 인식되는 지표들은 각각 다른 시기에 형성되어 최종적으로는 청대에 이르러 완성되었다고 할 수 있다. 지표들의 역사성을 고려하지 않는다면 마치 조선·청 관계의 핵심 요소들이 수백 년 전부터 존재했던 것처럼 이해될 우려가 있다.[6]

---

2) John King Fairbank, A preliminary Framework(John King Fairbank ed, *The Chinese World Order*, Cambridge, MA: Harvard University Press, 1968), pp.10~11.

3) 전해종, 앞의 책, 1979, 15쪽 및 31~34쪽.

4) 박원호, 「근대 이전 한중관계사에 대한 시각과 논점 -동아시아 국제질서의 이론을 덧붙여-」『한국사시민강좌』40, 일조각, 2007; 구범진, 「동아시아 국제질서의 변동과 조선-청 관계」『동아시아 국제질서 속의 한중관계사』, 동북아역사재단, 2010.

5) 차혜원, 「유동적 역사공간 -근세 동아시아로의 접근-」『역사비평』79, 2007.

6) 조공책봉의 구성요소에 관한 비판적 관점은 정동훈, 「명초 외교제도의 성립과 그

다음으로 지적된 문제는 '전형'의 지속 기간이 지나치게 길다는 것이다. 앞서 언급한 연구에서는 전형적 관계의 기간을 고려와 명이 정식으로 관계를 맺은 공민왕 17년(홍무1, 1368)부터 청과의 조공책봉관계가 해체되는 고종 31년(광서20, 1894)까지로 설정하였다.[7] 이러한 설명 방식은 한중관계 전체 기간 속에서 조선이 존속했던 500년 동안의 특성을 드러내는 데는 유효하지만, 명·청의 차이와 관계없이 조선과 중국의 관계는 늘 동일하다고 인식하게 만든다. 최근 청을 한족(漢族) 왕조의 연장이 아닌 만주족의 특징이 지속된 국가로 해석하려고 하는 '신청사'(New Qing History) 연구가 활발하게 진행되고 있다.[8] 이에 발맞춰 조선·청 관계가 조선·명 관계와 다른 맥락에 있다는 점에 주목하는 연구들도 이루어지고 있다. 더하여 250여 년 동안 지속되었던 조선·청 관계를 단순히 갈등-안정으로 구분하는 것은 기준과 배경이 충분히 설명되지 않는다는 점에서 재고할 여지가 있다. 시기적 특성은 외교의 관행, 제도의 운용 등을 통해 분석해야 하며, 이에 따라 변화의 계기도 파악할 필요가 있다.

마지막 문제는 '전형'을 강조하면 할수록 조선의 입장 및 외교 활동이 드러나지 않는다는 점이다. 청 왕조가 정해진 예제를 무조건 시행하기보다, 대외정세 및 국력에 따라 선택적으로 천하의 범위와 조공국에 대한 개입 여부를 결정했다는 연구가 이루어졌다.[9] 이것은 청의 국

기원 -고려-몽골 관계의 유산과 그 전유(專有)-」『역사와현실』113, 2019.

7) 전해종, 앞의 책, 1979, 50쪽.

8) 신청사와 관련된 최근의 연구사 정리는 윤영인 외, 『외국학계의 정복왕조 연구시각과 최근 동향』, 동북아역사재단, 2010; 김선민, 「만주제국인가 청 제국인가 -최근 미국의 청대사 연구동향을 중심으로-」『사총』74, 2011; 윤욱, 「新淸史와 앞으로의 과제」『역사와 세계』47, 2015; 김선민, 「청 제국의 이념과 지배체제」『사총』88, 2016.

9) 이러한 관점은 주로 夫馬進 「まえがき」 및 岩井茂樹 「淸代の互市と "沈默外交"」(夫馬進 編, 『中國東アジアの外交交流史の研究』, 京都大學學術出版會, 2007)에 잘 나타나 있다.

제관계에 대해 예제를 중심으로 파악하는 연구를 비판하는 동시에, 현실적 상황을 고려한 외교가 시행되었다는 점을 강조하는 입장이다. 이러한 관점은 조선·청 관계에도 적용할 수 있다. 청이 규정한 의례의 위계에서 조선은 명백히 하위에 위치했지만, 위계로 인해 조선이 청의 요구를 그대로 수용한 것은 아니었다. 청이 현실적 이익을 고려하여 조공국을 대했다면, 조선 역시 능동적으로 조선의 이익을 추구한 측면이 있다.

이렇듯 기존 조공책봉관계의 핵심 지표라고 여겨졌던 요소들에 대해 근본적인 문제제기가 이루어지는 가운데, 조선과 청의 관계를 어떻게 파악할 것인지가 본 연구의 과제이다. 조선이 청 중심의 의례 절차를 준수하고 정례적으로 사신을 파견했다는 점을 보면 양국 관계는 '전형성'을 지닌 것처럼 보인다. 그러나 시대와 공간을 막론하고 어떠한 관계도 고정된 제도만을 가지고 운영할 수는 없다. 대외관계에서 생기는 다양한 변수들을 해결하기 위해서는 시기에 따라 제도에 없는 조치를 취했거나 혹은 제도를 변용하여 특정한 목적을 달성했을 것이라고 보는 편이 논리적일 것이다.

그렇다면 250여 년 동안 지속되었던 조선·청 관계 속에서 전쟁으로 시작된 양국 관계가 안정 국면으로 접어든 18세기의 특성, 근대라는 파고로 인해 새로운 변화가 나타난 19세기의 상황 모두를 아울러 살필 수 있는 방법은 무엇인가?[10] 위계 관계에서 조선이 자신의 이익을 얻어내기 위해 외교적 노력을 기울인 측면을 어떻게 드러낼 것인가? 이 책에서는 위와 같은 문제에 대한 효과적인 분석을 진행하기 위해 조선

---

10) 최근 한중관계사 전체에 대한 검토가 공동작업의 형태로 이루어지고 있다. 방향숙 외, 『한중 외교관계와 조공책봉』, 고구려연구재단, 2005; 역사학회 엮음, 『전쟁과 동북아의 국제질서』, 일조각, 2006; 동북아역사재단 편, 『한중일 학계의 한중관계사 연구와 쟁점』, 동북아역사재단, 2009; 이익주 외, 『동아시아 국제질서 속의 한중관계사』, 동북아역사재단, 2010.

에서 청에 파견한 사신(使臣)과 재자관(齎咨官)에 주목하였다. 이들은 조정의 의사를 상대국에 전달한다는 점에서는 같지만, 동시에 다른 측면들도 있다.

사신은 군주의 명령 또는 명령문서를 지니고 가서 상대 군주에게 전달하는 관원을 말한다. 조선의 사신은 정사(正使)·부사(副使)의 직함을 띠고, 정기·비정기적으로 북경에 파견되었고, 조선국왕이 황제에게 보내는 표문(表文)과 주문(奏文) 등의 외교문서와 함께 예물 즉 방물(方物)을 지참하였다. 이러한 사신들의 파견을 사행(使行)이라고 한다. 한편 재자관은 역관(譯官)을 책임자로 삼아 파견하는 방식이다. 외교문서인 자문(咨文)을 가져간다는 의미에서 이를 재자관이라고 불렀다. 자문의 발신자는 조선국왕, 수신자는 대부분 청 예부(禮部)이며 이에 수반하는 방물은 없었다. 드문 사례이지만 주문(奏文)을 지니고 파견되는 경우도 있었는데, 이들은 재주관(齎奏官)이라고 불렀다. 재자관은 사신보다 위상이 낮았지만, 소수의 인원만 신속히 파견한다는 점에서 경제적·시간적으로 효율적이었기 때문에 빈번하게 활용되었다. 재자관(또는 재주관)의 파견을 재자행(齎咨行 또는 齎奏行)이라고 한다.

사신 및 재자관을 분석 대상으로 설정한 이유는 다음과 같다. 첫째, 사신과 재자관은 조선·청 양국의 조공책봉관계가 시작되는 인조 15년(숭덕2, 1637)부터 관계가 해체되는 고종 31년(광서20, 1894)까지 북경으로 파견되었다는 긴 역사를 가지고 있다.[11] 청 조정이 심양에 있던 인조 15~22년까지는 정월 초하루 정조(正朝)와 황제의 생일에, 청의 북경 천도 이후에는 정조 행사에 빠짐없이 사신을 파견하였고, 이는 청일전쟁이 발발한 고종 31년까지 지속되었다. 이외에도 청의 경조사 및 조선의 해명 또는 요구사항이 있을 때마다 비정기적으로 사신과

---

11) 재자관은 고종 25년(1888)에 마지막으로 파견되었다.

재자관을 보냈다. 이들의 파견이 조선·청 관계의 탄생과 소멸을 함께 했다는 점을 고려한다면, 양국 관계의 특성과 함께 전근대와 근대를 연속적으로 분석할 때 적합한 소재라고 할 수 있다.

둘째, 조선·청 관계에서 사신과 재자관은 청의 수도에서 청 관원을 대상으로 교섭할 수 있는 유일한 존재였다. 조선 후기 내내 조선·청 국경을 넘나드는 이동은 엄격히 제한되었는데, 국가의 허가를 받은 사신과 재자관만은 예외였다. 많은 연구가 이루어진 조선의 대청(對淸) 무역도 기본적으로 사신 등의 이동에 수반되는 행위였다. 그뿐만 아니라 사신과 재자관은 청의 하급 관리부터 고위 관원, 심지어 황제와도 직접 대면할 수 있었다. 특히 청 고관과 접촉할 수 있다는 점은, '신하는 외교할 수 없다[人臣無外交]'라는 관념의 제약 아래에서도 공식 또는 비공식 교섭의 가능성이 있었다는 것을 의미했다. 외교 현안은 문서만으로 처리하기 어려운 민감한 사안이 많았기 때문에 사신과 재자관의 북경행은 양국의 교섭에서 핵심적 기반이었다.

셋째, 사신으로 선발되는 정사와 부사는 2품급의 고위 관료와 그 후보군이라는 명확한 계층성을 갖고 있다. 조선 후기 문과 급제자의 상당수를 서울의 벌열가문 출신자들이 차지해 가고 있었던 만큼[12] 사신 계층의 교류 관계 및 학문적 성향은 해당 계층 내에서 공유되었다. 한편 재자관은 중인 계층인 역관이 담당하였는데, 이들은 직위를 세습하는 경우가 많았다. 이를 고려할 때 북경 파견을 통해 형성된 청에 대한 인식, 정세 판단 등은 사신 및 재자관 두 계층 내에서 공유되거나 동일한 흐름이 나타날 수 있다. 아울러 교류의 측면에서도 특정 사신/재자관이 형성한 청 문인과의 인적 교류망은, 계층의 동질성으로 인해 다른 사신/재자관과 연결될 가능성이 컸다.

이 책에서는 위와 같은 특성을 고려하여 다음과 같이 분석 범위를

---

12) 차장섭, 『조선후기 벌열연구』, 일조각, 1997.

설정하였다. 먼저, 사신 및 재자관의 파견 양상이다. 조선이 모든 사안에 대해 관원을 파견한 것이 아니었다. 어떤 사안에 어떤 형태로 관원을 파견할지는 조선의 판단에 달려 있었다. 사신과 재자관은 외교 사안을 전달하는 방식이자 의례적 위상을 갖는 수단이었다. 따라서 특정 사안에 대해 별도의 사신을 파견할 것인지, 아니면 정기 사행[節行]에 합칠 것인지, 아니면 재자관을 보낼지는 조선의 결정 사항이었다. 또한 청에서 경조사가 발생했을 때 언제 사신을 파견할지 역시 조선에서 선택하였다. 진하(進賀) 또는 진위(陳慰)의 경우 청으로부터 해당 사안과 관련된 조서(詔書)를 받은 이후에 사신을 파견하는 것이 관행이었다. 그러나 이조차도 고정된 것은 아니었고 조선의 의향에 따라 조정할 수 있었다. 또한 조선의 해명 및 요청 사안[陳奏]과 관련해서 의례적 위상을 고려해 사신을 보낼 것인지 아니면 효율성을 우선하여 역관(재자·재주관)을 보낼 것인지도 조선에서 판단하였다. 이처럼 조선의 사신 및 재자관 파견 양상은 조공과 책봉을 매개로 하는 의례적 관계에서 조선의 능동성 혹은 자율성을 엿볼 수 있는 단서이다. 아울러 시기에 따른 파견 방식의 변화는 곧 양국 관계의 변화상을 드러내는 데 유효할 것으로 생각한다.

다음으로 사신과 재자관의 외교 활동이다. 『예기(禮記)』와 같은 경전에는 '신하는 외교할 수 없다.'라는 문구가 수록되어 있고, 실제 역사적으로도 중국의 대외 교섭 과정에서 위와 같은 표현이 종종 등장하였다. 때문에 중국의 국제관계를 '인신무외교'에 근거한 사대질서로 규정하고 이를 서양의 국제법 질서와 대립하는 것으로 이해하는 인식이 존재한다.13) 그렇지만 국경을 접하고 있는 조선·청 두 나라 사이에서 발생한 다양한 층위의 외교 현안을 모두 황제와 국왕 관계로 처리하기는 불가능했다. 실제 사신은 단순한 문서전달자에 그치지 않았고, 북

---

13) 김용구, 『세계관 충돌의 국제정치학』, 나남, 1997.

경에서 조선을 대표하는 활동의 주체였다. 공식적으로는 특정 사안에 대해 예부에 정문(呈文)을 올려 조선의 입장을 전달할 수 있었다. 또한 비공식적으로는 외교비용을 사용하여 조선의 요청이 관철되도록 물밑 작업을 진행하였다. 조선에서는 사신에게 외교비용을 제공하는 규정이 마련되어 있었을 정도였다. 따라서 조선 사신의 외교 양상, 외교의 특징, 그리고 변화상을 확인하고자 한다. 이 과정에서 사신의 외교 활동의 특수성과 보편성을 동시에 파악할 것이다.

마지막으로 사신의 외교 활동에서 검토할 또 다른 부분은 비(非)정치적 사안, 즉 사적 교류이다. 기존 연구에 따르면 18세기 중반 홍대용(洪大容)과 청 문인의 교류 이후 사적 교류가 점차 확대되었다. 그러나 지금까지의 연구들은 대체로 수행원들의 교류에 주목했다는 한계가 있다. 상대적으로 운신이 자유로웠던 수행원에 비해 사신은 교류의 범위가 한정적이었다. 그러나 사신이 조선 국내에서 높은 정치적 지위와 학문적 권위를 지니고 있었다는 점을 고려하면, 사신의 사적 교류가 지닌 파급력은 수행원보다 컸을 것으로 추정된다. 나아가 교류 범위가 청의 관원까지 확장되면서, 개인 간의 사적 교류가 정치적 교섭으로 연결될 가능성도 생겨났다. '인신무외교'를 의식하던 상황에서 사신의 사적 교류에 어떠한 변화가 나타나는지, 그것이 조선·청 관계에 끼치는 영향을 파악하도록 한다.

이 글에서는 조선 후기 대청(對淸) 사신의 활동과 역할에 관해 '사신외교(使臣外交)'라는 용어를 사용하였다. '사신'과 '외교'는 각각 전근대와 근대를 대표하는 용어인 동시에 조선의 특수성과 보편성을 상징한다. 이와 관련하여 기존 연구에서 사적 교류와 정치적 교섭을 포괄하는 용어로서 '인신외교'를 사용한 바 있다.[14] 필자는 박사학위논문에서 '사신외교'를 사용했는데, 교섭이라고 하는 보편적 외교 활동과

---

14) 손성욱, 「'外交'의 균열과 모색: 1860~70년대 淸·朝 관계」『역사학보』240, 2018.

함께 교섭의 배경이 되는 조선 후기의 역사적 상황을 각각 드러낼 수 있다고 판단했기 때문이다. '사신외교'의 주체는 외교문서(표문 또는 주문)를 지참한 고위 관원 즉 정사(正使)·부사(副使), 그리고 외교의 또 다른 주체인 재자·재주관을 포함한다.

연구의 시기는 18~19세기를 중점적으로 다루되 하한은 고종 31년(1894)까지로 설정하였다. 사신 파견의 측면에서 18세기 후반과 19세기 후반은 각각 뚜렷한 변화가 나타난다. 18세기 후반에는 정조가 새롭게 '진하외교'를 실시하고 거의 같은 시기에 청이 궁정연회를 개방하면서 양국의 정치적 안정과 교류 확장의 계기가 되었다. 18세기 후반의 새로운 외교 방식과 의례가 사신 파견 관행과 양국 관계에 어떠한 영향을 주었는지 분석할 것이다. 동시에서 18세기 후반의 특징을 드러내기 위해 이전 시기 관행을 함께 검토할 것이다.

한편 19세기 후반의 경우 많은 선행 연구가 지적한 것처럼 조선·청 관계에 질적인 변화가 있었다. 이들 연구는 변화의 시점을 개항, 조약, 장정 등이 새로이 외교 무대에 등장한 1870~80년대로 잡는다. 이러한 시기 구분은 나름의 타당성이 있지만, 전통적 사신 파견이 고종 31년(1894)까지 지속되었다는 점을 유념할 필요가 있다. 장기적으로 지속한 관행은 변화하는 환경 속에서 유지·변용되는 동시에 새로운 제도에 영향을 줄 수 있다. 이 글에서는 기존 연구에서 직접적으로 다루지 않은 19세기 후반까지를 분석함으로써 사신 파견 및 활동의 장기적 특성을 드러낼 것이다. 세부적으로는 병인양요(1866)를 기점으로 대외 위기가 가중되는 1860~70년대를 하나의 시기로, 천진(天津)의 북양아문이 새로운 외교주체가 되기 시작하는 1880년부터를 또 하나의 분석 시기로 설정하였다.

2. 선행 연구

1) 구조와 변화

몽골제국에 이어 중원을 차지한 명은 외국과의 교류를 엄격히 제한하기 시작하였다.[15] 해금(海禁)으로 불리는 교류와 이동의 제한은 단계적으로 정비되지만,[16] 명은 이전 왕조와 비교해 통제에 적극적이었다.[17] 이어서 등장한 청이 이러한 명의 기조를 이어받음으로써, 중국과 외국의 교류를 제한하는 관행은 수백 년 간 지속되었다.

조선·청 관계의 구조에 대해서 전해종은 1960년대 전형적(典型的) 조공책봉관계라는 틀을 제시하였다.[18] 그는 명·청의 회전(會典)에 명시된 의례 규범이 조선·중국 사이에서 지켜졌다는 점, 국가의 허락을 받은 사신이 핵심적인 교섭 통로가 되었다는 점을 근거로 들었다. 더하여 사신의 종류와 파견 빈도를 상세히 분석하였다. 이와 같이 명·청 시기 한중관계를 동일한 구조로 인식하는 관점은 한중관계를 통시적으로 분석하는 연구에서 여전히 수용되고 있다.[19] 다만 조선·중국 관계의 전형성만을 강조하게 된다면 조선·명, 조선·청 관계의 차이, 나아가 250여 년 동안 조선·청 관계 속에서 변화하는 지점을 파악하기 어렵다는 문제가 발생한다.

2000년 이후 조선·청 관계의 구조적 특징과 그 변화 양상에 주목하는 연구들이 진행되었다. 먼저 사신 인선과 관련해 구범진의 연구가 주목된다. 그는 청에서 조선, 안남, 유구에 파견한 사신의 계층적 특성

---

15) 해금과 관련된 연구 흐름은 한지선, 「홍무연간의 대외정책과 '해금' -『대명률』상의 '해금'조항 재분석-」『중국학보』60, 2009.

16) 해금의 단계적 정비에 대해서는 채경수, 「明代 海禁의 法制的 變遷」『서울대 동양사학과 논집』38, 2014.

17) 전해종, 앞의 책, 1979, 3~6쪽.

18) 전해종, 「淸代 韓中朝貢關係 綜考」『진단학보』29·30, 1966.

19) 김한규, 『한중관계사』2, 아르케, 1999.

을 검토하였다. 그 결과 조선에는 3품 이상의 기인(旗人)을 사신으로 선발한 반면, 유구와 안남의 경우에는 기인 여부와 관계없이 5품 이하의 관원을 보냈다는 점을 드러냈다. 그는 청의 통치영역을 농경지역과 유목지역으로 양분하여 제시했던 맨콜(Mark Mancall)의 관점을 비판하면서 양쪽 어디에도 속하지 않는 조선의 특수성을 강조하였다.[20] 또한 조선의 특수성이 19세기 후반 새로운 국제질서가 등장하면서 조선·청 관계를 재편할 때 일정한 영향을 주었을 것으로 추정하였다.[21] 김창수는 청이 관념적 지배영역에 반포하는 천하조서(天下詔書)의 전달 범위를 검토하였다.[22] 이에 따르면 조선에는 천하조서의 대부분이 반포되었으며, 유구와 안남에는 일부만이 전달되었다는 차이를 확인하였다. 김경록은 외교문서를 중심으로 조선·청 관계의 구조적 특징을 정리하였다.[23] 사행의 종류와 목적을 세부적으로 구분하고 파견의 과정을 개괄적으로 검토하는 동시에, 외교문서가 지니는 특징에 주목하여 조선·중국 외교문서의 생산, 전달, 수령, 보존 방식과 체계를 분석하였다.[24] 이상의 연구들은 조선·청의 관계의 구조적인 성격과 함께 한중관계사 속에서 조선·청 관계가 갖는 특수성을 보여준다는 점에서 의의를 지닌다.[25]

---

20) 구범진, 「청의 조선사행 인선과 대청제국체제」『인문논총』59, 2008.

21) 구범진, 「동아시아 국제질서의 변동과 조선·청 관계」『동아시아 국제질서 속의 한중관계사 - 제언과 모색』, 동북아역사재단, 2010.

22) 김창수, 「청의 조서(詔書) 반포 사신을 통해 본 조선의 지위」『역사와현실』89, 2013.

23) 김경록, 「朝鮮時代 朝貢體制와 對中國 使行」『명청사연구』30, 2008.

24) 김경록, 「조선시대 대중국 외교문서와 외교정보의 수집·보존체계」『동북아역사논총』25, 2009.

25) 중국 측의 조선·청 관계사 연구는 기본적으로 종번(宗藩) 이론을 적용하여 청의 종주권을 강조하기 때문에 외교구조의 변화가 없다고 본다. 따라서 이 책에서는 별도의 분석 내용을 서술하지 않았다. 다만 최근에 왕위안총은 청이 한화(漢化)되었다는 기존 중국 사학계의 입장과 달리 청을 중심으로 중국사를 서술하였다. Wang Yuanchong, *Remaking the Chinese Empire: Manchu-Korean Relations, 1619-1911*, Ithaca: Cornell University Press, 2018. 해당 연구는 청이 탄생부터 중화제국의 속성을 지니

250여 년 동안 조선·청 관계의 특징이 단일하게 지속되지는 않았으며, 시기에 따른 변화가 존재했다. 이명제는 병자호란 이후부터 17세기까지를 대상으로 청의 대(對)조선 정책을 4개 시기로 구분하고 청 태종의 호부(戶部) 중심 체제, 도르곤의 조선 외번화(外藩化), 순치제의 예부 중심 체제, 강희 연간 예제적 질서의 완성이라는 시기적 특징을 제시했다.[26] 이러한 구분은 아직은 상세한 검토가 필요하지만, 양국 관계의 변화상을 새로운 관점에서 추적한 점에서 의미를 갖는다. 이재경은 17세기 후반 범월(犯越) 및 표문(表文) 문제로 인해 청이 조선에 부과했던 벌은(罰銀)에 주목하였다.[27] 그는 벌은 및 의처(議處) 등 청의 형률이 조선국왕에게 적용되었음을 밝히고 해당 조치가 청의 친왕 등을 대상으로 했던 규정임을 드러냈다. 이는 형법의 측면에서 청 국내의 규정이 외국 군주에게까지 확대·적용된 사례라고 볼 수 있다. 기존 연구들이 병자호란 이후 조선·청의 갈등 현상을 주로 드러낸 것에 비해, 위의 연구들은 청 측 사료를 적극 활용하는 동시에 청 내부의 정치적·예제적 요소가 조선에 적용 및 반영되는 부분을 논증했다는 데 의의가 있다.

18세기 후반은 조선·청 관계의 또 다른 획기라고 할 수 있다. 구범진은 해당 기간 조선과 청의 새로운 관계 변화에 주목하였다. 먼저 그는 정조가 건륭제의 칠순·팔순·즉위 60주년·양위(讓位) 등을 축하하

고 있었고, 이를 창출하는 데 조선의 역할이 매우 중요했다는 점을 강조한다. 그러나 왕위안총의 연구는 종번 이론을 그대로 수용했으며 기존 중화의 자격을 청에도 부여함으로써 새로운 버전의 중화 이론을 제시한 것으로 해석될 수 있다. 더하여 박지원, 홍대용 등 북학파의 언술을 사료의 맥락없이 청의 중화로서의 권위를 인정하는 근거로써 사용했다는 문제점을 노출하고 있다. 왕위안총의 연구에 대한 전반적인 비평은 손성욱, 「종번(宗藩)과 중화(中華)로 청제국을 볼 수 있는가 -왕위안총 '조선 모델'의 가능성과 한계-」『동북아역사논총』66, 2019.

26) 이명제, 「17세기 청·조선 관계 연구」, 동국대학교 사학과 박사학위논문, 2021.

27) 이재경, 「大淸帝國體制 내 조선국왕의 법적 위상: 국왕에 대한 議處·罰銀을 중심으로」『민족문화연구』83, 2019.

기 위해, 전례에 없는 방식 즉 조서가 오지 않았음에도 행사 당일에 맞춰 사신을 파견했다는 점에 주목하고, 이러한 정조의 외교 정책을 '진하외교(進賀外交)'라고 명명하였다.[28] 그는 또 다른 연구에서 청이 건륭제의 칠순 이후 청 황실 및 고관들에게만 허용되었던 궁정연회를 외국 사신들에게 개방했다는 사실에 주목하여, 그것이 조공국 특히 조선과의 관계에 미친 영향, 건륭제가 열하에서 칠순을 개최한 의도 등을 분석하였다.[29] 손성욱은 청의 궁정연회를 보다 장기적인 시각에서 파악하였다.[30] 그는 건륭 이후 19세기 동안 궁정 연회의 운영방식을 추적하여 아편전쟁을 전후하여 점차 궁정 연회의 규모가 축소되는 모습을 확인하였다. 김창수는 궁정 연회의 개방이 조선 사신과 청 고관 사이 사적 교류의 장으로 기능했다는 점을 드러냈다.[31] 임영길은 궁정 연회의 개방으로 인해 연회 개최지인 원명원(圓明園) 근방의 서산(西山)이 조선 사행원의 견문대상 및 문학의 소재가 되었다는 점을 포착했다.[32] 이상의 연구들은 18세기 후반 건륭제의 칠순 행사와 궁정연회의 개방을 조선·청 관계의 변곡점으로 설정할 수 있는 근거를 제시하였다.

19세기 후반은 조선·청 관계가 질적으로 변화한 시기이다.[33] 변화

---

28) 구범진, 「조선의 청 황제 성절 축하와 건륭 칠순 '진하 외교'」『인문논총』70, 2013.
29) 구범진, 「1780년대 淸朝의 朝鮮 使臣에 대한 接待의 變化」『명청사연구』48, 2017; 구범진, 「1780년 열하의 칠순 만수절과 건륭의 '제국'」『명청사연구』40, 2013.
30) 손성욱, 「淸 朝貢國 使臣 儀禮의 形成과 變化」『동양사학연구』143, 2018.
31) 김창수, 「건륭연간 외교 공간의 확장과 조선 사신의 교류 -조선·청 지식 교류의 기반에 관하여-」『한국학논총』51, 2019b.
32) 임영길, 「조선후기 연행록에서 북경 '西山'의 의미」『대동한문학』57-1, 2018.
33) 일반적으로 개항을 전근대와 근대를 구분하는 기준으로 사용하지만, 최근 '개항'에 대한 연구 및 인식의 계통을 구분한 연구가 제출되었다. 이 책에서는 이러한 연구를 수용하고 또 조선·청 관계의 제도가 변한 시점이 1882년 이후라는 점을 고려하여 '개항' 대신 '19세기 후반'이라는 용어를 주로 사용하였다. '개항'의 연구 및 인식의 변화에 대해서는 박준형, 「개항을 바라보는 시선의 (불)연속」『역사비평』114, 2016.

의 중요한 기준 중 하나는 교섭권에 기반한 외교개념이라고 할 수 있다. 이와 관련하여 최근 '인신무외교'에 관한 개념사적 접근이 이루어졌다. 민회수는 조선시대 '외교'라는 용어는 사신 개인이 교류를 행하는 등의 일탈행위를 가리키다가, 19세에 들어서서는 서양과 국가 차원의 통상 행위를, 1870년대부터는 점차 서양과의 대외관계 전반을 뜻하는 것으로 변화해갔다는 점을 강조하였다.[34] 손성욱은 조선·중국 관계에서 '외교'는 사적 교류를 의미한다는 점을 지적하면서, 외교의 범위를 '광의'와 '협의'로 구분하였다. 전자는 외국 사신과 청 일반 문인과의 교류를 뜻하고, 후자는 청 고관과의 교섭을 가리킨다고 정리하였다.[35] 두 연구자 모두 조선·청 관계 속에서 사적 교류가 일정하게 제한되었다는 점을 인정하였다. 다만 손성욱은 외교 영역에서 19세기 후반 외부의 압력이 높아지면서 사적 교류가 '인신외교'로 전환되는 과정을 구체적으로 보여주었다. 이러한 외교개념 연구에 따르면 조선·청 양국의 사적 교류는 19세기 중반까지 일정한 제한을 받았다는 점, 19세기 후반부터 변화가 시작되었다는 점을 확인할 수 있다.

고종 13년(광서2, 1876) 개항을 시작으로 조선은 기존과 전혀 다른 국제질서에 편입되었다. 청과의 관계에서는 고종 19년(광서8, 1882)이 획기가 되었다. 고종 19년, 청은 조선과 종래와는 다른 국제관계 즉 통상(通商)을 체결하는 방안을 논의하기 시작했다. 논의과정 중에 조선에서 임오군란(壬午軍亂)이 일어나자 군대를 파견하여 진압하고 흥선대원군을 납치하는 등 조선의 국내 문제에 적극적 개입하기 시작했다. 뿐만 아니라 진수당(陳樹棠), 원세개(遠世凱) 등을 조선에 상주시키고 내정에 간섭하였다.

19세기 후반 새롭게 변화한 조선·청 관계에 대해서는 많은 연구가

---

34) 민회수, 「19세기 말 한국에서의 '外交' 용어의 활용 양상」『진단학보』131, 2018.
35) 손성욱, 「'外交'의 균열과 모색: 1860~70년대 淸·朝 관계」『역사학보』240, 2018.

이루어졌다. 크게 구분하면 종번(宗藩) 관계를 전제로 하여 청의 종주권(宗主權)이 강화된 형태로 판단하는 연구, 형식적 종속관계에서 실제적 종속관계로 재편 또는 전환되는 과정이었다고 보는 연구로 나눌 수 있다.[36] 이러한 흐름 속에서 한국의 연구자들은 청의 부당한 침탈과 조선이 주권을 지키기 위해 노력한 점을 논증하는 데 초점을 맞추었다.[37] 이상의 연구들은 새로운 국제환경 속에서 주권을 둘러싼 조선·청의 정치적 갈등을 구체적으로 드러냈다는 데 의의가 있다. 다만 주권 등의 근대적이고 정치적인 사안에 초점을 맞춘 결과, 경제·문화 등을 포함한 조선·청 관계의 전체상이 잘 드러나지 않으며 특히 전통적 관계가 어떻게 지속·변용되었는지에 대해서는 시야에 넣지 않은 한계가 있다.[38]

조선·청의 전통적 관계의 연속 및 변용과 관련해서 손성욱은 17세기~19세기 후반까지를 대상으로 연행사의 '황도(皇都) 경험'을 분석

---

36) 이와 관련된 연구는 일일이 제시하기 어렵다. 주요한 연구사 정리로는 구선희, 「근대 한중관계사의 연구경향과 쟁점 분석」『한중일 학계의 한중관계사 연구와 쟁점』, 동북아역사재단, 2009; 손성욱, 「최근 중국학계의 근대 한중관계사 연구(2007~2016)」『동양학』69, 2017; 이동욱, 「한국 학계의 근현대 한중관계사 연구의 새로운 성과」『동북공정 이후 현황과 동북아 역사 문제』, 동북아역사재단, 2020.

37) 유바다는 청이 시도한 조선의 속국화(屬國化) 및 조선이 확보하려고 했던 여러 형태의 지위들이 『만국공법』에 기초했다는 점을 드러냈다. 이는 휘튼(Henry Wheaton)의 *Elements of International Law*와 이를 번역한 『만국공법』과의 세밀한 비교검토를 통해 도출한 결과이다. 해당 연구는 조선의 지위에 관한 한문과 영문의 조응관계, 그리고 그것이 어떻게 정치적으로 이해·활용되었는지를 구체적으로 분석했다는 점에서 의의가 있다. 19세기 후반 조선·청 관계를 조선의 주권 확보라는 관점에서 분석한 대표적인 연구는 다음과 같다. 김정기, 「1876~1894年 淸의 朝鮮政策 硏究」, 서울대학교 국사학과 박사학위논문, 1994; 구선희, 『韓國近代 對淸政策硏究』, 혜안, 1999; 유바다, 「19세기 후반 조선의 국제법적 지위에 관한 연구」, 고려대학교 한국사학과 박사학위논문, 2017.

38) 이외에 커크 W. 라슨의 연구가 번역되었는데, 그는 19세기 후반 청의 대(對)조선 정책이 비공식적 제국주의의 성격을 띠고 있다는 점, 상업적 이익이 상당한 요인으로 작용했다는 점, 원세개-이홍장-북경 조정의 이해관계가 때로 엇갈렸다는 점을 강조하였다. 커크 W. 라슨, 양휘웅 옮김, 『전통 조약 장사』, 모노그래프, 2021.

했다.[39] 특히 주목되는 부분은 19세기 문인 교류를 통한 교류망의 형성, '인신무외교'의 변화 과정, 나아가 19세기 후반 천진의 상주 체제까지 검토하고, 최종적으로 조선 사신의 중국 수도 인식이, 황도(皇都)에서 북경(北京)으로 전환되는 과정을 드러낸 점이다. 아울러 최근 강박(姜博)은 1880년대 전후 조선과 청이 장정(章程)을 통해 새로운 관계를 형성해 나가는 과정에서 나타난 문제와 그것의 처리 방식을 분석하였다.[40] 무역장정의 체결 결과 통상과 관련하여 조선-북양대신 간의 교섭 통로가 형성되지만, 종래의 관행과 충돌하는 부분이 생겨나자 예부가 개입하여 행정질서가 정리되는 과정을 고찰하였다. 해당 연구는 전근대의 관행과 근대적 조약이 충돌·조정되는 현상을 포착했다는 점에서 본 연구에 매우 유의미한 관점을 제공해준다.

2) 교섭의 양상

조선·청 양국의 정치적 긴장 관계는 17세기 교섭 활동에 큰 영향을 끼쳤다. 인조 15년(숭덕2, 1637) 병자호란이 종결되고 청이 북경을 점령하기까지 청은 조선에 군사 및 군량을 지속적으로 요구했다. 김용흠은 해당 기간 청의 강압적 요구와 이를 둘러싼 조선 내부의 입장 및 갈등을 상세히 검토했다.[41] 양국의 긴장된 관계는 대청황제공덕비(大淸皇帝功德碑) 일명 삼전도비(三田渡碑)의 설치 과정에서도 잘 드러난다. 배우성은 삼전도비를 건립함으로써 대(對)조선 외교의 성과를 과시하려고 했던 청 사신들과 어쩔 수 없이 이들의 요구를 수용해야 했던 조선 조정의 입장을 구체적으로 드러냈다.[42]

---

39) 孫成旭, 「十九世紀朝鮮赴京使臣的"皇都經驗"」, 北京大學 歷史學係 博士研修生學位論文, 2015.6.
40) 姜博, 「1880년대 전후 淸의 朝鮮 事務 처리 기제의 재확립」『명청사연구』57, 2022.
41) 김용흠, 『조선후기정치사연구』Ⅰ, 혜안, 2006.
42) 배우성, 「서울에 온 청의 칙사 馬夫大와 삼전도비」『서울학연구』38, 2010.

청은 입관 이후 조선의 정기 사행 파견을 연 1회로 줄였고, 아울러 세폐(歲幣)와 방물(方物)도 지속적으로 감면했다. 홍선이는 조선 재정의 규모를 고려할 때 세폐와 방물이 여전히 부담으로 작용하였다는 점, 그리고 세폐는 패전으로 인해 나타난 특수한 형태이며, 19세기 후반까지 지속되었다는 점을 분석하였다.[43] 입관 이후 공물의 부담은 일부 줄었지만, 정치적 측면에서 조선에 대한 청의 압박과 감시는 쉽사리 해소되지 않았다. 이러한 상황에서 조선으로 도망온 피로인(被擄人) 및 청이 아직 장악하지 못한 지역에서 표류해 온 한인(漢人)의 송환 여부가 조선 내에서 큰 논란이 되었다. 현종대 주회인(走回人) 안추원(安秋元) 사건과 관련해서 김근하는 당시 조선에서 반청의식으로 인해 안추원을 수용했지만, 이 때문에 청 사신의 조사가 행해지고 벌금이 부과되면서, 이후 청과의 마찰을 회피하는 원인으로 작용했다는 점을 강조하였다.[44] 우경섭은 1630~60년대 중국인이 조선에 표류했을 때 조선 조정은 이들이 명의 유민임을 의식하면서도 청과의 현실적 관계를 고려해 신속히 송환한 점, 그리고 해당 조치로 인한 조선 지식인들의 정신적 상처가 이후 시기까지 이어졌다는 점을 드러냈다.[45] 김우진은 군권과 신권의 길항이라는 측면에서 현종이 안추원과 중국 표류민을 신속히 송환함으로써 국정운영의 주도권을 갖고 청과의 마찰을 줄이고자 했다고 분석하였다.[46]

조선·청 관계는 숙종 즉위 직후 발생한 '삼번(三藩)의 난'으로 인해 흔들리는 모습이 나타났다. 이화자는 숙종이 즉위 초부터 사신을 교외(영은문)에서 영접해야 하는 교영례(郊迎禮)를 거부했던 일과 이로 인

---

43) 홍선이,「歲幣·方物을 통해 본 朝淸관계의 특징 -인조대 歲幣·方物의 구성과 재정 부담을 중심으로-」『한국사학보』55, 2014.
44) 김근하,「丁丑約條의 성격과 顯宗代 安秋元 사건」『조선시대사학보』78, 2016.
45) 우경섭,「명청교체기 조선에 표류한 漢人들 -1667년 林寅觀 사건을 중심으로-」『조선시대사학보』88, 2019.
46) 김우진,「安秋元·南明 遺民 사건과 顯宗의 현실인식」『사학지』54, 2017.

해 1680년대 청으로부터 엄중한 경고를 받은 사건을 분석하고, 숙종의 의도적인 회피였을 가능성을 제시하였다.[47] 후마 스스무(夫馬進)는 같은 시기, 청에서 조선의 표문에 예에 어긋나는 표현이 사용되었다는 점을 문제 삼아 연속적으로 벌은(罰銀)을 부과한 사건에 주목하였다.[48] 그는 벌은 부과를 조공책봉관계에서 시행되는 문죄(問罪)의 일종으로 파악하고, '삼번의 난' 시기 조선에서 동전 무역, 변무(辨誣) 등을 요청하고 지도와 사서(史書)를 밀수하다 발각된 것이 원인으로 작용했다고 보았다. 반면 김창수는 숙종의 교영례 회피의 배경에 대해 '삼번의 난'을 이용한 정치적 의도라기보다는 천연두에 대한 면역이 없던 숙종이 교영 과정에서의 감염을 우려했기 때문에 발생한 사건으로 해석하였다.[49]

강희 후반기에 이르러 양국의 정치적 긴장은 점차 완화되어갔다. 이러한 분위기는 다양한 측면에서 변화를 야기했다. 병자호란 직후부터 상당 기간까지 교섭의 통로가 정명수(鄭命壽)와 같은 조선 출신 역관으로 한정되었다.[50] 연갑수는 18세기 대청(對淸)사행의 운영방식을 분석하여 조선 사신이 청의 고위 관료를 대상으로 교섭을 시도하는 모습들을 검토하였다.[51] 김창수는 17~18세기 조선의 교섭 통로가 하급 관리에서 고위 관원으로 확장되어 가는 과정을 체계적으로 정리하였다.[52] 손성욱은 강희 35년(숙종22, 1696)부터 건륭 2년(영조13, 1737)까

47) 이화자, 「청대 조선의 영칙례 -국왕의 교영을 중심으로-」『한중국경사연구』, 혜안, 2011.
48) 夫馬進, 「明淸中國の對朝鮮外交における'禮'と'問罪'」『中國東アジア外交交流史の研究』(京都大學學術出版會, 2007(해당 논문은 후마 스스무(夫馬進) 지음·신로사 외 옮김, 『조선연행사와 조선통신사』, 성균관대학교출판부, 2019에 수록).
49) 김창수, 「조선후기 조선·청 관계와 국왕의 건강 문제 -숙종 초반 교영례(郊迎禮)를 둘러싼 갈등을 중심으로-」『의사학』29-3, 2020.
50) 김선민, 「朝鮮通事 굴마훈, 淸譯 鄭命壽」『명청사연구』41, 2014.
51) 연갑수, 「영조대 對淸使行의 운영과 對淸關係에 대한 인식」『한국문화』51, 2010.
52) 김창수, 「17~18세기 조선 사신의 외교 활동과 조선·청 관계 구조」『조선시대사학보』

지 조선에서 요청한 4차례의 왕세자 및 왕세제 책봉 주청과 이를 둘러싼 교섭 과정을 검토하여, 강희 연간부터 예치(禮治)를 강화하려는 청의 입장과 내부의 정쟁(政爭)으로 인해 빈번히 책봉을 요청하는 조선 사이에서 발생한 외교 현안과 교섭 활동을 드러냈다.[53]

외교 관계의 안정은 경제 영역에서도 변화를 불러왔다. 김선민은 조선 사행단의 물건 운송을 대행했던 청의 난두(欄頭)와 조선 상인의 채무 문제, 조선 사행단이 청 지역에서 은(銀)을 분실했던 사건을 분석하였다.[54] 그 결과 조선 사행단의 방대한 무역규모로 인해 변경에서는 조선 사행단이 경제적 우위를 바탕으로 청인을 압박하는 현상이 나타난 점을 드러냈다. 조공책봉이라는 상위의 정치영역에서는 결코 포착할 수 없는 부분을 부각시켰다는 점에서 주목할 만한 성과이다. 망우초(莽牛哨) 사건의 처리 과정도 양국의 변화된 분위기를 보여준다. 김선민은 옹정·건륭 연간 청의 지방관들이 조선인의 불법 월경을 막기 위해 망우초에 초소를 설치하려고 시도하였으나 조선의 반대를 수용한 황제들의 결정으로 인해 취소되는 과정을 분석하였다.[55] 이러한 현상에 대해 청 황제들 스스로 만주족의 지배자를 넘어 보편 군주로서 제국의 이해를 조정하려고 했던 점을 주요 원인으로 제시하였다.

한편 조선후기 국왕의 정통성과 관련된 변무 교섭이 시도되었다. 변무는 중국 사서(史書)에 조선국왕의 종통이 잘못 기록된 것을 바로 잡기 위한 요청을 말하는데, 조선 후기에 들어 숙종대부터 철종대까지 다섯 차례 사신을 파견하여 중국 사서의 수정을 요청하였다.[56] 변무의

88, 2019.

53) 손성욱, 「王世子 冊封으로 본 淸·朝 관계(康熙 36년~乾隆 2년)」『동양사연구』146, 2019.

54) 김선민, 「欄頭: 청-조선 조공관계의 변경적 측면」『대구사학』96, 2009; 김선민, 「乾隆年間 朝鮮使行의 銀 분실사건」『명청사연구』33, 2010.

55) 김선민, 「雍正-乾隆年間 莽牛哨 事件과 淸-朝鮮 國境地帶」『중국사연구』71, 2011.

56) 변무가 갖는 국내 정치적 성격은 이성규, 하정식, 윤정이 각각 영조·철종·숙종대를

승인 권한은 청에 있지만, 조선에서는 변무 문제를 제기해서 성공할 경우 이를 국내에서 정치적 권위를 제고하는 데 사용했다. 따라서 변무를 위한 사신 파견은 청의 권위를 활용하여 국내의 현안을 해결하고자 한 대표적 사례로서 조공책봉관계를 청뿐만 아니라 조선 또한 이용했다는 점을 잘 보여준다.

19세기 후반에 이르면 조선은 일본 및 서양 각국과의 조약을 통해 새로운 국제질서에 편입되었다. 그러나 청과의 관계는 여전히 지속하였으며, 사신의 활동도 이어졌다. 고종 12년(광서1, 1875)부터 고종 18년(광서7, 1881)까지 이어진 이유원(李裕元)과 북양대신 이홍장(李鴻章)의 서신 왕래는 이른 시기부터 주목되었다.[57] 신하는 외교를 할 수 없다는 관념이 여전히 작동하던 상황 속에서, 사적 서신을 통해 외교 사안을 논의하는 일은 기존에 없었던 새로운 교섭 방식이었기 때문이다. 김창수는 이유원의 사례보다 10여 년 앞선 고종 3년(동치5, 1866) 프랑스가 조선을 침공하려고 하자, 북경에 머물던 조선 사신단 및 그해 북경을 방문했던 이흥민(李興敏)이 해당 사건을 해결하고자 청의 예부상서와 접촉한 과정을 드러냈다.[58] 아울러 이러한 행동은 19세기 이후 진행된 사신과 청 문인들과의 문한 교류가 배경이 되었음을 밝혔

대상으로 분석하였고, 한명기는 장기적 관점에서 변무의 진행을 고찰하였다. 이성규, 「明·淸史書의 朝鮮 '曲筆'과 朝鮮의 '辨誣'」『오송이공범교수정년기념동양사논총』, 지식산업사, 1993; 한명기, 「17·8세기 韓中關係와 仁祖反正: 조선후기의 '仁祖反正 辨誣' 문제」『한국사학보』13, 2002; 하정식, 『태평천국과 조선왕조』, 지식산업사, 2008, 286~310쪽; 윤정, 「肅宗代明史辨誣의 정치사적 의미 -三藩의 반란에 대한 조선 정부의 대응-」『역사와실학』70, 2019.

57) 宋炳基, 「19世紀 末의 聯美論 序說: 李鴻章의 密函을 中心으로」『사학지』9, 1975; 原田環, 「朝·中〈兩截體制〉成立前史: 李裕元と李鴻章の書簡を通して」『近代朝鮮の社會と思想』, 東京: 未來社, 1981, 67~98쪽; 權赫秀, 『19세기말 한중관계사 연구』, 백산자료원, 2000, 38~51쪽; 권혁수, 「한중관계의 근대적 전환과정에서 나타난 비밀 외교채널 -李鴻章·李裕元의 往復書信을 중심으로-」『근대 한중관계사의 재조명』, 혜안, 2007.

58) 김창수, 「19세기 후반 대외위기와 조선 사신의 교섭 양상」『한국사학보』65, 2016a.

다. 손성욱은 장기적인 측면에서 조선 사신과 예부상서의 접촉이 '인신무외교'의 경계선에 머물렀음을 밝히는 동시에, 예부(북경)가 주도했던 대(對)조선외교가 이홍장-이유원의 서신왕래를 통해 북양아문(천진)으로 이전되었으며, 이는 외교 주체와 공간 양 측면에서 나타난 변화라는 점을 강조했다.[59]

역관은 19세기 후반 외교의 또 다른 주역이었다. 역관들은 이미 조선후기부터 김지남(金指南), 김경문(金慶門), 김건서(金健瑞) 등이 외교실무 지침서를 만들 정도로 외교 일선에서 활약하며 관련 지식을 축적해 왔다. 따라서 19세기 역관들의 활동도 이른 시기부터 주목받았다.[60] 최근 김종학은 오경석(吳慶錫)이 영국공사관 서기관 메이어스(William F. Mayers, 梅輝立)와 여러 차례 접촉하며 서양의 군사력을 빌려 조선을 개항시키려 했다는 점을 드러냈다.[61] 손성욱은 오경석에 앞서 이응준(李應俊)이 재자관으로서 신미양요의 결과를 보고하러 북경에 파견되었을 때 미국 대리 공사였던 윌리엄스(Samuel W. Williams)와 만남을 가졌던 과정을 분석하였다.[62] 또한 고종 26년(광서15, 1889) 원세개가 문제 삼은 조선 사신의 뇌물 공여 사건도 분석하였는데,[63] 해당 사건은 재자관으로 파견된 역관 이응준이 청 관원에게 비공식적으로 교섭했다는 것이 핵심 쟁점이었다.

59) 손성욱, 「'外交'의 균열과 모색: 1860~70년대 淸·朝 관계」『역사학보』240, 2018a.
60) 김양수, 「朝鮮開港前後 中人의 政治外交 -譯官 卞元圭 등의 東北亞 및 美國과의 활동을 중심으로-」『역사와실학』12, 1999; 송만오, 「한국의 근대화에 있어서 중인층의 활동에 관한 연구」, 전남대학교 사학과 박사학위논문, 1999; 김양수, 「서울 中人의 19세기 생활: 川寧玄氏 譯官 鐸의 일기를 중심으로」『인문과학논집』26, 2003; 백옥경, 「개항기 역관 김경수의 대외인식 -'공보초략'을 중심으로-」『한국사상사학』41, 2012.
61) 김종학, 『개화당의 기원과 비밀외교』, 일조각, 2017, 27~35쪽.
62) 손성욱, 「변화된 '皇都'에서 서양과 조선의 접촉 -1860~70년대 조선 赴京使臣團 일원의 사진을 중심으로-」『동양사학연구』, 148, 2019b.
63) 손성욱, 「19세기 지속된 전통적 朝·淸 관계의 의미」『중국근현대사연구』93, 2022.

이상의 연구들은 조선이 사신과 재자관이라는 두 종류의 외교 주체를 파견해, 공식·비공식 영역에서 조선의 이익을 확보하기 위해 활동했다는 점을 잘 보여준다. 또한 변경에서는 조선 사신단의 위세에 청의 관원이 공조하면서 권력의 역전 현상도 나타났다. 이는 『회전(會典)』에 규정되어 있는 수직적 예제 질서로는 포착할 수 없는 조선·청 양국 관계의 현실적 운영방식이었다.

3) 문인 교류

조선·청 관계가 안정되면서 조선 사신과 청 문인의 교류가 나타났다. 사신의 높은 정치적 지위를 고려할 때, 사신이 주체가 되는 사적 교류는 단순한 문한의 교환에 그치지 않고 청에 대한 정보 확보, 나아가 정치적 교섭의 기반이 될 가능성이 있었다.

조선·청 문인 교류와 관련해서 2000년 이후 의미 있는 연구들이 집중적으로 생산되었다. 천금매는 박사학위논문에서 18~19세기에 이루어졌던 교류 관련 척독(尺牘) 자료집을 통시적으로 정리·분석하였다.[64] 그는 27종의 척독집을 수집하였는데 이 중 18종은 그간 학계에 잘 알려지지 않은 것들이다. 교류의 주체로는 홍대용을 비롯하여 박제가(朴齊家), 김재행(金在行), 김정희(金正喜) 및 그의 동생인 김명희(金命喜), 김노경(金魯敬), 김선신(金善臣) 등, 홍양후(洪良厚), 박사호(朴思浩), 정원용(鄭元容), 이상적(李尙迪), 변원규(卞元圭), 김영작(金永爵), 신석우(申錫愚), 박규수(朴珪壽), 이하응(李昰應), 김창희(金昌熙), 정기세(鄭基世) 등 조선·청 교류사에서 주요한 인물들을 모두 망라하였다. 해당 연구는 교류사에 대한 접근성을 크게 높였다고 할 수 있다.

기존의 문인 교류와 관련된 연구들이 대체로 개별 연행록을 분석한

---

64) 千金梅, 「18~19世紀 朝·淸文人 交流尺牘 硏究」 연세대학교 국어국문학과 박사학위논문, 2011.

반면, 허방은 제한된 기간이지만 19세기 중반 문인 교류 및 연행의 성격을 종합하는 연구를 수행했다.[65] 그는 19세기 중기에 해당하는 철종대 연행록 7종을 선택하여 각각의 내용 및 형식적 특징을 검토하였다. 문인 교류의 측면에서 각 연행록에 수록되어 있는 교유 상황을 상세히 정리했으며, 특히 필담창화의 내용을 분석한 점은 매우 중요한 성과로 볼 수 있다. 임영길은 19세기 전반에 생산된 45종의 산문 연행록을 확보하여 해당 연행록의 특성과 조선·청 교류 양상을 분석하였는데, 여기에는 『증보연행록총간(增補燕行錄叢刊)』(임기중 편, 2016)에 수록되지 않은 10종의 연행록이 포함되어 있다.[66] 더하여 연행록 생산 주체의 계층 및 당색도 함께 분류하여 추후 문화 교류의 사례를 정치사상 연구로 확장할 수 있는 기반을 마련하였다.

19세기 문인 교류의 또 다른 특징으로 청나라 문인 집단과의 교류를 들 수 있다. 이전 시기의 교류가 대체로 개인과 개인의 형태였다면 19세기에 들어서면서 청의 주요 문인 집단과 조금 더 긴밀한 교류가 진행되었다. 이미 잘 알려진 김정희와 옹방강(翁方綱) 및 완원(阮元) 문인 집단 외에도 19세기 전반부터 사행에 참여한 조선 지식인들은 다양한 청 측 문인 집단과 연결되었다. 김명호는 동문환(董文煥)과 박규수·신석우·김영작과의 교류를 구체적으로 추적하였다.[67] 해당 연구에 따르면 동문환은 조선 문인들과 광범위하게 교류했을 뿐 아니라 조선 전시기에 걸쳐 뛰어난 시들을 모아 시집을 발간하고자 했다. 동

---

65) 허방, 「철종시대 연행록(燕行錄) 연구」, 서울대학교 국어국문학과 박사학위논문, 2016.

66) 임영길, 「19세기 前半 燕行錄의 특성과 朝·淸 文化 交流의 양상」, 성균관대학교 동아시아학과 박사학위논문, 2017.

67) 이들 문인 집단과 조선 사신의 교류에 대해서는 김명호, 「董文煥의 『韓客詩存』과 韓中文學交流」 『한국한문학연구』26, 2000; 김명호, 「金永爵의 燕行과 『燕臺瓊瓜錄』」 『한문학보』19, 2008; 김명호, 「海藏 申錫愚의 入燕記에 대한 고찰」 『고전문학연구』32, 2007.

문환은 1860년대 고염무(顧炎武)를 기리기 위한 모임인 고사수계(顧祠修契)를 이끌던 인물이다. 김명호는 동문환 문인 집단의 특징으로서 정치적으로는 청류(淸流), 문학적으로는 동성파(桐城派)라는 점을 제시하였다. 임영길은 19세기 전반, 조선 지식인과 청 측 문인 모임의 하나인 강정전계(江亭展禊)와의 교류를 분석하였다.[68] 강정전계의 중심인물은 황작자(黃爵滋)였다. 순조 31년(도광11, 1831) 홍석주(洪奭周)가 황작자와 교류를 시도한 이후 조선 사신들은 거의 매해 강정전계 문인들과 만남을 가졌으며, 강정전계는 선남시사(宣南詩社)와 고사수계의 가교 역할을 했다는 점을 강조하였다.[69] 손성욱은 19세기 한중 교류의 핵심 문인 집단들을 학풍과 연관하여 종합적으로 정리하였다.[70] 조선 지식인과 교류한 청 문인 집단을 19세기 초에는 금석문에 관심을 둔 학인 집단, 1810년대 말 선남시사(宣南詩社)의 핵심 인물이었던 도주(陶澍), 1840~60년대에는 고사수계의 문인들로 구분하고 선남시사와 고사수계 문인들의 학풍을 경세치용(經世致用)으로 규정하였다. 허경진, 허방 등은 19세기 후반 장사(長沙) 출신의 문인 집단인 용희사(龍喜社, 또는 龍喜詩社)와 조선 사신의 교류에 주목하였다.[71] 1880년대 후반부터 용희사와 조선 사신들은 밀도 높은 관계를 맺었으며 교류한 시들을 모아 시문집을 편찬하기까지 하였다.

이외에 만주 기인(旗人)과의 교류가 부분적으로 연구되었다. 김성은은 18~19세기에 걸쳐 조선을 방문한 청 사신과의 시문 교류를 분석하

---

68) 임영길, 「19세기 조선 문인과 청조 강정전계 문인의 교류에 관한 소고」 『한문학보』 29, 2013.

69) 임영길, 「淸 문인 黃爵滋와 朝鮮 문인의 교유 -仙屛書屋初集年記를 중심으로-」 『한국한문학연구』 64, 2016.

70) 손성욱, 「19세기 조청문인 교류의 전개 양상 -북경 내 학풍과 교류 네트워크의 변화를 중심으로-」 『역사학보』 216, 2012.

71) 許敬震·劉靖, 「晚淸時期의 朝中文人詩社 龍喜社 小攷」 『동아인문학』 13, 2008; 허방, 「晚淸北京詩社 龍喜社와 한중 문학 교류」 『국문학연구』 28, 2013.

였다.[72] 영조 연간까지 조선은 청 사신의 시문 요청을 부담스러워했으며 이들의 시문 수준을 노골적으로 무시했지만, 정조 연간 이후부터는 청 사신의 문한 능력을 어느 정도 인정했다. 19세기에 들어서서는 청 사신과 그들의 접대를 담당한 조선 관원과의 교류가 사신의 귀국 이후에도 지속하는 사례도 나타났다. 김창수는 고종 24년(광서13, 1887) 북경을 방문했던 이승오의 교류 범위에 만주인들이 속해 있다는 것을 확인하고 그 관행을 부분적으로 추적하였다.[73]

한편 청 지식인을 분석 대상으로 삼고 조선 지식인과의 교류를 추적한 연구들이 속속 진행되고 있다. 정생화(丁生花)는 강희 연간 한림학사를 중심으로 조선 문화와 관련된 정보의 공유와 인식이 확산되면서, 조선의 문화 특히 시문에 대한 높은 관심이 형성되었다는 점을 고찰하였다.[74] 이에 따르면 18세기 후반 홍대용을 비롯한 북학파가 청 지식인들과 자연스럽게 교류할 수 있던 배경에는 조선 문화에 대한 공유와 관심이 이미 자리 잡고 있었기 때문이었다. 해당 연구는 교류를 직접적으로 다루지는 않았지만, 청 지식인들 사이에서 조선 정보가 어떻게 공유되고 있었는지를 검토함으로써, 그간 알기 어려웠던 중국 지식인계층의 조선인식을 드러냈다는 의미가 있다. 유정은 청 문인이 편찬한 조선 한시 문헌을 종합적으로 분석했다.[75] 분석대상 중 수방울(帥方蔚)의 『좌해교유록(左海交遊錄)』, 동문환의 『추회창화시(秋懷唱和詩)』 및 속집, 용희사의 『심시집(尋詩集)』은 문인 교류의 과정과 성과를 보여준다는 점에서 의미를 지닌다. 청 문인과의 개별적 교류와 관련해서 유정은 양주(楊洲)학파의 중심인물 중 하나인 왕희손(汪喜孫, 1786~1848)과 조선 문인 간의 척독 교류를,[76] 정신남은 19세기 전반

72) 김성은, 「조선과 청나라 사신간의 시문 교류」『중국학논총』35, 2012.
73) 김창수, 「19세기 후반, 연행사와 청 문인의 교류양상」『동국사학』61, 2016.
74) 정생화, 『17세기 淸의 지식인 '조선문화'를 만나다』, 경인문화사, 2019.
75) 유정, 『19~20세기 초 청대문인 편찬 조선한시문헌 연구』, 보고사, 2013.

청의 고관이었던 장무진(張茂辰)과의 교유를 고찰하였다.[77] 임유의는 산해관(山海關)에 거주하던 지방 수재 제패련(齊佩蓮)의 생애와 조선 문인과의 교유를 분석하였다.[78] 조선의 박래겸(朴來謙)과 심양(瀋陽) 지식인 무공은(繆公恩)과의 교류도 분석되었다.[79]

사신과 청 문인의 교류는 18세기 후반부터 나타나기 시작하여 19세기에 이르러서는 매우 활발히 진행되었다는 것을 알 수 있다. 한인과는 개인 대 개인으로 시작해서 문인 집단과의 친교로 이어졌고, 만주인과의 교류도 등장하였다. 이러한 점은 '인신무외교'의 관념에 균열이 생겼다는 점을 잘 보여주는 동시에, 교류가 개인 간의 사안에 그치지 않고 정치적 교섭과 연결될 가능성을 보여준다.

3. 책의 구성

이상에서 제시한 문제의식과 연구방법에 기초하여 이 책은 다음과 같이 구성되었다.

1장에서는 '사신외교'의 구조를 세 부분으로 나누어 제시하였다. 1절은 사신 파견의 동인에 관한 것이다. 병자호란 이후 청이 조선에 명조와의 구례(舊禮)를 따르도록 요구함으로써 절일(節日)에 맞춰 사신을 보내는 방식이 유지되었다. 동시에 청에서 천하조서(天下詔書)의 대부분을 조선에도 반포하였고, 이에 대해 조선은 회답사를 파견했다. 이상의 두 가지 요소로 인해 빈번히 사신을 파견하는 관행이 형성되었

76) 유정, 「汪喜孫과 朝鮮文人의 往來 尺牘에 대한 고찰」『대동한문학』37, 2012.
77) 정신남, 「장무진(張茂辰)과 조선연행사의 교유에 대한 고찰」『열상고전연구』54, 2016.
78) 임유의, 「연행록을 통해 본 淸代 地方秀才 齊佩蓮의 생애와 朝鮮使臣과의 교유」『어문연구』46-1, 2018.
79) 장지에, 「淸人 繆公恩과 朝鮮使臣 朴來謙의 교유 -燕行錄에 관한 네 번째 연구-」『한국학연구』22, 2010.

다. 2절은 진주사와 재자관의 역할이다. 조선은 진주사를 통해 황제에게 문서와 예물을 제출하면서 조선의 요구를 전달하였는데, 청의 입장에서 조선과의 우호 관계, 선황제들이 허락해준 전례, 소국(小國)을 돌봐주어야 하는 대국의 책무 등으로 조선의 요청을 거절하는 것은 쉬운 일이 아니었다. 반면, 재자관은 대부분의 의례를 생략함으로써 교섭 속도를 높일 수 있었다. 이는 조선·청 외교관계가 의례(사신) - 실무(재자관)라는 이중의 구조로 운영되었다는 점을 보여준다. 3절은 교섭과 교류이다. 조선 조정은 사신 및 재자관의 교섭 능력[專對]을 중시하였고, 교섭에 필요한 외교비용까지 지급하였다. 교섭 활동을 통해 의례로 구성되는 예제의 이면에 작동하고 있던 외교의 실상을 파악할 수 있다.

2장에서는 17~18세기 동안 조선 사신의 교섭 통로와 활동을 다루었다. 1절에서는 병자호란 직후부터 17세기 후반까지의 교섭 양상을 검토하였다. 청의 정치적 압력이 강력했던 시기에 조선의 교섭 통로는 제한적이었다. 병자호란 이후 상당 기간 정명수(鄭命壽)라는 특정 인물이 조선·청 양국 교섭의 핵심적 역할을 담당하였고, 조선은 정명수에게 의존하는 방식을 취할 수밖에 없었다. 정명수 사후에는 또 다른 특정 인물들이 조선과의 교섭에 개입하였다. 2절에서는 17세기 후반 새로운 갈등 상황에서 사신의 교섭 양상을 확인하였다. 17세기 후반 청은 '삼번의 난'을 진압하고 패권을 공고히 하였지만, 양국의 긴장은 오히려 높아졌다. 조선의 범월(犯越), 문서의 위식(違式)에 대해 청은 연달아 벌금을 부과하였고, 청의 하급 관리들은 조선 사신들의 정보 접근이 제한적이라는 점을 이용하여 뇌물을 요구하였다. 조선 사신들은 이러한 상황을 타개하기 위해 신속한 정보획득을 꾀하는 한편 청 고위 관원과의 접촉을 시도했고 때로 성과를 거두었다. 3절에서는 18세기 이후 안정적 관계가 지속하는 가운데 조선이 모색한 교섭 통로와 비공식 접촉을 검토하였다. 18세기 초반 조선에서는 세제(世弟)·

세자 책봉 등 주요 사안이 연이어 발생하였다. 조선 사신들은 이를 수월하게 승인받기 위해 조선에 방문했던 청 사신 및 청 조정 내에서 영향력이 있던 인물들과 비공식적으로 접촉하였고, 필요에 따라 상당한 양의 외교비용을 사용했다. 조선 조정은 이러한 비공식 교섭에 대해 사신의 권한을 인정해주었고 아울러 교섭에 필요한 외교비용도 아낌없이 지원하였다.

3장에서는 18세기 후반 다양한 정치적 난제를 갖고 즉위한 정조가 청과의 관계에서 사신을 어떻게 활용했는지, 이러한 기조 속에서 조선 사신들은 어떠한 활동을 했는지를 파악하였다. 1절에서는 즉위 초 청과의 불안정한 관계를 검토하였다. 정조는 즉위 직후 자신의 반대 세력을 숙청하고 이에 대한 정당성을 강화하기 위해 숙청의 경과를 청에 진주(陳奏)했으나, 문서에 사용한 용어가 문제 되면서 오히려 이를 무마해야 하는 상황이 벌어졌다. 2절에서는 정조가 건륭제의 칠순을 계기로 전례 없는 별사(別使)를 파견함으로써 황제로부터 극히 우호적인 반응을 이끌어낸 과정을 정리하였다. 정조는 조서를 수령한 이후 사신을 보내던 기존의 관행을 깨고 생일 당일에 맞춰 사신을 파견하였다('진하외교'). 건륭제는 정조의 행동을 매우 긍정적으로 평가하였고, 이후 '진하외교'가 반복되면서 양국의 우호는 최고조에 달했다. 3절에서는 '진하외교'를 통해 얻어낸 성과를 고찰하였다. 건륭제의 긍정적 태도로 인해 정조는 문효세자(文孝世子)의 책봉을 매우 수월하게 받아낼 수 있는 환경을 만들었고, 심지어 문효세자가 이른 나이로 죽고 다음 왕자가 태어났을 때 건륭제가 먼저 세자 책봉을 권유하는 상황까지 나타났다. 이로써 정조는 혹시라도 청이 책봉을 거부함으로써 국내 정치에서 나타날 불안정한 변수를 완벽히 차단할 수 있게 되었다.

4장에서는 18세기 후반 건륭제의 칠순을 전후하여 나타난 외교 의례의 변화가 조선 사신의 교류에 어떠한 영향을 끼쳤는지 파악하였다. 1절에서는 18세기 문금(門禁)의 양상을 검토하였다. 기존 연구에 따르면 북경 내에서 사행단의 이동을 제한하는 문금은 18세기 전반에 형해화되었다. 그러나 공식적 지위를 가진 사신들은 여전히 문금을 적용받았고 사신의 교류는 제한될 수밖에 없었다. 2절에서는 황제에 대한 영송(迎送) 및 궁정연회의 개방 등 외교 의례의 변화상을 검토하였다. 18세기 후반부터 청은 황제에 대한 영송 반열에 조선 사신을 참여시키기 시작하였다. 더하여 황실 및 왕공(王公), 고위 관원만 참석하는 궁정연회를 외국 사신들에게도 개방하였다. 궁정연회는 연말부터 시작되어 정월 보름 전후까지 여러 차례 열렸는데, 연회의 참석만으로도 문금은 상당 부분 약화되었다. 3절에서는 확대된 외교 의례 공간의 기능에 대해 다루었다. 청은 황제의 영송과 황제가 주관하는 연회에 외국사신을 참석시켰는데, 매해 열리는 연회에 참석할 수 있는 외국은 조선이 유일했다. 영송과 연회라는 공식적 공간에서 조선 사신들은 청의 고관과 자연스럽게 만날 수 있었고, 문한을 매개로 교류함으로써 '인신무외교'의 관행에 일정한 균열이 나타나기 시작하였다.

5장에서는 19세기 전반의 사신 파견 및 교섭 양상, 그리고 재자관의 역할 변화를 다루었다. 1절에서는 정조대 형성되었던 '진하외교'가 19세기 전반에도 지속되었다는 점을 확인하였다. 조선에서는 가경제의 오순(五旬)이나 도광제의 육순(六旬), 반란의 평정 등 경사 행사에 맞춰 사신을 보냈고 청과의 우호를 높일 수 있었다. 그러나 아편전쟁을 전후하여 청의 재원 부족 등으로 인해 행사의 의미가 점차 퇴색되었다. 2절에서는 조선의 외교적 요구인 진주(陳奏)의 변화를 확인했다. 19세기 전반 진주사는 조선왕조의 종통과 관계된 종계변무(宗系辨誣)에 국한되면서 파견 빈도가 큰 폭으로 감소하였다. 별재자관의 경우도 마찬가지였다. 3절에서는 실무 사안을 담당했던 별재자행 역시 빈도가 줄어들었고, 표민 송환 같은 관성적인 업무의 비중이 높아졌음을 드러냈다. 19세기 전반, 사신과 재자관 양쪽 모두 교섭의 역할은 줄어들었다. 이는 양국 관계가 그만큼 안정적으로 운영되었다는 것을 보여준다.

6장에서는 19세기 사신교류가 확대되는 양상을 다루었다. 1절은 청한인(漢人) 문인과의 교류이다. 18세기 후반 궁정연회 참여 이후 본격적으로 시작된 사신의 사적 교류는 19세기 들어 확대되었으며 시간이 흐르면서 개인 간 교류를 넘어 문인 집단과의 소통으로 이어졌다. 기윤(紀昀), 옹방강(翁方綱) 등 중요 문인을 비롯하여 강전전계, 고사수계, 용희사와 같은 특정한 문인 모임과 지속적 교류가 이루어졌다. 2절은 만인(滿人)과의 교류이다. 만인 즉 만주족은 조선이 청을 이적(夷狄)으로 규정하는 핵심 요소 중 하나였다. 18세기 전반, 일부 만주족 사신이 조선에 와서 시를 짓거나 문한 교류를 요청하기 시작했는데, 조선 군신(君臣)들은 이를 매우 비판적으로 평가하였다. 18세기 후반 즉 정조 연간부터는 청 사신의 시문에 대한 긍정적 평가가 등장하기 시작했고, 19세기에 들어서면 조선인들이 청 사신의 글씨를 요청하는 일들이 늘어났다. 19세기 후반에는 북경에서도 조선 사신과 교류하고자 하는 만인들이 등장했다. 빈번한 교류는 청에 대한 인식과 교섭의 변수가 될 수 있었다.

7장에서는 양요(洋擾)와 같은 심각한 대외위기가 나타나면서 '인신외교'가 등장하는 모습을 드러냈다. 1절에서는 프랑스의 조선 침공설로 인해 조선 사신이 독자적으로 교섭을 시도한 정황을 분석했다. 북경에 체류하던 조선 사신은 프랑스의 조선 침공설을 듣고서 진위를 확인하고 이에 대한 자문을 구하기 위해 예부상서와 직접 접촉하였다. 동시에 기존의 문인 교류망을 활용하여 청 관원들로부터 다양한 조언을 받았다. 조선 사신이 정치적 사안을 이유로 청 고관과 직접 만나는 상황이 나타난 것이다. 2절에서는 북경을 다녀온 조선 관원이 사적으로 예부상서에게 외교 사안을 청원한 사건을 다루었다. 사신으로서 북경을 왕래했던 이흥민은 시회(詩會)를 통해 인연을 맺었던 예부상서 만청려에게 편지를 보내 프랑스와의 갈등을 중재해달라고 부탁하였다. 만청려는 주문을 통해 이를 공개했다. 동치제(同治帝)가 이 문제를 총리아문으로 하여금 논의하도록 하고 그 결과를 예부를 통해 조선에 전달하도록 함으로써, 이흥민의 사적 요청은 공적 답변으로 전환되었다. 사적 접촉 즉 '인신외교'를 행했던 만청려와 이흥민 모두 이 사건으로 인해 처벌받지 않았다. 이러한 상황은 정치적 영역의 '인신무외교'가 대외위기로 인해 무너지면서 사실상 '인신외교'가 시작되는 현상을 보여준다.

8장에서는 1860~70년대 대외위기가 증폭되었던 시기 '사신외교'의 양상을 파악하였다. 1절에서는 대외위기 속에서 파견되었던 특별한 사신들을 검토하였다. 철종 11년(함풍10, 1860) 서양 열강들에 의해 북경이 함락되었고 이 소식은 신속히 조선에 전달되었다. 조선 조정은 전례에 없는 열하(熱河) 문안사를 파견함으로써, 북경의 상황을 파악하는 동시에 청의 위기에 조선이 함께 한다는 태도를 보였다. 1870년 대에 들어서 청은 황태후의 존호 가상 행사와 관련된 문서를 행사보다 훨씬 이른 시기에 연이어 발송했다. 조선의 참석을 간접적으로 요구한 셈인데, 조선에서는 정조의 '진하외교'를 상기하며 청의 무언의 요구에 호응해 주었다. 2절에서는 1860~70년대 별재자관의 파견 양상을 분석하였다. 병인양요, 오페르트 도굴사건, 신미양요로 이어지는 서양의 폭력적 행위에 대해 조선에서는 청의 도움이 필요했고, 별재자관을 통해 조선의 상황을 전달하고 청의 중재를 요청하였다. 이로써 19세기 전반 관례적인 사안들을 담당했던 별재자관의 역할이 중요해졌고, 소위 양무(洋務)에 해당하는 사안을 별재자관이 전담하기 시작했다.

9장에서는 19세기 후반 사신의 외교 활동을 통해 전통적 요소들이 지속·변용하는 모습을 드러냈다. 1절에서는 고종 19년(광서8, 1882) '중국조선상민수륙무역장정' 등을 통해 조선·청 관계가 재편되면서 북양아문이 주요한 외교 주체로 등장한 점을 드러냈다. 2절에서는 19세기 후반, 사신과 재자관의 파견 및 활동을 검토하였다. 무역장정 이후에도 조선에서는 절일에 맞춰 사신을 파견하였다. 더하여 임오군란 및 갑신정변 등 정치적 사건의 여파로 인해 대원군 방환 및 청군 주둔을 요청하는 진주사를 보냈다. 조약, 국경 획정, 군대 주둔, 홍삼세 면제, 공사(公使) 파견 등 조선·청 양국 관계에서 새롭게 등장하는 다양한 사안에 대해서 별재자관을 통해 전달 및 교섭하였다. 3절에서는 해당 시기 구체적인 '사신외교' 활동을 분석하였다. 사신·별재자관은 사안에 따라 공조함으로써 교섭의 효과를 높였고, 여기에 1880년대 중반부터 천진(天津) 주재하는 조선 관원들도 합류하였다. 또한 조선은 기존 관행에 따라 사신과 재자관을 통해 북경에 직주할 수 있었다. 조선은 원세개, 이홍장의 요구와 관계없이 북경을 대상으로 '사신외교'를 시행하였다. 이상의 모습들은 근대적 외교기구가 만들어진 이후에도 전통적 외교 방식이 여전히 활용 또는 변용되며 일정한 역할을 수행했다는 점을 보여준다.

1장
'사신외교'의 구조

1. 사신 파견의 동인

병자호란 막바지에 청은 남한산성에서 농성하던 조선 측과 출성(出城) 조건을 조율하는 과정에서 아래와 같은 의례를 요구했다.

> 성절(聖節)·정조(正朝)·동지(冬至)·중궁천추(中宮千秋)·태자천추(太子千秋) 및 경조(慶弔) 등의 일이 있으면 모두 모름지기 예를 올려야 하니 대신(大臣) 및 내관(內官)에게 명하여 표문(表文)을 받들고 오게 하라. 바치는 표문과 전문(箋文)의 격식[程式] 및 짐이 조(詔)·칙(勅)을 내리거나 간혹 일이 생겨 사신을 보내 전유(傳諭)할 경우, 그대와 사신이 상견례(相見禮)하는 일, 또는 그대의 배신(陪臣)이 (청 사신을) 알현(謁見)하는 일 및 영접하고 전송하며 사신을 대접하는 예 등을 명나라의 구례(舊例)와 다름이 없도록 하라.[1]

항복을 눈앞에 둔 상황에서 조선은 청의 요구를 받아들일 수밖에 없었다. 이로써 인조 5년(천총1, 1627) 형제 맹약(盟約)에 의해 대등한 입장에서 사신을 보내던 관행이 폐지되고,[2] 불평등한 의례(儀禮)에 따

---

[1] 『仁祖實錄』 인조 15년(1637) 1월 28일, "其聖節正朝冬至中宮千秋太子千秋及有慶弔等事 俱須獻禮 命大臣及內官 奉表以來 其所進表箋程式及朕降詔勅 或有事遣使傳諭 爾與使臣相見 或爾陪臣謁見及迎送饋使之禮 毋違明朝舊例"

[2] 정묘호란 이후의 사신 파견 관행에 관해서는 劉爲, 『清代中朝使者往來研究』, 哈爾濱: 黑龍江出版社, 2002; 장정수, 「17세기 전반 朝鮮과 後金·清의 國交 수립 과정 연구」, 고려대학교 한국사학과 박사학위논문, 2020, 360~365쪽.

라 청에 사신을 파견해야 했다. 구체적으로 청에서는 성절·정조·동지·천추 등에 맞춰 사신을 보내도록 정하였다. 인조 23년(순치2, 1645)부터는 순치제의 명령으로 인해 성절·정조·동지 사행을 하나로 합쳤지만,[3] 절일(節日)에 대한 정기 사행은 인조 15년 이후 양국의 조공책봉관계가 해체되는 고종 31년(광서20, 1894) 정조까지 단 한 번의 예외도 없이 파견되었다.

조선은 일자가 고정된 절일뿐 아니라 비정기적으로 발생하는 청의 경조사에도 대부분 사신을 보냈다. 청은 경조사와 관련된 조서(詔書) 및 칙서(勅書)를 천하에 반포하였는데, 해당 조·칙의 대부분이 조선에 전달되었고,[4] 조선은 사신을 통해 회답했다. 『통문관지(通文館志)』의 분류에 따르면 청의 경사를 축하하기 위한 진하사(進賀使), 황제 등의 죽음을 위문하는 진위·진향사(陳慰進香使), 황제의 안부를 묻는 문안사(問安使) 등이 여기에 해당했다. 청의 조서 반포에 따른 조선의 회답은 사신 파견의 주요한 동인이었다.

중국이 세계의 중심이 되기 위해서는 이적(夷狄)이라고 불리는 외국의 존재는 필수적이었다.[5] 더하여 이들 외국이 절차에 따라 공물(貢物)을 바치고 중국의 행사에 참여해야만 중국은 제국(帝國)의 위상을 가질 수 있었다.[6] 관념상의 '만국래조(萬國來朝)'는 외국 사신이 중국 수도의 정전(庭前)에서 국내 신료들과 함께 의례를 행함으로써 현실에서 구현될 수 있었다. 조선이 해마다, 그리고 특별한 사안이 발생할 때마다 중국에 사신을 파견했다는 것은 청의 의례에 기반한 국제관계에 조선이 강하게 연결되었다는 것을 잘 보여준다.[7]

---

3) 『同文彙考』原編 卷41, 勅諭 「遣歸世子叙用罷黜官員量減歲幣三節幷貢勅」 4b～5a.

4) 김창수, 「청의 詔書 반포 사신을 통해 본 조선의 지위」『역사와현실』89, 2013.

5) 고병익, 「中國歷代正史의 外國列傳 -朝鮮傳을 中心으로-」『대동문화연구』2, 1965.

6) 외국 사신의 증여와 중국 황제의 회답이 갖는 정치사상적 의미에 대해서는 와타나베 신이치로, 「제3장 제국의 구조 -원회의례와 제국적 질서」『천공의 옥좌 -중국 고대제국의 조정과 의례-』, 신서원, 2002.

통시적으로 살펴보면 의례 관계의 긴밀성은 몽골제국과 고려의 관계가 중요한 전환점이었다. 몽골제국 시기 정동행성(征東行省)이 고려에 설치되면서 정동행성을 매개로 몽골제국의 지방관원이 행하는 영접례 등이 고려에서도 시행되었다.[8] 이와 같은 관행은 조선·명 관계에서도 부분적으로 이어졌고,[9] 청이 조선에 명조(明朝)의 구례(舊禮)를 요구함에 따라 조선·청 관계에서도 지속되었다.

다른 한편 조선·청 관계를 공시적으로 살펴보면, 조선의 특징은 더욱 명확하게 드러난다. 동시대 청으로부터 책봉을 받으면서 정기적으로 조공을 시행한 나라는 조선, 유구(琉球), 안남(安南)뿐이었다. 나머지 섬라(暹羅: 타이), 소록(蘇祿: 필리핀), 남장(南掌: 라오스), 면전(緬甸: 미얀마) 등은 일시적으로 책봉을 받거나, 조공을 거의 시행하지 않았다. 그런데 안남과 유구조차도 의례적 긴밀성은 조선과 차이가 있었다. 안남과 유구는 공기(貢期)가 2년 1회 또는 3년 1회였으며 공기에 맞춰 사신을 파견하지 않는 경우도 상당했다.[10]

구체적으로 청은 조선의 국왕, 왕비, 세자를 책봉한 반면 안남·유구에 대해서는 국왕 책봉만 시행했다. 또한 책봉 대상자 즉 수봉자(受封者)가 죽었을 경우, 청에서는 이들에게 제문(祭文)과 물품을 전하기 위한 사신을 파견했는데, 이 역시 조선에 대해서는 국왕·왕비·세자를, 유구와 안남은 국왕만을 대상으로 하였다. 또한 청은 조선에는 대부분

---

7) 1960년대 페어뱅크와 전해종은 청의 국제관계를 정리하면서 조선과 청 사이의 긴밀한 의례 관계를 서술한 바 있다. John King Fairbank, A preliminary Framework(John King Fairbank ed, *The Chinese World Order*, Cambridge, MA: Harvard University Press, 1968), pp.10~11; 전해종, 『한중관계사 연구』, 일조각, 1979(重版), 31~34쪽.

8) 정동훈, 「고려시대 사신 영접 의례의 변동과 국가 위상」『역사와현실』98, 2015.

9) 고려-몽골 관계에서 형성된 관행이 명대의 외교제도에 계승된 양상은 정동훈, 「명초 외교제도의 성립과 그 기원 -고려-몽골 관계의 유산과 그 전유(專有)-」『역사와현실』113, 2019.

10) 유구 및 안남 등의 공기(貢期)의 변화에 관해서는 李云泉, 『朝貢制度史論』, 北京: 新華出版社, 2004, 144~146쪽.

의 조서를 반포했지만, 유구와 안남에는 매우 제한적으로 전달했다.[11] 책봉·유제·조서의 반포는 대상국으로 하여금 회답 사신을 파견할 동기를 제공했고 조선은 여기에 예외 없이 사신을 보냈다.

사신을 매개로 하는 긴밀한 의례 관계로 인해 조선 사신은 서울과 북경을 빈번히 왕래하였다. 기존 연구에 따르면 조선은 정기·비정기 사행을 합쳐 매년 약 2회의 사신을 청의 수도로 보냈다. 또한 청의 역서인 시헌서(時憲書) 수령을 위한 관원도 매년 북경과 서울을 왕래했다.[12] 서울과 북경을 왕래하는 기간은 사신은 약 5개월, 시헌재자관은 약 4개월이 소요되었다. 사신은 북경에서 약 40일을 머물렀으며, 압록강과 북경을 왕래하는 데 약 100일이 소요되었다.[13] 조선에서는 평균적으로 매년 두 번의 사행을 파견했는데, 물리적으로 두 사행의 일정이 겹치지 않는다고 가정한다면 조선 사신은 매년 약 200일 동안 청의 영역에서 이동하거나 혹은 체류하고 있었다. 이보다는 짧은 기간이지만 시헌재자관 또한 약 80~90일 정도 청의 영내에 있었다. 이외에도 특정 사안을 보고·탐문하기 위한 재자관도 연간 0.8회 가량 파견되었다. 그리고 각 사행단에서 사행의 경과 및 결과를 조정에 알리기 위한 선래군관(先來軍官)도 각각 청의 영내를 왕래하고 있었다. 따라서 서울에서 북경에 이르는 사행로(使行路)에는 상시적으로 조선 관원, 수행원, 인부 등이 오가고 있었다. 이렇듯 빈번한 사신 파견은 조선·청 양국 관계의 특수한 기반을 형성하였다.

---

11) 『欽定禮部則例』에는 외국 중 조서 반포 대상은 조선만 명기되어 있다. 유구·안남의 경우는 건륭 55년(1790) 萬壽恩詔를 해당국의 사신이 북경에 있을 때 지급한 것으로 기록되어 있다. 『欽定禮部則例』卷12, 頒詔, 9b. 유구·안남에게 발송한 조서는 별도의 분석이 필요하지만 『欽定禮部則例』의 내용 및 해당국의 조서에 대한 회답 사신이 확인되지 않은 것으로 보아, 조선과 비교해 반포된 조서의 수량도 적고 또한 반포시기도 상당히 늦었을 것으로 추정한다.

12) 전해종, 앞의 책, 1979, 71쪽.

13) 전해종, 앞의 책, 1979, 76쪽 각주39.

2. 외교 사안의 전달

조선에서는 이른 시기부터 청에 공문만을 전달할 수 있는 체계가 갖추어져 있었다. 조선과 청 사이에 자문(咨文)이라고 불리는 문서를 주고받았는데,[14] 자문의 내용은 국가 간 주요 현안부터, 관행적 혹은 실무적 사안을 포괄하였다. 승문원(承文院)에서 자문을 작성 후 금군(禁軍)을 통해 의주(義州)에 전달하면 의주의 역학(譯學)이 청의 봉황성(鳳凰城)으로 보내는 방식이었다. 사신의 파견 일정[15] 및 귀국 일정,[16] 칙사의 일정,[17] 일식(日食)에 대한 회답,[18] 표류민 송환[19] 등이 자문의 일반적 내용이었다.

주목할 점은 청과의 외교 사안에 대해 문서만 보낼 수 있는 방식이 있었음에도 특정 사안을 전달하는 사신이 존재했다는 점이다. 해당 사신은 진주사(陳奏使) 또는 주청사(奏請使)라고 불렸는데, 황제를 수신자로 하는 주문(奏文)을 지참했기 때문이다. 『통문관지(通文館志)』에 따르면 진주사는 대신(大臣) 혹은 종반(宗班) 1품을 정사(正使)로 선발한다고 규정하였는데, 이는 정기사행의 정사가 정2품인 것에 비해 상대적으로 높은 위상을 지닌 것이었다.[20] 또한 다른 사신들과 마찬가지로 황제를 비롯하여 황태후에게 올릴 문서와 방물을 반드시 지

---

14) 자문의 서지학적 접근은 이선홍,「朝鮮時代 對中國 外交文書 硏究」, 한국학중앙연구원 한국학대학원 박사학위논문, 2005, 102~112쪽; 심재권,「朝鮮과 明의 실무적 외교문서 '咨文' 분석」『고문서연구』42, 2013. 명과 고려·조선의 자문 왕래 과정은 정동훈,「高麗-明 外交文書 書式과 왕래방식의 성립과 배경」, 서울대학교 국사학과 석사학위논문, 2009, 40~51쪽.
15) 『承政院日記』 숙종 14년(1688) 9월 3일.
16) 『承政院日記』 인조 26년(1648) 7월 28일.
17) 『承政院日記』 인조 23년(1645) 3월 1일.
18) 『承政院日記』 영조 34년(1758) 12월 5일.
19) 『承政院日記』 영조 22년(1746) 3월 22일.
20) 『通文館志』 事大 上, 赴京使行 및 方物數目

참해야 했다.

진주 사안은 그 내용의 성격으로 나누어 볼 때, 특정 사안을 설명 또는 보고하는 것과 조선의 요청을 전달하는 것으로 구분할 수 있다. 전자는 대체로 조선을 문책하는 칙서에 대한 회신으로서, 양국의 관계가 긴장된 국면을 유지했던 17세기 중·후반에 주로 발생했다. 필자가 주목하는 것은 후자 즉 조선의 필요에 의한 진주이다.

조선·청 관계에서 최초의 진주사는 인조 15년(숭덕2, 1637) 청의 군사 지원 요구에 대비해 조선의 어려운 상황을 전달하기 위한 것이었다.[21] 청이 입관(入關, 1644)하기 전까지 조선에서는 8회의 진주사를 파견하였는데,[22] 이 중 6회가 명과의 전쟁에 동원될 군사 지원에 관한 사안이었다.[23] 조선은 청의 군사 지원 요구에 대해 취소 및 연기를 요청하거나, 제때 파병하지 못했을 경우 이를 해명하기 위해 진주사를 보냈다. 효종 연간에는 일본의 재침(再侵)을 이유로 한 조선의 재무장 요청 및 척화신(斥和臣)의 등용 요청이 문제가 되자 진주사를 파견하였다.[24] 또한 18세기 중반까지 조선·청 양국의 주요 현안이었던 범월(犯越)도 진주사의 주요 파견 사안이었다. 범월의 보고, 범월인의 체포 및 형량, 범월인의 처벌 등이 진주사를 통해 전달되었다. 이외에 중국 측 사서(史書)에 잘못 기록된 조선 왕실의 종통(宗統)에 관한 내용을 수정해달라는 것, 이른바 변무(辨誣)도 진주의 대상이었는데, 변무를 위한 사신은 19세기 중반까지도 파견되었다.[25]

---

21) 『同文彙考』 別編 卷4, 軍務 「【丁丑】陳民間訛傳徵兵疑懼逃徙奏」 48b~52a.

22) 파견시기 및 정사는 다음과 같다. 인조 15년 9월(崔鳴吉), 인조 16년 5월(洪寶), 인조 16년 9월(朴𤊾), 인조 18년 3월(李聖求), 인조 18년 11월(申景禛), 인조 18년 12월(懷恩君), 인조 20년 5월(麟坪大君), 인조 22년 5월(金自點)이다. 『同文彙考』 補編 卷9, 「使行錄」 1a~6a.

23) 인조 연간 청의 군사지원 요구 및 이로 인한 조선 내 대응 양상에 대해서는 김용흠, 『조선후기정치사연구』Ⅰ, 혜안, 2006, 349~382쪽.

24) 이와 관련된 내용은 김태훈, 「병자호란 이후 倭情咨文의 전략적 의미」『한일관계사연구』50, 2015.

시기적으로는 진주사의 파견 빈도는 조선·청 양국의 관계가 불안정했던 17세기 후반기에 상대적으로 높았다.[26] 위에서 언급한 군사 지원, 척화신 등용, 범월 문제 등 외교 사안에 대해 조선은 진주사를 통해 조선의 입장을 설명하고 때로는 청의 요구를 완곡히 거부하기도 하였다. 이는 의례에 기반한 예제(禮制) 구조 위에서 정치적 사안을 교섭하는 방식이라고 할 수 있다.

한편 진주사는 정기 사행과 동일한 준비를 갖춰야 했기에 복잡한 의례 절차와 많은 비용이 필요했다. 따라서 다양한 외교 현안을 진주사로만 처리하기에는 현실적으로 무리였다. 조선에서는 진주사 이외에도 관원을 파견해 특정 사안을 전달·요청할 수 있는 수단이 있었다. 그것은 역관(譯官)을 책임자로 삼아 파견하는 방식이었다. 이들은 외교문서인 자문을 가지고 간다는 의미에서 재자관(齎咨官)이라고 불렸다.[27] 재자관은 두 종류가 있었는데, 매년 8월경 정기적으로 시헌력(時憲曆)을 수령하기 위해 보내는 재자관과 특정 사안을 전담하는 재자관이었다. 후자를 별재자관(別齎咨官)이라고도 하며, 조선·청 관계의 전 시기 동안 매년 약 0.8회 파견되었다.[28] 재자관의 규모는 역관 이외에 역학(譯學)과 수행원을 모두 포함해 10명 내외로 구성되었다.[29] 따라서 정규 관원만 30명, 수행원 70~80명, 상인 및 노자 100~200명,

---

25) 조선후기 변무 사신에 대해서는 이성규 「明·淸史書의 朝鮮 '曲筆'과 朝鮮의 '辨誣'」 『오송이공범교수정년기념동양사논총』, 지식산업사, 1993; 한명기, 「17·8세기 韓中關係와 仁祖反正: 조선후기의 '仁祖反正 辨誣' 문제」『한국사학보』13, 2002.

26) 전해종, 앞의 책, 1979, 71쪽.

27) 齎奏官의 경우 대체로 6품 이하 정규관원을 수반으로 하여 奏文을 가지고 갔는데 재자관과 업무상 명확한 차이가 확인되지 않는다.

28) 전해종, 앞의 책, 1979, 71쪽.

29) 고종 9년(1872) 예부에서 보낸 咨文에 따르면 재자관 李容肅 일행 총 10명에게 상을 내린다는 내용이 있다. 고종 22년(1885) 電線가설 및 대원군 환국을 문의하기 위해 민영익 일행이 천진으로 출발했는데, 수행원 6명, 통사 1명, 종인 2명을 대동하였다. 국립중앙도서관 편, 『고문서해제Ⅹ』, 국립중앙도서관, 2013, #2-5, 34쪽; 권석봉, 「淸廷에 있어서의 大院君과 그의 還國(하)」『동방학지』29, 1981b, 155쪽.

총 300명 내외로 구성되는 정식 사행보다 시간과 경제면에서 훨씬 효과적인 사행 방식이었다. 재자관에게 부여된 사행 목적을 살펴보자.

『통문관지(通文館志)』에 따르면 재자관의 임무는 ①상대적으로 덜 중요한 사안에 대한 상주[奏稟] ②자문을 통한 보고와 회답 ③역서 수령 ④표류민의 송환이었다.[30] ③과 ④는 그 목적이 명확하지만, ①과 ②는 구체적인 설명이 없으므로 실제 파견 항목을 통해서 확인해야 한다. 『동문휘고(同文彙考)』의 분류 항목을 기준으로 재자관의 파견 빈도가 많은 순서대로 살펴보면, 표민(漂民: 표류민송환), 범월(犯越: 불법월경), 쇄환(刷還: 피로인송환), 군무(軍務), 왜정(倭情), 강계(疆界), 범금(犯禁: 금지물품밀수), 교역(交易), 견폐(蠲弊: 공물 등 감면), 고부(告訃: 세자의 죽음 통보), 진주(陳奏) 순이다.[31] 이는 조선·청 양국의 외교 현안 전반에 걸치는 것이다.

표민은 19세기 후반까지 지속적으로 재자관이 전담하였다. 범월의 경우 영조대까지 재자관의 주요 파견 사안이었지만 18세기 후반부터는 더 이상 범월과 관련된 재자관은 거의 파견되지 않았다. 쇄환 및 군무는 인조 연간, 특히 청이 입관(入關, 1644)하기 전에 나타난 특수한 사안이었다. 왜정은 통신사 파견 등 일본과 관계된 사안을 보고하는 것이었는데, 18세기 중반에 사라졌다가 19세기 후반 개항을 전후하여 다시 등장하였다. 범금은 19세기 초까지, 강계는 19세기 중반까지 재자관이 담당하였다. 교역은 19세기 중반까지 재자관을 통해 전달하였다. 재자관 파견이 사라진 사안들은 모두 자문만 전달하는 방식으로 바뀌었다.

전체적으로 보면 조선과 청의 관계가 안정될수록 진주사가 담당하는 양국의 현안은 점차 줄어들었다. 그리고 해당 사안의 보고와 교섭

---

30) 『通文館志』 事大 上, 齎咨官

31) 신세완, 「조선후기 齎咨官의 사행 활동과 변화 양상」 『지역과 역사』 50, 2022, 161쪽.

은 점차 재자관의 업무로 변화되었다. 19세기에 이르면 진주 사신은 철저하다시피 왕실과 관계된 사안을 담당하게 되고, 다른 한편 두 차례의 양요와 관련하여 이루어진 청과의 외교 교섭은 별재자관이 전담하였다. 이러한 상황 속에서 19세기 후반 새로운 국제관계로 인해 나타나는 문제들을 재자관이 담당하고 이에 따라 그들의 역할이 증대되는 것은 자연스러운 흐름이었다.

별재자관은 조선과 청의 외교 사안 중 실무적인 것들을 신속히 해결하기 위해 활용되었다. 아울러 정식 사절의 파견을 미리 알리는 보조적인 역할을 수행하기도 했다. 복잡한 의례 절차를 거쳐야 하는 사신만으로는 실제적인 양국의 관계를 운용하기란 쉽지 않은 일이었다. 따라서 조선에서는 재자관이라는 효율적인 방식을 이용하여 양국의 현안들을 처리하는 방식을 택했고, 이는 양국 관계의 관행으로서 자리 잡았다.

3. 교섭 활동

조선·청 관계 속에서 사신외교의 또 다른 특징은 교섭 활동이다. 양국 관계는 매우 이른 시기 '전형적' 조공책봉관계로 규정되었는데,[32] 양국의 관계가 공식적인 통로 속에서 예제에 근거하여 운영되었다고 본 해당 입론은 학계에서 여전히 견고한 위치를 차지하고 있다. 최근 조선과 청의 전형적 관계에 대해 청을 중심으로 하는 동아시아 전체를 시야에 넣고 볼 때 매우 특수한 상황이었음을 논증하는 연구들이 속속 등장하면서,[33] 전형을 강조하는 입장은 점차 상대화되고 있는 추세이다.

---

32) 전해종, 앞의 책, 1979.

33) 夫馬進, 「明淸中國による對朝鮮外交の鏡として對ベトナム外交 -冊封問題と「問罪の師」を中心に-」『グローバル化時代の人文學 -對話と寬容の知を求めて』, 京

한편 전형적 조공책봉관계라는 것은 중국에서 제시한 예제 규정을 철저히 준수했다는 것을 전제로 하며, 이것은 사신의 교섭과 관련하여 중국 전통의 외교관념인 '인신무외교(人臣無外交)'의 원칙 즉 '사신은 군주의 명령을 전달하기만 하고 일체 사사로운 교류[外交] 활동을 하지 않는다'라는 것을 의미한다.[34] 중국은 '인신무외교'의 원칙을 국내뿐 아니라 외국에게도 적용하였다. 그러나 엄밀히 말한다면 '인신무외교'의 전거로 사용되는 『춘추곡량전(春秋穀梁傳)』과 『예기(禮記)』의 내용은 신하와 다른 군주(또는 제후)와의 사적인 교류를 금지하는 것이지 국가 단위의 교섭 자체를 부정한 것은 아니다.

초기 고려-명 관계가 형성되는 과정에서 홍무제는 고려가 명 신료 또는 제후와 개별적으로 교섭하는 것을 엄격히 제한하여 교섭 통로를 명 중앙 관부로 단일화하였다. 이러한 상황 속에서 고려 신료가 명의 총병(總兵) 등에게 행례사(行禮使)를 파견하여 예물을 보낸 것이 문제가 되어 명 수도로 압송되기도 했고, 고려의 교류 요청을 명 측 인사가 '인신무외교'를 내세워 거부하기도 하였다.[35] 조선·청 관계에서도 비슷한 양상이 나타났다. 청 순치제는 지방 독무(督撫)와 외국과의 사적인 관계를 금지하는 동시에, 청과 외교 현안이 많았던 조선에 대해서는 모든 사안을 북경예부로 단일화하도록 하였다.[36] 중국왕조의 신료와 외국사신의 사적인 접촉을 제한하는 것은 명·청 국제질서의 특징이라고 할 수 있다.

都大學學術出版會, 2007a; 구범진, 「청의 조선사행 인선과 대청제국체제」『인문논총』59, 2008; 계승범, 「조선시대 동아시아질서와 한중관계」『한중일 학계의 한중관계사 연구와 쟁점』, 동북아역사재단, 2009, 144~146쪽; 정동훈, 「명초 국제질서의 재편과 고려의 위상 -홍무 연간 명의 사신 인선을 중심으로-」『역사와 현실』89, 2013.

34) 『穀梁傳』隱公元年, "寰內諸侯 非有天子之命 不得出會諸侯 不正其外交 故弗與朝也" 및 『禮記』郊特牲, "爲人臣者無外交 不敢貳君也"【鄭玄 注 "私覿是外交也"】

35) 정동훈, 「高麗-明 外交文書 書式의 성립과 배경」『한국사론』56, 2010, 189~191쪽.

36) 김창수, 「조선·청 외교문서의 교섭경로와 성경의 역할」『역사와현실』107, 2017, 149~150쪽.

그러나 규정만을 가지고 국가 간 관계를 운영할 수는 없는 법이다. 또한 명·청 시기 조선은 조공책봉관계 속에서 형식상 중국의 작제(爵制) 혹은 관료제의 위계에 기대어 위치 지워졌지만,[37] 독자적 통치영역을 가지고 있던 외국이기도 했다. 따라서 조선은 자신의 이익과 충돌하는 사안에 대해서 다양한 방법을 강구해 해결해야만 했던 현실적 문제가 존재했다. 그렇다면 조선·청 관계에서 교섭의 문제를 어떻게 볼 것인가? 먼저 동아시아 전근대 '외교' 개념에 대한 주요 연구자들의 정의를 살펴보자.

① 중국 중심의 사대질서가 존재했고 근대적 의미의 '외교'와는 작동방식이 달랐다.[38]

② 중국적 천하관 속에서 내외(內外)의 구분은 가변적이었으며, 예(禮)와 아울러 벌(罰)이 부과되었다는 점에서 근대적 외교와 비슷한 속성을 지닌다.[39]

③ 국가 사이의 평등성을 제외한다면, 국가(조정)와 국가 사이의 공식적인 교섭이 이루어졌기 때문에 근대적 의미의 외교가 실행되었다.[40]

④ 국가의 이익을 관철시키기 위한 활동은 동서양을 막론하고 모두 외교이며, 외교 범위의 광협·전문기구의 유무·군주전제 여부·사신에 대한 인도적 처우 등을 고려할 때 중국에서 근대적 의미의 외교는 중영(中英)전쟁 이후에 시행되었다.[41]

---

37) 정동훈, 「명대의 예제 질서에서 조선국왕의 위상」『역사와현실』84, 2012.

38) 김용구, 『만국공법』, 소화, 2008.

39) 夫馬進, 「まえがき」(夫馬進 編, 『中國東アジアの外交交流史の研究』, 京都大學學術出版會, 2007b)

40) 정동훈, 「외교제도사 연구 제언」『역사와 현실』89, 2013.

41) 王開璽, 「序論 外交和外交儀礼」『淸代外交禮儀的交涉与論爭』, 北京: 人民出版社, 2009.

위의 정의에 따르면 근대 외교는 국가 간 평등성, 상주(常駐)체제, 외교관의 교섭권 등으로 규정된다. 우선 조선시대 중국과의 관계는 형식적 불평등을 전제로 했기 때문에 분명 근대 또는 서구의 외교와는 다른 특수성을 지닌다. 조선과 청 사이에서 외교관의 상주는 1880년대에 비로소 이루어진다. 더하여 조선은 청의 수도인 북경이 아니라 천진(天津)에 상주 공관을 두었다. 다만 앞서 언급한 것처럼 빈번한 사신 파견으로 인해 북경과 서울 사이에는 평균 세 그룹 이상의 조선 사행단이 이동 또는 체류하고 있었다. 따라서 이는 서구의 상주와는 다르지만 조선·청 사이의 외교적 특징이라고 할 수 있다.

교섭권의 문제를 살펴보면 일부 연구자들은 전근대 시기 국제관계의 특징으로 당시 '인신무외교' 원칙이 강조되었다는 점을 거론하며 조선 사신의 교섭 권한을 그다지 인정하지 않는 것으로 보인다. 물론 조선에서도 '인신무외교'의 원칙을 인지하고 있었다. 태종 연간 내사(內使) 장신(張信)이 백두산 근처까지 들어와 조선에 접대를 요구했을 때, 당시 좌의정 박은(朴訔)은 "인신이 외교하는 의(義)가 없으니 내관 장신은 성지(聖旨)없이 우리 경내를 들어오는 일은 결코 하지 못할 것"이라고 예상했다.[42] 중종 연간, 공용경(龔用卿)·오희맹(吳希孟)이 조선에서 사행을 마치고 명으로 귀국한 후 북경에 온 조선 사신과 교류를 지속하며 물품을 요청하자, 영의정 등은 '인신무외교'를 거론하며 일부 물품의 발송을 반대하였다.[43]

이러한 관념은 19세기 후반에까지 존재했다. 철종 12년(함풍11, 1861)과 고종 9년(동치11, 1872)에 사행을 다녀온 박규수(朴珪壽)는 북경에서 교류했던 심병성(沈秉成)에게 편지를 보내면서 조선에서는 여전히 '인신무외교'의 분위기가 있다는 것을 냉소적으로 비판하였다.[44]

---

42) 『太宗實錄』 태종 17년(1417) 5월 30일, "人臣無外交之義 張內官無聖旨 而入我境內 必不爲之"

43) 『中宗實錄』 중종 33년(1538) 11월 28일.

고종 연간 이유원(李裕元)이 북양대신 이홍장(李鴻章)과 사적으로 서신을 주고받은 것에 대해 당시 척사(斥邪)를 주장하던 유생들은 '인신이 외교한 죄'를 거론하며 처벌을 주장하기도 했다.[45]

조선 사신과 중국 지식인들, 특히 관원과의 교류가 자유로웠던 것은 분명 아니었다. 다만 '신하의 외교'가 문제가 되는 경우는 특정한 상황이 발생했거나 사신을 비판하고자 하는 정치적 목적을 가질 경우였다. 따라서 중국이 문제삼지 않는다면 '인신무외교' 원칙은 얼마든지 가변적으로 적용할 수 있었다. 조선은 '인신무외교' 원칙을 종종 언급하였지만, 왕조에서 필요로 하는 사항에 대해서는 예외로 하였다. 애초에 조선에서는 사신 선발 조건 중 '전대(專對)' 능력을 중요시하였다. 전대라는 용어는 『논어(論語)』「자로(子路)」의 "『시경』 300편을 외워도 정사(政事)를 맡겼을 때 제대로 해내지 못하고, 외국에 사신으로 나가 전대(專對)하지 못한다면 많이 외운들 어디에 쓰겠는가."라는 구절에 나온다.[46] 『통문관지』를 중수(重修)한 이담(李湛)은 중간(重刊) 서문에서 "사방(四方)의 여러 나라에 전대하여 군왕(君王)의 명령을 욕되게 하지 않으려는 것"을 편찬 목적으로 서술하였다. 또한 해당 저서는 '전대를 감당할 만한 관원'을 재자관의 선발 기준으로서 제시하였다.[47]

실제 조선 군신(君臣)이 사신 선발을 논의하는 과정에서도 전대 능력은 중요한 기준이었다. 단편적이지만 몇 가지 사례를 들면 세조 연간 하정사(賀正使)를 모두 무신으로 선발했는데, 사간원에서 전대의 능력이 부족하므로 교체를 요청하자 예조참판을 사신에 임명하였다.[48] 성종 연간에는 사간원의 반대에도 불구하고 전대에 뛰어나다는

---

44) 朴珪壽, 『瓛齋集』 卷10, 書牘, 「與沈仲復秉成 辛酉」.
45) 『高宗實錄』 고종 18년(1881) 윤7월 6일.
46) 『論語』「子路」, "誦詩三百 授之以政不達 使於四方不能專對 雖多亦奚以爲"
47) 『通文館志』「重刊通文館志序」; 같은 자료, 「事大上」 齎咨官.
48) 『世祖實錄』 세조 4년(1458) 6월 5일.

이유로 상중(喪中)인 통사(通事) 장자효(張自孝)를 파견하였다.[49] 또 유자광(柳子光)이 한성판윤에 제수되자 사헌부에서 그의 신분과 과거 행적을 가지고 임명에 반대했을 때, 성종은 유자광이 중국에서 전대한 공을 거론하면서 그의 편을 들어주었다.[50] 인조 연간에는 명의 원숭환(袁崇煥)에게 보낼 관원을 선발하는 과정에서 "전대 능력은 관직의 고하가 아니라 적합한 사람을 얻으면 된다."라는 주장도 제기되었다.[51]

전대 활동 중 하나로 중국의 고위 관원에게 직접 문서를 올리는 행위, 즉 정문(呈文)을 들 수 있다. 다양한 정문 활동 중 이정귀(李廷龜)는 선조가 직접 사신으로 추천할 만큼 뛰어난 문장과 넓은 인맥을 갖고 있었다. 임진왜란 당시 조선은 이른바 '정응태(丁應泰)의 무고'로 인하여 조선이 왜와 결탁했다는 혐의를 받았는데, 이정귀 일행은 병부·예부뿐 아니라 당시 각로(閣老) 등을 직접 만나 정문을 제출하기도 하였다.[52] 이정귀 등의 활동은 엄밀한 의미의 '인신무외교' 원칙에서 크게 벗어나는 것이었다.

반면 전대를 제대로 하지 못했을 때의 비판도 당연히 존재했다. 광해 연간 양사(兩司)에서는 명나라 재상이 광해군 즉위의 정당성을 기롱했음에도 당시 사신이 제대로 전대하지 못했다며 파직을 요청하였다.[53] 숙종 연간에는 우역(牛疫) 발생으로 인해 청과 무역할 소가 부족해지자 호시(互市) 무역의 중단을 청에 요청했지만, 예부에서는 도리어 조선에 벌금을 부과해야 한다고 주장하였다.[54] 이에 대해 언관은 당시 숙종이 대신이 아닌 종반(宗班)을 사신으로 선발했기 때문에 문

49) 『成宗實錄』 성종 5년(1474) 8월 20일.
50) 『成宗實錄』 성종 18년(1487) 6월 9일.
51) 『仁祖實錄』 인조 7년(1629) 8월 6일, "專對之才 不在於官之高下 只在得人"
52) 김우진, 「月沙 李廷龜의 對明 외교 활동 -선조와 광해군대를 중심으로-」『조선시대사학보』61, 2012.
53) 『光海君日記』[중초본] 광해 5년(1613) 5월 15일.
54) 『肅宗實錄』 숙종 11년(1685) 8월 15일.

제가 생겼다고 비판하면서 전대의 책임 즉 사신 임명을 비변사에 위임할 것을 요청했다.55) 언관이 비판한 종반은 숙종 11년(강희24, 1685) 11월에 파견된 낭원군(朗原君) 이간(李偘)을 가리키는데,56) 숙종은 언관의 요구를 수용하였다.57)

위에서 언급한 전대는 여러 가지 외교적 대응 능력을 포함한다. 외교 문제가 발생했을 때 대응 여부의 결정, 공식적 성격의 문서 즉 정문의 제출 여부, 정문의 작성 능력, 비공식 교섭 여부, 비공식 교섭 대상의 확보 등을 모두 포괄한다. 더하여 조선 조정에서는 사신들이 교섭을 원활히 하기 위한 외교 비용을 지급해주었다. 불우비(不虞備)로 불리는 해당 비용은 순치 연간 정은(丁銀) 기준 100냥에서 강희 연간 중·후반에는 1,000냥으로, 그 이후에는 몇만 단위까지 늘어났다.58)

이상의 상황은 조선 사신들이 조정으로부터 정치적 교섭(交涉: negotiation)에 관한 권한의 상당 부분을 위임받았다는 것을 잘 보여준다. '인신무외교'의 원칙은 조선에서 교섭해야 할 사안에는 적용되지 않았던 것이다. 다음 장에서 이러한 교섭의 방식과 통로가 어떻게 작동·변화되는지를 살펴보도록 하자.

---

55) 『肅宗實錄』 숙종 12년(1686) 4월 16일.
56) 『同文彙考』 補編 卷7, 「使行錄」 22a.
57) 『肅宗實錄』 숙종 12년(1686) 4월 16일.
58) 조선후기 외교비용에 관해서는 張存武, 「朝鮮對淸外交的秘密經費硏究」『中央硏究院近代史硏究所集刊』5, 1976.

2장
17~18세기 조선 사신의 교섭 활동

1. 병자호란 이후 제한된 교섭 통로

순치 1년(인조22, 1644) 청이 산해관을 넘어 북경을 점령한 일은 중국사뿐만 아니라 조청 관계에서도 많은 변화를 가져왔다. 청은 가도(椵島) 및 금주(錦州) 전투와는 달리 명과의 전쟁에 조선의 직접적인 지원을 요구하지 않았다. 아울러 순치 연간 동안 지속적으로 세폐를 줄여줌에 따라 조선의 경제적 부담 또한 일정 부분 완화되었다.[1] 그러나 청은 중국의 북부를 점령했을 뿐이었고 명조의 계승을 내세우며 새로운 이민족 왕조를 인정하지 않는 정치세력들이 청에 반기를 든 가운데[2] 조선과 청의 관계에는 여전히 긴장감이 존재했다.

이를 청 사신의 파견 양상과 관련지어 살펴보면 17세기까지 청의 사신은 연 2회 정도 조선에 파견되었는데, 이는 18세기 동안 연 0.4회가 안 되었다는 점과 비교하면 무려 5배나 높은 빈도였다.[3] 더구나 이들 청 사신들은 조선국왕(왕비, 세자)의 책봉과 조서(詔書) 반포와 같은 의례적인 것보다는 대체로 외교적 갈등과 관련해 조선을 질책하려는 목적으로 파견된 경우가 많았다. 그중 일부는 조선 내의 반청파(反淸派)를 제거하거나 조선의 재무장을 감시·저지하기 위한 것으로, 강

---

1) 전해종, 『한중관계사 연구』, 1979(重版), 81쪽.
2) 임계순, 『淸史-만주족이 통치한 중국』, 신서원, 2004, 63~66쪽.
3) 전해종, 앞의 책, 1979, 75쪽.

력한 내정간섭의 성격마저도 띠고 있었다.[4]

이처럼 청의 강력한 압박이 지속되는 속에서 북경에 파견된 조선 사신의 활동 영역은 제한적이었다. 공식적으로 조선 사신이 접할 수 있는 대상은 예부(禮部) 소속 관원들이 전부였다. 접촉의 기회는 예부에 표문과 자문을 납부하고 견관례(見官禮)를 행할 때, 방물을 납부할 때, 그리고 조선 사신들의 여정을 위로하기 위한 하마연(下馬宴)과 상마연(上馬宴) 때 주어졌다. 그러나 이들 행사는 철저히 빈례(賓禮)에 부속되는 공식적인 성격을 갖고 있었으며 17세기 중반 예부 당상관들과 의례적 만남 외에 외교 사안에 대한 교섭 및 개인적인 교류는 이루어지지 않았다. 조선 사신들과 교섭의 통로가 되었던 이들은 회동관제독(會同館提督)을 제외한다면 청 측 통역관, 서반(西班) 등의 하급 관리들이었다.

청의 입관 전후 시기 조선 출신 역관들이 조선의 교섭 창구 역할을 전담했다는 것은 잘 알려진 사실이다. 정명수(鄭命壽), 이일선(李一先, 李一善), 장효례(張孝禮) 등은 인조대부터 숙종 초반까지 청의 대조선 외교의 일선에서 교섭의 매개 역할을 하며 자신들의 이익을 확보했던 이들이다. 대표적인 사례로 정명수를 들 수 있는데, 그는 조선 출신의 역관으로서 호부주사(戶部主事)에까지 이르렀으며, 효종 4년(순치10, 1653) 관직을 삭탈당하고 사형에 처해질 때까지 조선과의 외교 교섭에 대부분 개입하였다.[5] 17세기 중반 북경에 도착한 조선의 사신들이 어떠한 교섭 통로를 갖고 있었는지를 몇 가지 사례를 통해 확인해 보도록 한다.

인조 27년(순치6, 1649) 3월 정태화(鄭太和)는 진하겸사은 정사로 청에 파견되었다. 같은 해 5월 11일 북경에 도착한 직후 정명수를 비롯

---

4) 한명기, 『정묘·병자호란과 동아시아』, 푸른역사, 2009, 180~183쪽.
5) 정명수의 정체성을 청의 입장에서 분석한 연구는 김선민, 「朝鮮通事 굴마훈, 淸譯 鄭命」『명청사연구』41, 2014.

한 청 통관들이 조선 사신들을 맞이하였다. 연행사들은 방물의 납부와 예단을 수수하는 일 등을 마치고 17일 하마연에 참석하였다. 그곳에 한족 출신의 예부상서가 참여했지만 그는 조선의 관대(冠帶)를 보고 명나라를 생각하며 울먹울먹했을 뿐 조선 사신과 어떠한 대화도 나누지 않았다.[6]

다음날 18일 청 통관들은 사신 일행을 구왕(九王, Dorgon) 즉 도르곤의 문하로 인도했다. 그곳에서 강림(剛林, Garin: 滿洲正黃旗) 등의 고관들은 도르곤의 명령을 받고, 조선이 일본의 위협을 빙자하여 징병을 회피하려는 행동을 힐문하고 또 청에 군사를 원조할 의사가 있는지 물으며 사신일행을 압박했다. 정명수가 그 자리에서 미리 기다리고 있었다는 내용으로 보아 회담의 청 측 통역을 맡았던 것으로 보인다.[7] 다음날 19일 정명수는 조선 사신들을 찾아와 도르곤의 말이라며 조선이 보낸 공물의 등급을 평가하고, 서둘러 귀국하고 싶다는 사신의 요청에 도르곤의 명령이 있지만 한번 힘을 써보겠다고 답했다.[8] 이후에도 정명수는 여러 차례 조선 사신들의 관소를 오가며 도르곤의 명령을 전달하면서 마치 도르곤의 대리인인 듯 자신의 위세를 과시했다.[9] 이 과정에서 정태화의 연행록에 기록된 교섭 창구는 오직 정명수뿐이었다.

효종 4년(순치10, 1653) 정명수가 비리와 월권 혐의로 처벌받은 이후 조선 사신이 가장 빈번히 상대해야 했던 존재는 회동관제독과 통관

---

6) 鄭太和, 『陽坡遺稿』 卷13, 「飮氷錄」, "(효종 즉위년 5월) 十七日 留 詣禮部設行下馬宴 尙書曺姓漢人 押宴見吾冠帶 凝淚滿眶" 다만 정태화가 언급한 상서 曺씨가 누구를 가리키는지 불분명하다. 1649년 전후 예부의 한상서는 李若琳이며, 한시랑은 劉元弼 및 陳之遴이다. 錢實甫, 『淸代職官年表』, 北京: 中華書局, 1980, 160쪽 및 536쪽.

7) 鄭太和, 『陽坡遺稿』 卷13, 「飮氷錄」, (효종 즉위년) 5월 18일.

8) 鄭太和, 『陽坡遺稿』 卷13, 「飮氷錄」, (효종 즉위년) 5월 19일.

9) 鄭太和, 『陽坡遺稿』 卷13, 「飮氷錄」, (효종 즉위년) 5월 24; 5월 25일; 5월 26일.

들이었다. 조선 사신들이 머무는 회동관은 예부의 관할 하에 있었고, 이를 관리하기 위해 예부 주객사(主客司) 소속의 주사(主事, 정6품)로 하여금 관리를 전담하게 하였다.[10] 효종 7년(순치13, 1656) 사은 정사로 파견되었던 인평대군(麟坪大君)은 청 접반사들의 끝없는 욕심과 횡포를 비난하면서 그 뒤에는 대통관 이일선이 있다고 판단했다.[11] 현종 3년(강희1, 1662) 정태화는 범월을 저지른 조선인들의 최종 판결을 전달하기 위해 파견되었는데, 이 사안을 처리하며 북경에 머무는 동안 주문(奏文)의 처리 과정을 미리 알려주거나, 건강이 좋지 않은 청 대신에게 조선 의원(醫員)을 주선하는 일 등을 모두 이일선이 담당하였다.[12]

효종 7년(순치13, 1656) 11월 귀국하던 조선 사행이 봉황성에 이르렀을 때 사행원들의 짐에서 다량의 유황이 적발되었다.[13] 유황은 화약 제조의 원료로서 군수품에 해당했기 때문에 사건의 파장은 컸다. 청에서는 무려 4명의 사신을 파견하여 철저히 조사하였고,[14] 사행의 책임자인 정사(인평대군)에게는 벌금 2,000냥, 부사와 서장관은 각각 5급·4급씩 강등, 관리를 못 한 사자관(寫字官)은 결곤 30대, 염초 구매와 직접 관련된 5명에게는 참형이 구형되었다.[15] 다만 해당 사건이 순치 13년 12월 사면령[16]이 반포되기 이전에 발생했으므로 처벌이 한 등급

---

10) 王靜, 「淸代會同四譯館論考」『西北大學學報(哲學社會科學版)』36-5, 2006, 126쪽.

11) 李㴾(麟坪大君), 『燕途紀行』 하, (효종 7년) 10월 29일.

12) 鄭太和, 『陽坡遺稿』 卷14, (효종 즉위년) 9월 21일; 같은 자료, 9월 29일.

13) 李㴾(麟坪大君), 『燕途紀行』 하, (효종 7년) 11월 29일.

14) 『同文彙考』 原編 卷63, 犯禁1 「【丁酉】頒遣官查審犯買焰硝勅」 5a~5b.

15) 『同文彙考』 原編 卷63, 犯禁1 「陳科斷買硝各犯擬律使臣奏」 8a~14a.

16) 『同文彙考』 原編 卷63, 犯禁1 「謝各犯減死使臣免罪表」 17a~18a에서는 범죄 발생의 시점을 '순치 13년 2월 사면령 이전'[順治十三年二月恩赦之前]이라고 서술했지만, 사건 발생은 순치 13년 11월이므로 시점이 맞지 않는다. 아울러 순치 13년 2월에는 황태후의 생일[聖壽節]이 있었지만, 황태후의 뜻에 따라 하례(賀禮)는 생략되었으며 사면령은 확인되지 않는다(『淸世祖實錄』 順治 13년(1656) 2월 8일). 반면

씩 감해졌다.[17] 청에서 다수의 사신을 파견하여 강력한 조사가 시행된 것으로 보아 조선 사신이 교섭할 여지는 거의 없었던 것으로 보인다. 특히 효종 8년(순치14, 1657) 해당 사건 범인의 형량[擬律]을 전달하기 위한 사신을 파견했을 때, 삼사와 별개로 인평대군도 동행했다. 이는 청에서 조선의 종친을 우대하던 관행을 활용하려는 행동이었을 것으로 추정된다.[18]

　현종 7년(강희5, 1666) 유황의 불법적 구매 및 범월인 사건과 관련된 표문을 전달하고자 허적(許積) 등이 북경으로 파견되었다.[19] 조선 사신들은 청의 처벌을 취소 또는 최소화하기 위해 보정대신(輔政大臣)의 아들에게 뇌물과 함께 청탁을 넣었다.[20] 당시 사보정(四輔政) 오배소토리(五倍所土里)의 요청으로 의관을 그에게 보냈던 적이 있었다.[21] 오배소토리는 오배(鰲拜, Oboi: 滿洲鑲黃旗)로 추정된다. 그러나 오배와의 만남에 사신은 동석하지 않았고 또한 당시 현안에 대한 교섭도 이루어지지 않았다. 사신들은 보정(輔政)의 넷째 아들이 1품의 지위에 있고 또 깊이 총애를 받는다는 것을 듣고는 역관을 통해서 뇌물을 제

순치 13년 12월에는 황태후에 대한 존호를 올리고 사면령을 반포했다(『淸世祖實錄』 順治 13년(1656) 12월 25일). 따라서 '순치 13년 2월 사면령 이전'의 2월은 12월의 오기로 판단했다.

17) 『同文彙考』 原編 卷63, 犯禁1 「禮部知會各犯減死使臣免罪咨」 17a; 같은 자료, 「謝 各犯減死使臣免罪表」 17a~18a.

18) 17세기 종친의 외교 활동에 대해서는 김수경, 「17세기후반 宗親의 정치적 활동과 위상」 『이대사원』30, 1997; 이재범, 「인조·효종연간 대청사행의 종친파견 배경과 그 의의」, 경북대학교 사학과 석사학위논문, 2016.

19) 『顯宗實錄』 현종 7년(1666) 9월 20일.

20) 『顯宗實錄』 현종 8년(1667) 1월 12일. 해당 기사에서는 사보정(四輔政, 오배)의 아 들이 일품(一品)에 있고 황제에게 총애받았기 때문에 뇌물을 주어 청탁했다고 서술 했지만, 오배의 아들 납목복(納穆福)은 강희 6년(1667)에 비로소 작위를 승습하며 관원으로서는 사료에서 확인되지 않는다. 따라서 해당 기사의 내용은 사신들의 정 보력의 한계를 보여준다.

21) 『同文彙考』 補編 卷1, 使臣別單 「【丙午】謝恩兼陳奏行書狀官孟胄瑞聞見事件」 20b ~22a.

공했지만,[22] 예부의 주본 초안에서 국왕에 대한 벌금이 명기되었으며,[23] 초안을 확보한 이후에 조선 사신은 적절한 교섭 대상을 확보하지 못했다. 예부에서 "다시 논의할 때 혹시라도 벌(罰)이라는 글자가 삭제되기만 바랄 뿐"이었지만,[24] 결국 은 5,000냥의 벌금이 부과되었다.[25]

교섭 통로가 제한적이었던 상황은 1680년대 초까지 지속되었다. 현종대 인조반정을 '찬탈'로 기록한『황명통기(皇明通紀)』,『양조종신록(兩朝從信錄)』 등을 언급하면서 청에 대한 변무(辨誣)의 필요성이 제기되었으나 현종이 곧 사망함으로써 변무가 실행되지는 못했다.[26] 숙종 2년(강희15, 1676) 2월 복선군(福善君)이 변무의 정당성을 제기한 후[27] 숙종이 적극적으로 변무를 주장하면서 변무사를 파견하였다. 그러나 청 예부에서는 조선의 주장을 인정하지 않았을 뿐 아니라 오히려 변무의 근거로 제시한 사서(史書)들의 불법적인 구매를 문제 삼았다. 당시 사행의 부사 권대재(權大載)에 따르면 역관을 통해 여러 방면으로 주선했지만 예부에서는 벌금을 부과해야 한다는 논의까지 일어났다.[28] 숙종 3년(강희16, 1677) 사행에 참여했던 군관(軍官)이 천하지도(天下地圖)를 숨겨서 들여온 것이 문제가 되었을 때도 벌금을 부과해야 한다는 예부의 상주를 전혀 막을 수 없었다. 이 사건으로 인해 정사·부사·서장관은 파직되었고 지도를 구입한 군관은 변방으로 충군

---

22)『顯宗實錄』현종 8년(1667) 1월 12일.

23)『顯宗實錄』현종 8년(1667) 1월 12일.

24)『同文彙考』補編 卷1, 使臣別單 【丙午】謝恩兼陳奏行書狀官孟冑瑞聞見事件」, "罰之一字怵然驚心而或冀其更議時刪改耳"

25)『同文彙考』原編 卷65, 刷還「謝罪銀減半各官寬免表」4a~5a.

26) 조선후기 변무와 관련해서는 이성규「明·淸史書의 朝鮮 '曲筆'과 朝鮮의 '辨誣'」『오송이공범교수정년기념동양사논총』, 지식산업사, 1993; 한명기,「17·8세기 韓中關係와 仁祖反正: 조선후기의 '仁祖反正 辨誣' 문제」『한국사학보』13, 2002.

27)『肅宗實錄』숙종 2년(1676) 1월 25일.

28)『同文彙考』原編 卷33, 陳奏1「禮部知會寬免罰銀咨」33b~34a.

되었다.29) 역관을 통한 주선은 명백한 한계를 드러냈다.

　동원군(東原君) 이집(李潗)은 숙종 7년(강희20, 1681) 11월, 삼절연공겸주청사(三節年貢兼奏請使)로 파견되었다.30) 삼절연공이야 매년 있는 의례적인 일이었지만, 이집이 맡았던 특별한 임무는 인현왕후(仁顯王后)의 책봉을 허락받는 일이었다.31) 사신 일행이 책봉을 청하면서 방물을 바치자, 예부에서는 왕비를 책봉할 때 방물을 올리는 것은 전례가 없는 일이라며 방물을 돌려줄 것을 강희제에게 상주하여 허락받았다.32)

　그런데 당시 필첩식(筆帖式)33) 오응붕(吳應鵬)이 예부 만시랑(滿侍郎) 액성격(額星格)34)의 뜻이라며 정지된 방물의 일부를 청의 대신에게 상납할 것을 요구했다. 이를 이집 등이 허락하지 않자, 이번에는 조선에서 올린 책봉 주청문에 쓰여서는 안 되는 '책립(冊立)'이라는 글자가 들어갔으며, 그 일은 현재 문서의 정식을 어긴 것으로 간주하여 형벌을 논의하고 있다고 협박했다. 오응붕은 이 일을 해결하기 위해 자신에게 뇌물을 제공할 것을 요구했다. 조선 사신들은 과거에도 '책립'을 사용한 적이 있다면서 협박을 무마하려고 했지만, 과거의 문서를 갖고 있지 않은 상황 속에서 오응붕의 협박을 무시하는 것은 위험한 도박이었다. 결국 오응붕에게 뇌물을 건넬 뜻을 전하자, 오응붕은 은 2,000냥을 요구했다. 사신들은 난색을 표하며 협상한 끝에 결국

---

29) 『肅宗實錄』 숙종 3년(1677) 9월 16일.

30) 『肅宗實錄』 숙종 8년(1682) 3월 2일.

31) 『同文彙考』 原編 卷1, 封典1 「【辛酉】請繼封王妃奏」 24b〜25a.

32) 『通文館志』 紀年, 숙종 7년(1681).

33) 오응붕의 관직은 명확하지 않다. 『同文彙考』의 기록에는 2건은 필첩식, 1건은 序班으로 기록되어 있다. 한편 김석주의 문집에는 오응붕과 관련한 시가 수록되어 있는데, 그의 관직을 서반으로 기록하였다. 金錫胄, 『息庵遺稿』 卷7 擣椒錄[下], 部胥次前韻.

34) 額星格은 1675〜1687년(1684년 제외)까지 비교적 장기간 예부시랑을 역임하였다. 錢實甫, 앞의 책, 1980, 336〜366쪽.

850냥으로 합의를 보았다. 이후 사신들은 예부에서 방물을 돌려보낸 다는 제본(題本)을 직접 확인한 후, 방물을 다시 가져가기 위한 운반비 를 마련하기 위해 관향곡(管餉穀)을 팔아 은을 마련했다.

주목할 점은 필첩식이 조선에 불리한 상황을 이용해 뇌물을 요구했 으며, 그것은 시랑(侍郎) 액성격의 명의로 이루어졌다는 것이다. 조선 사신들은 이 사실을 감히 액성격에게 직접 확인할 수 없었다. 귀국 후 당시 상황을 숙종에게 보고하는 자리에서는 뇌물을 요구하는 주체가 오응붕이 아니라 액성격으로 기록되어 있는 것으로 보아,[35] 사신을 포 함한 조선 조정에서는 오응붕의 요구가 액성격으로부터 나왔다고 확 신하고 있었다. 당시 정보의 확보문제는 심각했다. '책립'이라는 글자 가 위식(違式)에 해당하여 형벌이 논의되고 있다는 사실도 오응붕을 통해서 들은 것이지 직접 확인할 수단을 전혀 확보하지 못했다.

정명수와 같이 조선과 청 사이에서 교섭을 매개하며 전횡하는 인물 은 없었지만, 제한된 교섭 수단과 부족한 정보로 인해 조선 사신들은 청의 통역관이나 필첩식 등의 요구에 휘둘릴 수밖에 없었다.

2. 17세기 후반 다양한 교섭 통로의 모색

1670년대 청의 지배권을 흔들었던 '삼번(三藩)의 난'은 경정충(耿精 忠)과 상지신(尙之信)의 연속적인 항복과 함께 숙종 4년(강희17, 1678) 오삼계(吳三桂)가 사망하면서 사실상 진압되었다.[36] 그러나 삼번의 난

---

35) 『承政院日記』 숙종 8년(1682) 3월 20일, "(南)二星曰 禮部侍郎 欲得皇帝還給之方物 故臣等答以皇帝旣已還給 則自當歸納於國王 何可無端給汝云 則渠無所答 乃云爾 等 必除出方物 雇車運去 當坐以私相買賣之罪云 不得已賚銀數百兩 且奏文執頉時 費銀六百兩 合用近千銀子 此皆臣等不能周旋之致也"

36) '삼번의 난' 시기 조선의 정보수집의 다양한 경로에 대한 분석은 이재경, 「삼번의 난 전후(1674~1684) 조선의 정보수집과 정세인식」 『한국사론』 60, 2014.

이 마무리되는 시점부터 양국 관계는 다른 측면에서 긴장된 상황을 맞이하게 되었는데, 당시 청에서 범월(犯越)과 문서 위식에 대해 벌은 (罰銀)이라는 제재를 가했기 때문이었다. 벌은은 사신을 파견하여 조사하는 일에 비해서는 그 처벌의 정도가 가볍다고 할 수도 있겠지만, 벌은이 논의만 되고 최종적으로 황제가 이를 취소시키더라도 조선에서는 벌은 면제를 감사하는 사은사를 파견해야 했다. 더구나 조선국왕에게 직접 부과된다는 측면에서 조선 군신들은 매우 수치스러운 일로 여겼다. 이러한 가운데 조선의 벌은 사건을 가지고 중간에서 농간을 부리려고 하는 청 측 관리들이 나타났고 조선 사신들은 이 문제에 대응해야 했다.[37] 1670년대부터 약 20여 년간 연속적으로 발생한 벌은 문제는 사건 해결 및 재발 방지를 위한 외교 교섭과 다양한 교섭 통로의 필요성을 자극하는 계기로 작용하였다. 해당 기간 벌은 사건과 시행 결과는 〈표 1〉과 같다.[38]

김석주(金錫胄)는 숙종 8년(강희21, 1682) 10월 사은사(謝恩使)로서 북경으로 파견되었다. 그의 임무는 전년도에 발생한 문서 위식 사건으로 인해 부과된 벌은을 납부하는 것이었다. 형식적으로만 보면 단순한 임무지만 실상은 그렇지 않았다. 당시 김석주는 중앙군영의 수장 및 대신, 그리고 훈척의 지위를 가진 정계의 주요 인사였다.[39] 오삼계의 난이 마무리되는 시점에서 중국의 정세를 탐방하려는 목적과 아울러 연이어 발생하는 벌은 사건의 해결을 위해 파견되었던 것으로

---

37) 1670년대 즉 숙종 초반부터 연행사에 대한 외교비가 지급되는 모습이 확인된다. 『萬機要覽』財用5, 公用에는 사신의 외교비와 관련해서 빌려서 갚아야 하는 비용과 갚지 않는 비용(別公用, 不虞備)을 구분해 놓았다. 張存武는 이를 기반으로 貸款과 撥款이라는 용어로 정리하였다. 張存武, 앞의 글, 1976.

38) 〈표 1〉은 『通文館志』 紀年 및 이재경, 「大淸帝國體制 내 조선국왕의 법적 위상: 국왕에 대한 議處·罰銀을 중심으로」『민족문화연구』83, 2019, 415~416쪽의 표를 수정한 것이다.

39) 이희환, 「庚申換局과 金錫胄」『전북사학』10, 1986.

보인다.[40)

〈표 1〉 17세기 후반(1677~1696) 벌은 사건

순번	시기	벌은 부과 사유	청의 조치
1	숙종 3년 (강희16, 1677)	犯禁: 史書 및 지도입수 과정 적발	예부: 벌은 5천 냥 건의 황제: 면제
2	숙종 5년 (강희18, 1679)	文書違式: 定式 및 피휘 위반	예부: 벌은 5천 냥 건의 황제: 면제
3	숙종 7년 (강희20, 1681)	犯越: 朴時雄 등 3인 월경	예부: 벌은 1만 냥 건의 황제: 면제
4	숙종 8년 (강희21, 1682)	文書違式: 황제 上諭 잘 못 인용, 조선국왕 성명 누락	예부: 벌은 5천 냥 건의 황제: **승인**
5	숙종11년 (강희24, 1685)	무역중단 요청: 牛疫으로 인한 易牛 중지 요청	예부: 벌은 1만 냥 건의 황제: 면제
6	숙종12년 (강희25, 1686)	犯越: 韓得完 등 범월 후 청인 살해	예부: 벌은 2만 냥 건의 황제: **승인**
7	숙종16년 (강희29, 1690)	文書違式: 奏文에 황태자 피휘를 범함, 부적합 용어 사용	예부: 벌은 5천 냥 건의 황제: 면제
8	숙종17년 (강희30, 1691)	犯越: 林人 등 범월 후 청 인 살해	예부: 벌은 1만 냥 건의 황제: 면제
9	숙종17년 (강희30, 1691)	犯禁: 『一統志』 적발	예부: 免議 황제: 면제
10	숙종21년 (강희34, 1695)	文書違式: 箋文에 부적합 용어 사용	예부: 벌은 1만 냥, 3년간 賞賜 정지 황제: 면제

*시기는 議處 및 罰銀이 최종결정된 시점을 가리킨다.

---

40) 이러한 추측은 김석주가 사신으로 떠나기 직전에 발생한 정금의 조선침공설 및 그
가 북경에서 보낸 啓文의 내용이 주로 당시 중국정세 보고에 치중하고 있다는 점에
서 가능케 한다. 『肅宗實錄』 숙종 9년(1683) 3월 7일.

북경에 도착한 직후 김석주 일행은 강희제가 조선의 공미(貢米)에 대해 길이 멀고 운반하기가 불편하다는 이유로 감면해 주었다는 사실을 오응붕을 통해 전해 들었다. 그런데 이 같은 공물 감면을 마냥 기뻐할 수만은 없는 것이, 강희제가 진공미를 대신할 방물을 예부에게 의논하도록 했기 때문이었다. 오응붕은 공미를 대신할 방물의 양을 줄여준다며 은 2,500냥의 뇌물을 요구했다. 김석주는 오응붕의 요구에 대해, 기존의 방물과 새로운 방물을 합쳐도 총액이 1,000냥이 안 된다며 일단 거절했다. 동시에 이 같은 뇌물요구는 결국 당시 액성격의 사주라고 판단했다.

김석주는 방물 품목의 변경과 그에 따른 부담이 늘어날지도 모르는 사태를 타개하기 위해 도움을 받을 수 있는 청 측 관료들을 알아보았다. 그 결과 당시 만각로(滿閣老) 명주(明珠, Mingju: 正黃旗)와 한각로(漢閣老) 이위(李霨)가 강희제를 대신해 사무를 총괄하고 있다는 소식을 듣고 그들과 연결하기 위해 노력하였다.[41] 결국 서반이자 이위의 문하에 출입하는 이를 찾아 공물 변경을 중지해달라는 전언을 넣었고, 명주에 대해서도 우연히 숙소로 찾아온 가인(家人)을 통해 자신들의 요구를 전달했다. 우연히라고는 했지만 이위의 경우와 마찬가지로 가진 노력을 다한 결과였을 것이다. 아무튼 조선 사신들의 요청을 들은 명주 등은 소극적이지만 예부의 상주가 잘못되었으며, 그것을 철회하도록 노력하겠다는 회신을 전달하였다. 그리고 3일 후 김석주 일행은 예부의 상주가 일단 정지되었음을 확인할 수 있었다.[42]

역시 오응붕이 액성격을 빙자하여 농간을 부리고 있는 정황을 알 수 있다. 그런데 앞선 이집의 상황과는 다른 모습이 나타났다. 김석주

---

41) 명주의 가문과 활동에 대해서는 이명제, 「강희 42년 청 사신 揆叙가 그렸던 조·청 관계」『만주연구』36, 2023, 13~14쪽.

42) 『同文彙考』補編 卷2, 使臣別單「【壬戌】冬至行正使金錫胄副使柳尙運別單」21b~24a.

일행은 오응붕과 액성격에게 뇌물을 주는 방식으로는 문제가 해결되지 않을 것으로 판단, 청 조정 내에서 좀 더 높은 지위에 있고 조선을 긍정적으로 보고 있다고 판단한 명주와 이위에게 직접 연락하는 방법을 선택했다. 실제 조선 사신들의 뜻이 각로들에게 전달되었는지는 미지수이나, 결과적으로는 조선이 요구한 내용이 관철되었다. 조선 사신과 각로와의 연결은 명확히 확인하지는 못했지만, 하급 관료의 농간에 휘둘리지 않기 위해 다양한 교섭 통로를 확보하려는 모습을 확인할 수 있다.

조선·청 관계에서는 황제의 견책에 대해서조차 감사의 글을 올려야 했기에, 조선의 입장에서 매우 수치스럽게 여겼다. 때문에 숙종뿐만 아니라 신료들의 불만도 차츰 커져 갔다. 이러한 감정이 드러난 것이 정재숭(鄭載嵩) 정문(呈文) 사건이다. 이것은 숙종 12년(강희25, 1686) 파견된 정사 정재숭이 숙종에게 부과된 벌은을 면죄해달라고 예부에 정문을 올렸고, 이것이 다시 빌미가 되어 조선에 엄중한 경고가 시행되었다. 아마 이 일은 당시 부사로 동행했던 최석정(崔錫鼎)과의 상의 속에서 이루어졌을 텐데, 이 사건과 관련된 자문의 내용을 살핌으로써 당시 예부의 강경한 태도와 논리를 엿볼 수 있다. 정재숭 등의 요구는 다음과 같았다.[43]

① 최근에 벌어진 조선의 범월인(犯越人) 한득완 등이 청의 관원을 쏴 죽인 사건과 국왕은 직접적인 관계가 없다.[44]

---

43) 『同文彙考』 原編 卷51, 犯越3 「呈禮部文」 22b~25a.

44) 이 사건은 숙종 12년(1686) 조선의 범월인들이 황제의 명령으로 지도를 작성하던 청 측 관리를 살해한 일이다. 해당 사건으로 인해 청에서는 사문사를 파견하여 조사를 행했고, 숙종이 지속적으로 교영례를 거부했던 점과 맞물려 조선에 강력한 제재가 가해졌다. 이화자, 『조청국경문제연구』, 집문당, 2008, 91~108쪽; 이화자, 『한중국경사 연구』, 혜안, 2011, 314~317쪽.

② 과거에 비슷한 일이 벌어졌을 때, 청에서 그 죄를 국왕에게까지 적용하지는 않았다.

③ 작은 죄를 가지고 벌은까지 부과한다면, 다른 나라들이 조선을 업신여길 수 있다.

④ 결과적으로 숙종에게 부과된 벌은을 취소해 달라.

정재숭의 정문에 대한 예부의 입장은 매우 강경했다.[45] 예부는 크게 두 가지의 논리를 내세웠는데, 첫 번째는 절차상의 문제로 정재숭이 신하의 입장에서 예부로 정문을 제출할 자격이 없다는 것이다. 그렇지만 정문을 통한 교섭은 이미 조선·명 관계에서도 관행적으로 이루어졌다.[46] 숙종 연간으로 한정해도 숙종 책봉 당시 왕비[仁敬王后]와 아직 성혼(成婚)하지 않았다는 이유로 예부에서 왕비책봉을 거부하려는 논의가 있자 정문을 올려 여기에 항의한 일이 있었다.[47] 또 숙종 8년(강희21, 1682)에는 조선 사신이 송별연에서 당시 만시랑 액성격에게 정문을 제출한 사례도 있었다.[48] 따라서 정재숭이 정문을 올리는 행위 자체는 문제가 되지 않을 수 있었음에도 예부에서는 신하로서의 자격을 운운하며 인신무외교의 원칙을 적용하려고 한 것이다. 이는 인신무외교라는 언설이 얼마든지 가변적으로 해석될 수 있다는 점을 잘 보여준다.

두 번째는 내용에 대한 문제였는데, 정재숭이 인용한 경서의 내용들

---

45) 『同文彙考』原編 卷51, 犯越3 「禮部知會呈文陪臣免嚴拿發與該國治罪咨」 25b～29a.

46) 임진왜란 또는 명청 교체기와 같이 비상시국이 아니더라도 조선 전기 사신들은 명 예부에 呈文을 올렸을 뿐 아니라 예부 및 조선을 방문한 관료들과 다양한 교섭 활동을 벌였다. 구도영, 「조선 전기 對明 陸路使行의 형태와 실상」 『진단학보』 117, 2013, 87～92쪽.

47) 『同文彙考』補編 卷1, 使臣別單 「【甲寅】告訃奏請兼謝恩行書狀官宋昌聞見事件」 40a～40b.

48) 夫馬進, 앞의 글, 2007a, 342～343쪽.

이 군신분의(君臣分義)에 맞지 않을 뿐 아니라 경서에 대한 기본적인 해석에도 오류가 있다는 점을 낱낱이 전거를 인용하며 비판하였다. 더하여 일개 배신이 국왕의 허락을 받지 않고 정문한 것은 "임금은 약하고 신하가 강하기[主弱臣强]" 때문이며, 청의 보호가 없었다면 몇 차례나 모반이 일어났을 것이라고 힐난하였다. 이러한 청의 반박 논리는 '예의지방(禮義之邦)'을 자처했던 조선 군신들에게 있어 꽤나 큰 정신적 타격이었다.

조선에서는 이러한 상황에 대해 "병자년 이후 처음 있는 모욕"[49]이라며 매우 분개했지만, 한편으로 바로 대책 마련을 위한 회의를 소집했고, 사신들이 받게 될 처벌은 어쩔 수 없다는 태도를 보였다. 이후 숙종 전반기 동안에는 정재숭 등과 같이 정문을 통해 외교 사안을 해결하려는 시도는 나타나지 않는다.

남구만(南九萬)은 한득완이 범월하여 청인을 살해한 것[50]에 따른 벌은 2만 냥을 바치기 위해 숙종 12년(강희25, 1686) 6월에 파견되었다. 남구만 역시 북경에 도착하자마자 필첩식 오응붕의 농간에 휘말리게 되었다. 오응붕은 앞서 정재숭 등의 사건에 대해 완전히 면죄 받고 싶으면 은4,000냥을, 유배를 면죄 받고 싶으면 2,000냥의 뇌물을 달라고 요구하였다. 이에 사신들은 일이 잘된 후에 지급하겠다며 확답을 지연시켰다. 그 후 예부낭중을 통해 황제의 명령이 내려졌음을 확인했으나, 오응붕은 이를 모르고 5,000냥을 주면 방물 감면과 사은 예물을 정지시켜 주겠다고 제안하면서, 이 일은 대노야(大老爺)의 분부라고 사칭했다. 남구만 등은 원치 않는다고 답했고, 다음날 사신 정재숭 등에 대해 처벌을 관대히 면제[寬免]한다는 칙지가 내려왔다. 오응붕은 다시 찾아와 자신이 손을 썼다며 4,000냥을 요구했지만, 사신일행은 "회의

---

49) 『肅宗實錄』 숙종 12년(1686) 윤4월 29일, "其詬責絶悖之言 實丙子以後所未有之辱也"
50) 『通文館志』 「紀年」, 숙종 12년(1686).

(會議) 초안을 보니 네가 힘썼다는 부분은 전혀 나타나지 않았다. 신하들은 형벌을 청했으나 전적으로 황제의 특명으로 용서가 행해졌다. 네가 힘쓴 것이 무엇이냐?"라고 답변하며 오응붕의 요구를 물리쳤다.[51]

그러나 오응붕의 요구가 끝이 아니었다. 청의 이일선이 이번 일에는 이부시랑(吏部侍郎)이 힘을 썼으니 옷 한 벌을 보내라는 내용을 전해 왔다. 이에 남구만 등은 문서를 보면 이부시랑이 한 일이 전혀 없다고 했지만, 이일선은 "(형벌이) 종관(從寬)으로 결정된 것은 각로 명주가 황제에게 말했기 때문이고, 그것은 시랑이 주선한 결과"라고 답했다. 사신 등은 "이부시랑에게 치사(致謝)한다면 명주에게도 마땅히 치사해야 되는 것"이 아니냐고 물었지만, 이일선은 명주가 뇌물을 좋아하지 않는다는 이유로 치사할 필요성이 없다고 답했다. 사신들은 이일선의 말이 맞는지 다른 사람들을 통해서 탐문한 결과, 정재숭 등의 처벌 면제가 명주의 힘으로 이루어졌다는 점, 그리고 명주가 뇌물을 받지 않을 것이라는 점을 확인했다. 그 후 예부시랑에게 돈피(獤皮) 1장을 지급하였다.[52]

한편 남구만은 정재숭 사건은 불분명한 구석이 있기에, 만일 가만히 벌을 받으면 또다시 이런 일이 벌어질 것이라고 생각해서 한 번 항의하는 것이 어떻겠냐며 회동관의 하급 관리들에게 의중을 물었다. 그러나 이들은 만일 일이 잘못되면 더 걷잡을 수 없으니 가만히 있는 편이 나을 것이라고 했고, 이일선의 경우 지난번의 정재숭 등이 올린 일은 명주가 잘 처리해준 것이며, 정문이 없었다면 더 잘 처리될 수 있었다며 간접적으로 정문 제출을 반대했다. 결국 남구만 등은 정문 제출을 포기했다.[53]

---

51) 『同文彙考』補編 卷2, 使臣別單「【丙寅】謝恩使正使南九萬副使李奎齡別單」30a~33a.

52) 위의 자료.

53) 위의 자료.

오응붕의 농간은 지속되었고, 요구하는 액수도 더욱 커졌다. 반면 사신들이 정보를 획득하는 속도와 정보의 질이 높아져 그 요구가 통하지 않았다. 앞서 김석주 일행이 오응붕의 뇌물요구를 다른 고위 관료를 포섭함으로써 무마시켰다고 한다면, 남구만 등은 한발 앞서 정보를 획득하는 방식으로 대응했다. 정재숭 등의 일에 대해 오응붕이 뇌물을 요구했을 때 남구만 일행은 이미 강희제가 이들을 용서했다는 상유(上諭)를 확인했다. 이일선이 이부시랑에게 감사를 이유로 선물을 가져다 달라고 요구하자, 조선 사신들은 논의과정에서 도움을 준 일이 없다면서 거부하는 뉘앙스를 풍겼다. 이 같은 상황이 가능했던 것은 조선 사신들이 청의 하급 관리들과 거의 비슷한 속도로 청 내부의 공문서를 획득할 수 있었기 때문으로 보인다.

숙종 21년(강희34, 1695) 전문(箋文) 위식 사건의 경우, 조선 사신은 새로운 주선자를 모색하고 발 빠르게 문서를 획득하는 모습을 보였다. 강희제가 조선에서 황태자에게 올린 전문에 문제가 있다고 언급하자 예부는 조선국왕에 대한 벌은과 방물을 거부할 것을 주장했다. 또다시 벌은 문제가 불거질 수 있는 상황 속에서 사신들은 서반 반개(潘介)를 통해 주선자를 알아보았고 그 결과 내무부낭중 불보(佛保)를 그 대상으로 선택하였다. 그 사이에 강희제는 예부의 의견을 거부하고 최종적으로 조선국왕에 대한 처벌을 "관대하게 면제하라"는 유지를 내렸다. 이후 서반은 황제가 처벌을 면제했다는 불보의 말을 전했는데, 조선 사신들은 불보의 언급 이전에 이미 황제의 결정을 문서로 확보하고 있었다.[54]

위와 같은 조선 사신의 새로운 활동 영역은 벌은 사건을 넘어서 책봉의 요청과 같이 가장 중요한 외교 사안에도 적용되었다.[55] 숙종 22

---

54) 『同文彙考』補編 卷3, 使臣別單 「【乙亥】謝恩行書狀官金演聞見事件」 5a~10a.

55) 18세기 전후 조선의 세자 및 세제 책봉 요청과 청의 처리 과정, 조선의 대응 등에 관한 상세한 분석은 손성욱, 「王世子 冊封으로 본 淸 朝 관계(康熙 35년~乾隆 2년)」

년(강희35, 1696) 세자 책봉을 요청할 때 서반을 통해 예부낭중 및 예부시랑을 포섭하고자 했으며, 예부우시랑에게는 주청을 빨리 처리해 달라고 부탁하기도 했다. 서반을 통한 교섭이 원활하게 진행되지 않자 회동관제독의 주선을 통해 예부시랑을 움직이려는 등 다양한 교섭을 시도하기도 했다.56) 숙종 28년(강희41, 1702) 인현왕후의 복위와 고명(誥命)을 다시 반포해달라는 주문을 요청했을 당시,57) 청 측 통관이 가짜 예부의 의주(擬奏)를 가지고 중간에서 농간을 부렸으나 다른 서반을 통해 재빠르게 원본을 확보하여 통관의 요구를 물리치는 일도 있었다.58)

모든 사신의 외교 활동이 성공하는 것은 아니었지만,59) 조선 사신들은 다양한 교섭 통로와 공문서 획득을 통해 청의 하급 관리들이 중간에서 농간을 부릴 여지를 줄여나가면서 자신들에게 우호적인 인사를 포섭하려는 노력을 지속했다. 다만 여전히 교섭의 매개를 청 측 역관들에게 의존하고 있었기 때문에, 비공식인 교섭일수록 이들을 통해서만은 조선 사신들의 요구가 제대로 전달되었는지 알 수 없다는 한계가 여전히 존재하였다.

3. 18세기 안정된 교섭 통로의 확보

18세기에 접어들면서 청의 조선에 대한 압박은 줄어들었다. 청에서

『동양사학연구』146, 2019.

56) 『同文彙考』 補編 卷3, 使臣別單 「丙子」奏請兼冬至使書狀官金弘禎聞見事件」 10a ~17b.
57) 『同文彙考』 原編 卷2 封典2 「壬午」請繼封王妃奏」 17a.
58) 『同文彙考』 補編 卷3, 使臣別單 「甲申」謝恩行書狀官李夏源聞見事件」.
59) 숙종 22년 세자 책봉 요청은 『대청회전』의 규정에 따라 국왕과 왕비의 나이가 50세가 안 되었다는 이유로 거부되었다. 『同文彙考』 原編 卷2, 封典2 「禮部知會不准請咨【丁丑】」 17b.

사문사(査問使) 파견이 사라지다시피 했고, 세폐의 감면이 이어지면서 조선의 정치·경제적 부담은 크게 완화되었다. 이렇게 안정된 시기로 접어드는 상황 속에서도 책봉은 여전히 중요한 외교 사안이었으며, 특히 조선의 입장에서 책봉의 승인 여부는 국내 정치 상황과도 밀접하게 연관된 문제였다. 더구나 경종 및 영조대에 조선에서 요청한 책봉들은 세제(世弟), 세손(世孫) 등과 같이 청의 『회전(會典)』에 명확한 규정이 없는 사항들이었기 때문에 책봉의 성사는 결코 장담할 수 없었다.[60] 따라서 이번 절에서는 주로 책봉 주청(奏請) 과정에서 나타난 외교 활동의 양상을 중심으로 검토하고자 한다.

경종 즉위(강희59, 1720) 초부터 노론과 소론의 갈등은 심각했다. 경종의 책봉을 청에 요청하기 위한 준비가 한창이던 7월, 희빈 장씨에 대한 추숭의 문제를 제기하는 상소가 올라왔고 이에 노론이 집요하게 처벌을 요구하면서 정국이 더욱 경색되기도 했다.[61] 때문에 경종의 책봉 여부는 또 하나의 정치적 쟁점이 될 소지가 있었다. 책봉 주청 정사를 맡은 이이명(李頤命)은 조정에서 1만 냥의 공화(公貨)를 가져가도록 했지만 혹시라도 부족할지 모르는 4~5만 냥을 더 추가해달라고 청하여 수락받았다.[62] 더 구체적인 자료가 필요하지만 1만 냥은 불우비(不虞備)이고, 4~5만 냥은 공용은(公用銀)이었을 것으로 추측된다.

북경에 도착한 이후 이이명이 보낸 별단에 따르면, 당시 조선에서 주청문을 올릴 때 이미 죽은 경종의 전처 단의왕후(端懿王后) 심씨의 추봉을 함께 요청한 것이 문제가 되었다.[63] 경종은 세자시절 청은부원군(青恩府院君, 沈浩)의 딸을 세자빈으로 맞았고, 심씨가 숙종 44년(강희57, 1718)에 사망하자 영돈녕부사 어유구(魚有龜)의 딸과 가례를 올

60) 손성욱, 앞의 글, 2019.
61) 이희환, 「경종대의 신축환국과 임인옥사」『전북사학』15, 1992, 170~171쪽.
62) 『景宗實錄』 경종 즉위년(1720) 7월 8일.
63) 『景宗實錄』 경종 즉위년(1720) 11월 14일.

렸다. 청에서는 두 개의 책봉을 한꺼번에 청했다는 점을 문제 삼았고, 이 과정에서 회동관제독(會同館提督)이 뇌물을 바라는 뜻을 보였다. 이이명은 갑인년(1674)의 사례를 근거로 뇌물 없이 황제의 특지를 통해 책봉이 승인되기를 바랐지만 어쩔 수 없이 일정한 비용을 제독에게 보냈다. 다만 책봉 논의 상황에 대해 회동관제독의 말만 일방적으로 믿을 수 없었기에 서반(序班)으로부터도 정보를 확보하고자 하였다.[64] 결과적으로 심씨에 대한 추봉과 경종의 책봉은 모두 이루어졌지만, 제독이라는 중간 매개자를 통한 교섭의 불안정성을 절감할 수밖에 없고, 이는 안정된 교섭 통로의 필요성을 더욱 높였다.

이듬해에 있었던 세제 연잉군(延礽君) 책봉 주청 당시 조선의 정국은 더욱 격화일로의 상황이었다. 노론 중신들에 의해 세제 책봉이 강력하게 요청되었고 경종이 수락하자 숙종 계비 인원왕후(仁元王后)의 동의를 얻어 최종적으로 확정하였다. 이후 세제의 대리청정을 둘러싸고 소론의 반대와 경종의 번복이 반복되면서 노소의 갈등은 돌이키기 어려울 정도로 심각한 지경에 이르렀다.[65] 앞서 경종의 책봉과 마찬가지로 연잉군의 세제 책봉 주청도 정치 격변의 한가운데 있었던 것이다. 이때 외교 활동비로 배정받은 액수는 불우비 1만 냥과 공용은 6만 냥으로 총 7만 냥에 이르렀고,[66] 그럼에도 외교비용이 모자랄까 염려하여 출발 전에 불우비를 2만 냥까지 늘렸다.[67]

이번 주청이 쉽게 통과되지 않으리라는 것은 쉽게 예상할 수 있는 일이었다. 과거 경종의 세자 책봉 때 청 예부는 『회전(會典)』의 규정에 따라 국왕과 왕비가 젊다는 이유로 조선의 요청을 허락할 수 없다고 상주했고, 황제가 이를 승인했던 전력이 있기 때문이다.[68] 하물며 세

---

64) 李頤命, 『疎齋先生集』 11冊 卷19 先來狀啓, 32b~34b쪽.
65) 이희환, 앞의 글, 1992, 172~175쪽.
66) 『景宗實錄』 경종 1년(1721) 10월 2일; 『備邊司謄錄』 영조 1년(1725) 4월 17일.
67) 『景宗實錄』 경종 1년(1721) 10월 25일.

제 책봉이라는 것은 회전 중 책봉 대상에 없는 존재였고, 이에 따라 좀 더 효과적이고 정치적인 외교 활동이 필요했다.[69] 조선에서 첫 번째 주선 대상자로 삼은 이는 나첨(羅瞻)이었다. 나첨은 전년도인 경종 1년(강희60, 1721) 봄에 경종을 책봉하기 위한 부사로 조선을 방문했다.[70] 주청 정사 이건명(李健命)은 당시 예부우시랑의 직책을 띠고 왔던 나첨이 욕심을 못 채우고 귀국하게 되자 그 분풀이로 사은사 일행의 출입과 식량을 통제하는 등의 행패를 부렸지만, 그가 예부시랑의 직위에서 체직당하지 않았다면 책봉을 주선할 대상으로 삼을 필요가 있다고 언급하였다.[71] 이에 나첨이 조선에 왔을 때 수행하며 의주를 왕복한 이석재(李碩材)[72] 및 나첨과 그의 가정(家丁)들을 치료하여 신임받은 의관 임대재(林大材)를 데리고 갈 것을 요청하여 허락받았다.[73] 사행의 인선부터 이전 청 사신과의 안면을 이용하기 위해 철저히 준비한 셈이다.

경종 2년(강희61, 1722) 당시 나첨은 여전히 예부우시랑의 지위에 있었다.[74] 북경에 도착한 즉시 사신 일행은 이석재 등을 나첨에게 보냈고 이후 나첨은 "이번 일이 예부로 내려온다면 내가 담당하여 허락받을 것이니 너희들은 걱정하지 말라"며 책봉 승인을 자신했다. 경종 2년 1월 20일 황제의 명령에 따라 태학사 및 예부당상들이 조선국왕의

---

68) 김문식, 「영조의 국왕책봉에 나타난 한중관계」『한국실학연구』23, 2012, 166쪽; 『同文彙考』原編 卷2, 封典2「禮部知會不准請咨【丁丑】」8b~9a.

69) 연잉군 세제 책봉과 관련해서 김문식, 앞의 글, 2012 및 김일환, 「李健命의 奏請 사행(1721~1722)과 '寒圃齋使行日記'」『동아시아문화연구』58, 2014에 상세히 정리되어 있다.

70) 『同文彙考』補編 卷9, 「詔勅錄」28a.

71) 『承政院日記』경종 1년(1721) 9월 15일.

72) 『承政院日記』경종 1년(1721) 9월 5일, "左議政李健命曰 聞李碩材 今春隨羅瞻 往來 灣上 故臣欲爲別啓請 而未已啓下矣 且今番則使事至重 兼送他否 未知其得當也"

73) 『承政院日記』경종 1년(1721) 9월 15일.

74) 錢實甫, 앞의 책, 1980, 390쪽.

상태를 확인하기 위해 사신들을 불러다 국왕의 나이, 가족관계, 건강 상태 등을 철저히 조사하였다. 여기에 참석한 각로 11명 중 내각학사 아극돈(阿克敦), 액화납(額和納), 그리고 나첨은 조선에 이미 사신으로 다녀온 경험이 있었다.[75]

조사를 마치고 예부에서 황제에게 올릴 주문의 초안을 잡는 사이에 나첨은 내각에 책봉 승인 문서를 올리기 위해서는 예물로 천은(天銀) 5,000냥이 필요하다고 뇌물을 요구했고 여러 차례 논의를 주고받은 끝에 정은(丁銀) 6,000냥으로 합의를 보고는 허락을 청하는 주문을 작성하기로 했다. 그 과정에서 회동관제독은 조선의 요청을 비판하는 내용의 가짜 의주(擬奏) 초고를 만들어 사신들을 혼란에 빠뜨리거나 역관들을 통해 자신이 예부 당상에게 주선한다는 구실로 과도한 뇌물을 요구하기도 했다. 그러나 생각지 못하게 예부의 초안이 조선의 요구를 반박하는 방향으로 가닥이 잡혀갔다.

더 이상 나첨에게 기댈 것이 없다고 판단한 이건명 일행은 서둘러 새로운 주선자를 물색했고 당시 난의위 두등시위(鑾儀衛頭等侍衛)의 지위에 있던 김상명(金常明)을 선택했다.[76] 김상명은 정묘호란 직전에 자발적으로 만주로 귀화했던 신달리(新達理, 新達禮·辛達禮로도 표기)의 후손이다.[77] 조선에서는 의주 출신의 피로인의 후손이며 그의 어머니가 옹정제의 유모였던 관계로 빠른 속도로 현달한 인물로 알려져 있었다. 조선 출신이라는 점, 그리고 고위 관직에 있었다는 점으로 인해 영조 연간 내내 지속적으로 조선 사신의 중요한 교섭 대상이 되었다. 사행단의 일원과도 친척이었던 김상명과는 사신들도 어느 정도

75) 김일환, 앞의 글, 2014, 199~203쪽.
76) 김상명에 대해서는 우경섭, 「17세기 전반 滿洲로 歸附한 조선인들 -『팔기만주씨족통보(八旗滿洲氏族通譜)』를 중심으로-」『조선시대사학보』48, 2009, 198~201쪽(해당 논문은 우경섭, 『조선중화주의의 성립과 동아시아』, 유니스토리, 2013에 재수록).
77) 우경섭, 『조선중화주의의 성립과 동아시아』, 유니스토리, 2013, 223~224쪽.

안면이 있었다. 세제 책봉이 좌초될 급박한 시점에서 김상명에게 상황을 설명하고 주선을 부탁하자, 그는 자신이 조선인이라는 근본을 잊지 않았기에 최선을 다할 것이며 각로 마제(馬齊, Maci: 滿洲鑲黃旗) 및 근신들과 잘 아는 사이이므로 조선의 요청을 주선할 수 있다고 하였다. 다만 빈손으로는 이들을 움직일 수 없다고 했다. 이에 사신들은 5,000냥을 약속했고 상명은 여기에 더하여 두 마리의 좋은 말을 요구했다. 상명의 주선 여부는 오직 김상명의 입을 통해서만 확인할 수 있는 문제였지만, 결국 책봉은 승인되었다. 그리고 이건명은 김상명에게 약속한 액수를 지급했다.[78]

비록 나첨을 통한 책봉 주선은 성공적이라고 할 수 없었지만, 조선에 왔던 청 사신을 활용하여 주청을 성사할 수 있는 교섭 통로를 만들려고 했다는 점은 매우 특기할 만하다. 또한 조선 출신의 청 고관 김상명과의 인연도 더욱 돈독해졌다. 이후 영조 연간 김상명을 비롯한 청 고관을 활용하고자 하는 모습이 지속적으로 나타난다.[79] 한편 교섭 방식에도 일정한 변화가 보이는데, 나첨과의 접촉은 그가 사신으로 조선에 왔을 때 수행한 조선 역관들을 통해 이루어졌고 김상명과의 연락도 마찬가지로 조선 역관이 활용되었다. 이점은 청 역관들을 매개로 했을 때보다 조선 사신들의 의사를 더욱 명확하게 전달할 수 있고, 청 측 역관이 중간에서 농간부릴 여지를 크게 줄일 수 있었다.

영조 즉위년(옹정2, 1724) 국왕 책봉을 요청했을 때는 김상명을 적극적으로 활용하였다. 귀국 보고에 따르면 영조의 책봉보다도 더욱 문제가 되었던 것은 청의 사신 파견이었다. 청에서는 경종 즉위년(강희 59, 1720)의 전례에 따라 경종 책봉과 숙종 위문에 각각 별도로 사신을

---

78) 『同文彙考』補編 卷4, 使臣別單 「【辛丑】奏請兼冬至行正使李健命副使尹陽來別單」, "臣等悶迫之極 不暇計他 卽並許之 旨下之後 兩處所許之物 不可失信如數出給"

79) 영조대 사행 운영 및 김상명과의 접촉에 대해서는 연갑수, 「영조대 對淸使行의 운영과 對淸關係에 대한 인식」『한국문화』51, 2010; 손성욱, 앞의 글, 2019.

파견하려고 했다. 청 사신에 대한 접대비용은 조선 재정에 매우 큰 부담이었기 때문에 이를 예전과 같이 하나의 사행으로 파견하기 위해 당시 예부 당상을 겸관(兼官)하고 있었던 융과다(隆科多, Longkodo)와 김상명에게 주선을 부탁하여 결국 별도의 사신 파견을 취소시켰다.[80]

　영조 1년(옹정3, 1725) 효장세자 책봉을 위한 주청 과정은 보다 구체적이다. 당시 영조나 세자 모두 『회전』내의 규정보다 나이가 적었기 때문에 다분히 곤란이 예상되었다.[81] 때문에 처음 4만 냥으로 책정되었던 외교비용은 주청사의 요청으로 경종 1년 세제 책봉 때와 마찬가지로 총 7만 냥으로 증액되었다.[82] 사신 일행은 북경 회동관에서 여장을 푼 직후 바로 김상명에게 연락을 취했다. 이때도 역시 조선 역관들이 매개가 되었다. 이에 김상명은 황제가 총명해서 함부로 주선하기 어려운 시기이지만 자신이 각로 마제 및 예부시랑 삼태(三泰: 漢軍正白旗)에게 주선을 청할 것이며 또한 13왕 이친왕(怡親王) 윤상(胤祥)과도 친숙하기 때문에 역시 부탁해 놓겠다고 적극적으로 나섰다. 아울러 이번 일은 그 성사가 어려운 만큼 만금(萬金)의 돈이 들어갈 것이라는 언급도 잊지 않았다.[83]

---

80) 『承政院日記』영조 1년(1725) 2월 8일, "欌曰 庚子弔勅封勅各出 而以康熙特旨 別遣弔勅 故以此相爭矣 先來狀啓中已陳矣 裕親王 遞禮部 以皇帝特旨 使隆科多 兼管禮部 與金常明 同察事務云 故使事周旋於此兩人 而得成矣" 다만 『承政院日記』의 내용과 달리 隆科多는 당시 이부상서로 있었으며 예부상서는 賴都, 李周望이었다. 錢實甫, 앞의 책, 1980, 205쪽.

81) 연갑수, 앞의 글, 2010, 39~40쪽.

82) 『備邊司謄錄』영조 1년(1725) 4월 19일, "故參酌磨鍊僅爲四萬兩矣 必欲准辛 丑前例 則此後雖或有意外緊急之需將無以責應 此亦不可不慮 而下敎如此 京衙門則又爲從略分排限一萬兩加數磨鍊以入 而平安監兵營銀 當初分定外各一萬兩 使行下去時取去 以准七萬兩之數 宜當以此行關分付於平安監兵營何如 答曰 依啓 渡江前備給事另飭本道可也"

83) 『同文彙考』補編 卷4, 使臣別單 「【乙巳】奏請行正使礪城君楫副使權㦜別單」, "又曰 如此周旋 非賄難成 數至萬金 方可用之 俺爲貴國之誠 可質神明 你等惟以成事爲重 勿以我之染指爲疑"

한편 조선에서는 상명에게만 의지한 것은 아니었다. 앞서 조선에 왔던 나첨을 교섭 통로로 삼았던 것과 마찬가지로 이번 대상은 아극돈(阿克敦, Akdun: 滿洲正藍旗)이었다. 아극돈은 숙종 43년(강희56, 1717) 강희제가 숙종의 눈병을 치료하기 위해 하사한 공청(空靑)을 전달할 때 내각학사로서 조선에 왔고, 숙종 44년(강희57, 1718)에는 황태후의 사망 소식을 알리기 위해, 그리고 경종 2년(강희61, 1722)에는 세제의 책봉을 위해 조선을 방문한 이력이 있었다.[84] 빈번한 출사만큼이나 조선에는 그와 친숙한 인물들이 있었다. 때문에 영조 1년(옹정3, 1725) 영조의 국왕 책봉사로 왔을 때 아극돈을 맞이하기 위해 차비관(差備官)으로 파견되었던 역관 이추(李樞)와 한수악(韓壽岳)을 이번 사행에 데리고 왔다.

그런데 생각지 못하게 이들을 아극돈에게 보내기 전에 그가 먼저 연락을 취해 왔다. 아극돈은 자신이 황제에게 조선국왕의 사대에 관한 정성을 좋게 이야기했으며, 또한 여러 대인에게도 주선했다고 말하였다. 특히 상서 나도(賴都: 滿洲正黃旗)와 사승관계를 맺고 있으며 이번 주청이 사리상 당연하다는 것을 언급했다고 말하였다.[85] 그렇지만 이렇게 주선하면서도 아극돈은 뇌물을 요구하지 않아 조선 사신들을 의외의 지점에서 당황시켰다. 김상명과 아극돈의 덕택으로 책봉 주청은 승인되었다. 조선 사신들은 김상명과 약속을 어기기 어려워 9,000냥을

---

84) 아극돈의 사행과 그 기록인 『奉使圖』에 관해서는 정은주, 「阿克敦《奉使圖》研究」 『미술사학연구』246·247, 2005; 김한규, 「阿克敦의 『東遊集』과 『奉使圖』의 서문과 발문」『사조선록 연구』, 서강대학교출판부, 2011.

85) 『同文彙考』補編 卷4, 使臣別單 「【乙巳】奏請行正使礪城君 楫副使權㥛別單」, "今夏勅使回來時 差備譯官李樞韓壽嶽等 先以奏請入去之事 有所酬酢於副勅'阿克敦 而兩譯又爲入來 故留館時 臣等欲使通問之際 阿克敦先使家丁來問安否 仍謂曰 頃我復命之日 已將你國王誠心事大之狀 縷縷陳達 退出乾淸門 卽以陳達之語 誦於諸大人公會之中 此乃吾有意而發也 且吾少時受業於賴尙書 至今猶稱先生 情義不泛 吾當爲你等出力相助 後又送家奴曰 吾與賴尙書 逐日相遇 而公座中囑咐 終涉未便 故昨日大雨中委進其門 俏言 請封事理當然 則賴公亦以爲然 前頭事須勿爲慮"

지급했고, 중간에서 또 다른 주선을 위해 수고한 회동관제독 등에게도 400냥을 나누어 주었다.86)

김상명을 통한 주선은 사실상 조선 출신이라는 특수한 신분으로 인해 나타날 수 있었던 것이고, 보다 중요한 것은 조선에 방문한 청 사신을 비롯한 청 고관을 적극적으로 활용한 점이다. 청 사신은 조공책봉 관계의 한 축을 구성하며 정기적으로 조선을 방문했던 만큼 어떠한 형태로도 관계가 지속될 수 있는 존재였기 때문이다.

영조는 즉위한 다음 해(영조1, 1725) 정빈 이씨의 소생 이행(李緈)을 왕세자로 삼고 곧바로 청으로부터의 세자 책봉을 준비했다. 이번 주청에도 난점이 있었다. 앞서 "왕과 왕비가 오십이 될 때까지 적자가 없어야 비로소 서장자를 왕세자로 세울 수 있다."라는 『대명회전(大明會典)』에 근거하여 책봉을 거절한 사례가 있었기 때문이다. 이에 따라 예부에서도 논쟁이 벌어졌고, 의견 통일은 쉽사리 이루어지지 않았다. 조선 사신은 김상명과 접촉했고, 김상명은 대학사 마제에게 주선을 부탁하는 동시에 국정 전반에 관여하고 있던 옹정제의 동생 13왕 윤상에게도 손을 써두었다. 결국 6월 22일 주본을 예부에 납부, 7월 23일 내각의 주본 제출, 7월 26일 조선의 요청을 승인하는 황제의 상유가 내려졌다.87) 이 과정에서도 사신들은 비공식적 교섭을 통해 외교 사안을 해결하였다.

영조 38년(건륭27, 1762) 영조는 세손 책봉을 원활히 진행하기 위해 청 사신들을 활용하려고 했다. 당시 사도세자의 사제(賜祭)를 위해 산질대신 융흥(隆興)과 일등시위 덕록(德祿)이 파견되었다.88) 영조는 이

---

86) 『同文彙考』補編 卷4, 使臣別單 「【乙巳】奏請行正使礪城君 楫副使權憘別單」, "當初常明處所許之數 至於九千金 而成事之後 誠難爽約 依數出給 提督逐日奔走 頗著勤勞 禮部儀制司實主管文書 而辛丑奏請竣事後 俱有別贈之例 縷縷懇言 今亦除出四百兩 衆酌分給 常明處所給省峴驛馬之代 則依前例 以行中賚來管餉不虞備中天銀十七兩五錢 買馬以來還給本驛 移關於該道監司"

87) 손성욱, 앞의 글, 2019, 216~220쪽.

88) 『同文彙考』補編 卷9, 「詔勅錄」 36b.

들을 융숭하게 대접하면서 비록 형식적이었을지라도 몇 번이나 신료를 보내 오래 머물면서 출발을 연기해달라고 부탁했다.[89] 『동문휘고(同文彙考)』에는 해당 청 사신들이 황제에게 보고한 내용이 수록되어 있는데, 청 사신들은 현재 조선에 국왕의 후계자로서 세손 한 명만이 있을 뿐이고 곧 책봉을 주청할 사신을 발송할 것이라고 전달했다. 아울러 국왕이 상례를 잠시 멈추고 연향을 베풀고자 할 정도로 황제의 대리인인 자신들에 대한 접대를 극진히 했다는 내용도 보고했다.[90] 문건의 내용을 신뢰한다면 영조의 청 사신에 대한 대응은 세손 책봉과 연관 지어 볼 때 매우 효과적이었고 또 책봉 승인이라는 성공적인 결과를 낳는 바탕이 되었다고 할 수 있다.

정조는 조선에 온 청 사신들을 더욱 적극적으로 활용했다. 정조 7년(건륭48, 1783) 건륭제는 조상의 제사와 만주인의 정체성을 확인하기 위해 네 번째로 심양을 방문했다.[91] 만주족의 전통과 함께 자신의 문학 소양을 과시하고 싶어 했던 황제는 문안을 위해 찾아온 조선 사신들에게 어제시를 비롯하여 다양한 서첩(書帖)을 하사했다.[92] 정조 8년(건륭49, 1784) 문효세자(文孝世子)를 책봉하기 위해 청 사신 산질대신 서명(西明)과 시독학사 아숙(阿肅 : 滿洲鑲白旗)이 조선을 방문했을 때, 정조는 황제가 하사한 어필을 묵각(墨刻)해서 보관하고 있다고 언급했

89) 『承政院日記』 영조 38년(1762) 12월 11일.
90) 『同文彙考』 補編 卷5, 使臣別單 「【壬午】冬至行正使咸溪君 橹副使李奎采別單」, "兩勅使復命 皇帝問曰 朝鮮王今年幾何 對曰 幾七十矣皇 帝問 年老喪世子 必悲悼矣 副勅對曰 近七十而無他子 果悲悼矣 皇帝曰 有孫乎 副勅對曰 有兩孫一孫病卒 只有一孫 而年十一矣 仍奏曰 國王雖不發言 意則望臣等歸奏皇上 而臣等以皇上若無下問不敢奏達言於國王 而今適有下詢 故敢冒昧陳奏矣 皇帝曰 然則何無請封之擧乎 副使對曰 奏請使臣 今將入來云矣 皇帝曰 此應行之事也 (중략) 皇帝曰 設宴享耶 副勅對曰 國王以手下喪不可停常禮 懇請宴享而 臣等旣以弔慰 則受宴於心不安辭之"
91) 마크 C. 엘리엇 지음, 양휘웅 옮김, 『건륭제 - 하늘의 아들 현세의 인간』, 천지인, 2011, 166~169쪽.
92) 『正祖實錄』 정조 7년(1783) 9월 13일.

고 사신들이 한 번 보기를 청하자 여분의 인본(印本)이 있으니 돌아가기 전에 주겠다고 하였다. 이에 청 사신은 혹시라도 황제가 하문하는 일이 있다면 꼭 아뢰겠다고 약속하였다.[93] 또 청 사신들과의 연회자리에서 부사 아숙과 시문을 수창하며 사신들과 개인적 우호를 쌓기도 했다.

그해 겨울 세자 책봉을 사은하기 위해 박명원 등이 북경으로 파견되었을 때, 정조는 사신들에게 명령을 내려 서명과 아숙을 직접 찾아가게 했다. 박명원 등은 서명 등을 방문하고 이들을 통해 정조가 건륭제의 어필을 경건히 보관하고 있던 점, 그리고 정조와 아숙이 시문 수창을 행했다는 내용이 모두 건륭제에게 보고되었음을 알 수 있었다.[94] 결과적으로 보았을 때 청 사신을 대하는 정조의 조치들은 청과의 관계를 고려하여 안배된 행동들이라고 판단할 여지가 매우 많았다. 학문적으로 의리지학(義理之學)을 지향하면서도 현실에서 청을 염두에 두는 정조의 태도를 엿볼 수 있다.

정조 10년(건륭51, 1786) 정조는 사은겸삼절연공행 정사 황인점(黃仁點)에게 같은 해 문효세자의 유제(諭祭)를 위해 조선에 왔던 청 사신들을 찾아가 몇 가지 사안을 전달하게 했다. 이에 황인점은 당시 상사(上使)였던 소릉아(蘇凌阿)의 자택을 방문하여 국왕의 안부를 전하였다. 아울러 정조가 후사가 생기면 바로 책봉을 주청할 것이라는 뜻을 황제께 전달해달라고 부탁했었는데, 이 일이 어떻게 처리되었는지도 확인하였다. 소릉아는 자신이 복명하는 날 이러한 뜻을 건륭제에게 직

---

93) 『承政院日記』 정조 8년(1784) 12월 4일, "上曰 年前皇上盛京行幸時 至有御製頒賜之事 陪臣奉來 而係是小邦罕有之恩數 故卽爲刻揭奉安 亦有印本餘件 以備僉大人取覽之資 果欲奉覽否 上勅曰 旣有皇筆 願一奉視矣 副勅曰 俺則伊時陪從於盛京 知有此事 願爲得見矣 上曰 奉來之際 事體難便 但欲一覽 則不必奉來 而旣有印本餘件 僉大人如有持去之意 則當奉來矣 勅使曰 貴國旣有皇筆之印刻者 則俺等持去印本 然後如或有皇上下問之事 可以仰達矣"
94) 『正祖實錄』 정조 9년(1785) 2월 14일.

접 아뢰었고 황제가 기쁘게 받아들였다는 내용을 이야기했다.[95] 소릉아가 실제로 정조의 부탁을 전달했는지와는 별개로 정조는 청 사신과의 교류를 통해 청과의 우호적 관계를 형성하고 책봉 등을 원활히 처리하려는 모습들을 지속적으로 보여주었다.

정조 연간에 나타난 위와 같은 사건들을 사신의 활동이라는 측면에서 접근해보면, 영조 연간부터 청 고관을 활용하는 모습이 나타났지만 이는 전적으로 역관을 통한 간접적인 접촉이었다. 비록 국왕의 명령이라고 하더라도 정조 연간 조선 사신이 귀국한 청 사신들을 직접 만나는 일은 그동안 지켜졌던 '인신무외교'의 한 축이 흔들리고 있다는 점을 반영한다. 이러한 배경에는 정조의 적극적인 대청(對淸)정책에 기반한 진하사의 연이은 파견과 이를 긍정적으로 받아들인 건륭제의 조치,[96] 그리고 청의 궁정연회를 비롯하여 외교 의례의 확장으로 인해 우호도가 높아진 점이 자리 잡고 있었을 것이다.[97] 정조는 청 사신들과 우호적인 관계를 만들고 이를 정치적으로 활용하고자 했다. 이는 교섭 대상과 영역이 이전과 달리 안정적으로 확장되어 가는 과정을 보여준다.

---

95) 『正祖實錄』 정조 11년(1787) 2월 11일.
96) 구범진, 「조선의 청 황제 성절 축하와 건륭 칠순 '진하 외교'」 『한국문화』68, 2014.
97) 구범진, 「1780년대 淸朝의 朝鮮 使臣에 대한 接待의 變化」 『명청사연구』48, 2017; 김창수, 「건륭연간 외교 공간의 확장과 조선 사신의 교류 -조선·청 지식 교류의 기반에 관하여-」 『한국학논총』51, 2019b.

3장

18세기 후반 새로운 외교 관행의 창출

1. 정조의 즉위와 조선·청 관계

18세기 후반 청의 외교 의례가 변화함에 따라 조선·청 양국의 관계는 변화의 계기를 맞이하게 되었다. 그렇지만 양국 관계가 이전 시기와 비교할 때 질적으로 다른 양상을 보이게 되는 것은 단지 청의 조치만으로 될 수 있는 문제는 아니었다. 이는 조선 측, 정확히는 정조가 적극적으로 대응함으로써 나타난 결과였다. 사실상 18세기 이후 청이 조선을 동아시아 정세의 주요 변수로 고려하지 않았음에도 불구하고 양국 관계에 변화가 나타난 것은 청의 조치보다 조선의 대응이 더 중요한 요인이 되었다.

건륭제의 칠순 생일[聖節]을 전후로 청에서는 지영(祗迎)과 연회(宴會)라는 두 가지 의례를 외국 사신들에게 개방했다.[1] 건륭제의 입장에서는 기존 청 관료와 종실이 참여했던 의례에 외국 사신을 추가함으로써 세계 통치자로서의 위상을 의례 공간에서 구체적으로 드러내고자 했다. 그리고 조선은 건륭제가 확장한 의례 공간에서 그의 의도를 넘어선 활동을 보였다.

조선과 청의 관계 속에서 사신의 파견은 양국의 불평등한 관계를 제도적으로 구현하는 수단이었다. 그렇지만 동시에 조선에서는 사신

---

1) (光緒)『大淸會典事例』卷519, 各國貢使來朝筵燕, "(乾隆) 四十七年 朝鮮琉球南掌暹羅等國貢使 奉旨於紫光閣 山高水長 正大光明殿 賜同一體筵燕 仍在禮部及會同館筵燕二次"

파견의 시기와 내용을 조절함으로써 국내 정치의 필요성 혹은 청과의 유대를 이루기 위한 수단으로써 활용하는 측면도 존재했다. 18세기 후반 정조가 사신 파견을 통해 어떠한 대청(對淸) 전략을 구사했는지 구체적으로 분석하도록 한다.

정조가 국왕 명의로 처음 사신을 파견한 것은 정조 즉위년(건륭41, 1776) 책봉에 대한 감사를 표하기 위해서였다.[2] 책봉 과정에는 수봉(受封) 당사자에게 지급하는 고명(誥命), 고명칙(誥命勅), 조서(詔書)와 함께 선왕(先王)에 대한 제문(祭文) 및 시호(諡號)가 포함되었다.[3] 같은 해 10월 정조를 책봉하기 위해 파견된 청 사신 각라(覺羅) 만복(萬復) 등은 책봉 관련 의물 이외에도 금천(金川) 지역 평정 및 황태후(皇太后)에게 휘호(徽號)를 올린다는 조서,[4] 그리고 새로 반포한 인신(印信) 등을 가져왔다.[5] 청 사신은 11월 2일에 서울을 출발해 귀국 길에 올랐고,[6] 정조는 다음날인 11월 3일에 책봉 및 금인(金印) 등의 하사에 대한 사은사를 파견했다.[7] 대개 책봉 사신이 돌아간 뒤 한 달 이내에 책봉에 대한 사은(謝恩) 사신을 파견했던 점이나, 책봉, 금천평정(金川平定) 및 황태후존호가상조서(皇太后尊號加上詔書), 인신의 하사 등에 대한 사은을 하나의 사행으로 합쳤던 점을 고려할 때 즉위 초까지는

---

2) 정조 즉위 이후 파견한 첫 번째 사행에서 영조의 죽음을 알리는 주문은 權署國事의 명의로, 책봉 요청은 貞純王后 김씨의 명으로 발송되었다. 각각 『同文彙考』 原編 卷6, 哀禮2 「丙申」告英宗大王昇遐奏互陳奏」 33a~33b; 『同文彙考』 原編 卷4, 封典4 「丙申」請世孫嗣位奏」 1a~1b.

3) 조선·명 관계에서 선대왕의 죽음에 대한 위로 및 후계자의 책봉은 대부분 별도로 진행되었으나, 조선·청 관계에서는 두 사한은 하나로 합쳐서 진행되었다.

4) 『同文彙考』 原編 卷15, 進賀9 「丙申」頒討平金川尊號皇太后詔散秩大臣漢軍副都統覺羅萬復等來」 1a~4a.

5) 『同文彙考』 原編 卷40, 蠲弊3 「丙申」禮部抄錄上諭四道及換頒印信原奏咨互封典」 8a~8b.

6) 『正祖實錄』 정조 즉위년(1776) 11월 2일.

7) 『日省錄』 정조 즉위년(1776) 11월 3일.

기존의 관행을 답습했다고 볼 수 있다. 그렇지만 곧이어 발생한 주문의 격식 위반 사건은 정조가 사신 파견의 방식을 바꾸는 계기가 되었다.

정조 즉위(건륭41, 1776) 직후 조선·청 양국 관계에서 몇 가지 껄끄러운 일들이 발생했다. 우선 영조의 죽음을 알리러 간 고부사(告訃使) 일행이 고교보(高橋堡)에서 은 1,000냥을 잃어버리는 사건이 발생하였다. 사신들은 이 일을 전례대로 예부에 알렸는데 해당 사건에 건륭제가 적극적으로 개입하여 지방관에게 은을 배상하도록 했다.[8] 정조는 사신이 기강을 제대로 관리하지 못했다는 점, 조선 내부에서 처리할 일을 예부에 알려 일을 키운 점, 이 때문에 건륭제가 유지(諭旨)를 통해 "조선의 비웃음거리가 될 것이다."라고 언급하게 만든 점을 거론하며 정사 김치인(金致仁)을 비롯한 삼사신(三使臣)을 즉시 파직하도록 명령하였다.[9] 과거에 조선 사신의 은 분실 문제를 처리하는 과정에서 청 신료들과의 마찰, 특히 성경장군과의 갈등이 촉발된 적이 있었다는 점을 고려하면 정조의 질책도 과민한 반응이라고만은 할 수 없었다.[10]

이듬해(정조1, 1777)에는 조선에서 올린 문서에 대해 황제로부터 격식에 맞지 않는 문자가 들어갔다는 지적을 받았다. 정조는 즉위 직후 세손(世孫) 시절 자신의 대리청정(代理聽政)을 반대했던 홍인한(洪麟漢), 정후겸(鄭厚謙) 등을 처벌하면서 정치적 입지를 다지기 시작했다. 이는 정조의 즉위초 정국을 장악하기 위한 최초의 시도로서 매우 중요한 의미를 지녔다.[11] 같은 해 8월 정조는 신하들의 의견을 수용하여 숭정전(崇政殿)에서 토역교서(討逆教書)를 반포하고 같은 날『명의록(名義錄)』을 편찬하도록 함으로써[12] 영조의 대의리(大義理)에 기반을

---

8) 『通文館志』 紀年續, 정조 즉위년(1776).

9) 『日省錄』 정조 즉위년(1776) 9월 1일.

10) 김선민, 「건륭연간 조선사행의 은 분실사건」『명·청사연구』33, 2010.

11) 정조 초반 정치 동향에 관해서는 김정자, 「정조대 전반기의 정국동향과 정치세력의 변화」『한국학논총』37, 2012; 최성환, 『영·정조대 탕평정치와 군신의리』, 신구문화사, 2020.

두면서도 자신의 의리를 만들어 나갔다.13) 홍인한 등에 대한 처벌을 마무리하고 해당 사건을 역적의 토벌[討逆]로 규정한 후 사건 경과를 주문으로 작성하여 청에 올리도록 하였다.14) 토역 주문을 올리는 행위는 두 가지의 목적이 있었는데, 우선은 역적 잔당(殘黨)들이 중국으로 도피하는 일을 방지해달라는 협조를 요청하는 것이고, 보다 중요한 의미는 책봉을 받은 왕실이 반역의 여파를 이겨냈다는 점을 알리고 이를 통해 정통성을 재확인하는 것이었다. 중국으로부터 재확인된 정통성은 다시 국내에 반포됨으로써 국내 정치에서의 권위를 확보하는 역할을 하였다. 정조는 이후에 발생하는 수많은 역모 사건 중 오직 이 건만을 청에 주문을 올렸는데 여기에서 문제가 발생했다.

당시 진주행 부사였던 이갑(李坤)에 따르면 건륭제는 직접 유지(諭旨)를 내려 조선의 주문에 위식(違式)이 있다고 지적했다.15) 이갑이 상황을 파악하기 위해 탐문한 결과, 건륭제가 이 문제를 불편하게 여겼으며 조선 사신이 황제를 지영할 때 황제가 국왕의 안부를 묻지 않았던 것도 이 때문이라는 정보를 얻었다.16) 조선 사신들은 회동관제독(提督)을 통해 예부에 정식으로 해명하여 이를 황제에게 올리고자 했지만, 제독은 황제의 특지(特旨)에 대해 외방의 배신(陪臣)이 정문(呈文)하는 사례가 없다며 만류하였다.17) 이에 상을 수령하는 날 예부시랑에게 직접 문서를 올리려고 하다가, 황지(皇旨)를 국왕에게 전하지도 않고 배신이 먼저 나서는 행동을 비난하면서 정문을 강행할 경우 사신을 탄핵하는 동시에 국왕에게도 별도의 자문을 발송할 것이라는

---

12) 『日省錄』 정조 즉위년(1776) 8월 24일.
13) 정조 연간 정치상황을 의리론의 전개로 정리한 관점은 최성환, 앞의 책, 2020.
14) 『日省錄』 정조 1년(1777) 9월 11일.
15) 『日省錄』 정조 2년(1778) 3월 3일.
16) 李坤, 『燕行記事』, 정조 2년(1778) 2월 6일.
17) 李坤, 『燕行記事』, 정조 2년(1778) 2월 8일.

강한 압박을 받았다.[18] 조선 사신은 문서 위식을 비판하는 예부의 자문을 막지 못했고 결국 이 일로 인해 귀국 도중 파직되었다.[19] 조선 조정은 끝내 다음과 같은 황제의 명령이 들어간 자문(咨文)을 받았다.

> [황제] 왕의 주문을 보았다. 조선국왕에게 불행한 일이 생겼으나 조선국왕이 마련한 바는 극히 타당하니, 짐의 마음이 매우 기쁘다. 그런데 주접(奏摺)의 문장 중 격식에 맞지 않는 곳이 있으니 해부(該部)에서는 자문을 보내 조선국왕에게 알려라. 조선국왕을 위해 내지 변경에서 나머지 일당을 체포해달라고 요청한 문제는 이미 성경장군과 산동순무에게 유지(諭旨)를 내려 마음을 다해 처리하도록 했다. (중략)
>
> [의제사] 본부에서 원주(原奏)를 자세히 살펴보니 저군(儲君) 및 국왕사위(國王嗣位) 등의 어휘는 격식에 맞지 않습니다. 이러한 말들을 조선에서 스스로 칭하는 것은 원래 금지되지 않았지만 윗사람에게 알릴 때 사용하면 체제를 무너뜨리게 됩니다. 또한 조선에서 전에도 이렇게 '청립세손(請立世孫)' 및 '국왕사작(國王嗣爵)'한 일은 모두 천조에 명을 청하고 나서 칙지를 받든 후에 행하는 것입니다. 이를 통해 저군 및 사위라는 말은 확실히 주문에 쓰기에 적합하지 않다는 것을 알 수 있습니다.[20]

건륭제는 조선의 주문에 구체적으로 어디 부분이 잘못되었다고 지적하지는 않고 다만 잘못된 부분이 있다고만 언급하였다. 이에 예부

---

18) 李坤, 『燕行記事』, 정조 2년(1778) 2월 10일.

19) 『承政院日記』 정조 2년(1778) 3월 15일, "尙喆曰 冬至三使臣 今於專對之行 設有禮部移咨之擧 固當以政府狀啓之謄報於奏文 有所陳辯 而不此之爲 瞹然受來 大失奉使之體 宜有責罰之道 三使臣一倂削職 何如 上曰 依爲之"

20) 『同文彙考』 原編 卷41, 勅諭 「【戊戌】禮部知會討逆奏文內字句違式咨」 49b~50a, "覽王奏 該國有不幸之事 而該國王所辦 極爲允協 朕心嘉慰 至摺內措詞有不合式之處 該部咨王知之 其所請內地邊境 爲該國王詰緝餘黨一節已諭盛京將軍山東巡撫 實力妥辦矣 (중략) 本部細看原奏內有儲君及國王嗣位等語 未爲合式 蓋此等語 在該本國自稱 原屬不禁 而叙以上告 則乖體制 且該國前此請立世孫及國王嗣爵 皆係請命天朝 遵奉勅旨而行 可見儲君及嗣位之語 斷不宜列於奏牘中"

(禮部)의 속사(屬司)이자 의례 사안을 담당한 의제사(儀制司)에서는 첫째, 저군(儲君) 및 사위(嗣位) 등의 용어는 국내에서는 사용할 수 있지만 청에 올리는 상행(上行) 문서에서는 쓰지 말아야 한다는 점, 둘째 조선의 주문에 등장하는 세손(世孫) 및 사작(嗣爵) 등은 청으로부터 승인받은 후에 사용할 수 있는 용어라는 점을 지적했다. 조선에서 중국에 올리는 문서에 예(禮)에 어긋나는 용어를 사용했다는 사안은, 멀게는 조선 건국 직후에 발생했고,[21] 가깝게는 17세기 후반 숙종 연간에 문제가 되었다.[22] 따라서 비례(非禮) 문제는 얼마든지 외교 문제로 비화될 소지가 있었고 그것은 다시 국내 정치 구도에서 국왕의 위상에 타격을 줄 수 있었다. 소식을 들은 정조는 즉각 주문 작성 과정에서 발생하는 문제를 지적하며 재발 방지를 위해 승문원 제조(提調)에 문한(文翰) 능력이 뛰어난 사람을 선발할 것을 언급하는 동시에 방물 역시 신경 써서 관리할 것을 당부했다.[23]

그러나 정조는 문서의 오류가 작은 실책에 불과한데도 건륭제가 이렇듯 명백하게 지적하는 것은 황제가 나이가 많아서 괜히 트집을 잡은 결과라고 판단하며 이 사태를 매우 우려스럽게 보았다.

지금 즉위하여 새롭게 정사를 펴는 마당에 저들이 만약 사대(事大)하는 성의에 흠이 있다고 매번 말을 한다면 이것 역시 매우 난처한 일이다. 그리고 우리 조정에서는 전부터 늘 소국(小國)의 도리를 다하였기 때문에 여태까지 문책을 받은 일이 없었는데, 이번에 갑자기 이런 일이 있게 되었으니 어찌하면 좋을지 모르겠다.[24]

21) 조선 초에 발생한 문서 위식 사건에 대해서는 박원호, 『명초조선관계사연구』, 일조각, 2002.

22) 숙종대 벌은 사건에 대해서는 夫馬進, 「明清中國の對朝鮮外交における'禮'と'問罪'」(夫馬進 編, 『中國東アジアの外交交流史の研究』, 京都大學學術出版會, 2007); 이재경, 「大淸帝國體制 내 조선국왕의 법적 위상: 국왕에 대한 議處·罰銀을 중심으로」 『민족문화연구』83, 2019.

23) 『日省錄』 정조 2년(1778) 3월 3일.

정조가 보기에 더욱 걱정스러운 것은 청과의 문제가 국내 정치에까지 영향을 미칠 수 있다는 점이었다. 정조가 즉위 후 첫 번째로 단행한 정치적 성과물이 예의 측면에서 문제가 됨으로써 애초에 의도했던 목적을 충분히 달성하지 못하게 되었다. 건륭제가 조공과 관련된 사항을 지속적으로 문제 삼는다면 막 즉위한 정조의 입장에서는 조선 국내에서의 권위까지 흔들릴 수 있었다.[25] 이에 신속히 별사(別使)를 파견하기로 결정하였는데, 사행 목적은 첫째 문서 위식에 대한 사과, 둘째 역적들의 잔당 체포를 명령한 것에 대한 사은이었다. 교섭 능력이 뛰어난 인재를 고른 끝에 채제공(蔡濟恭)을 정사로 임명하고, 동시에 외교비용을 영조 47년(건륭36, 1771)과 영조 52년(건륭41, 1776)에 근거하여 지급하도록 명령했다.[26] 정조가 제시한 전례는 각각 변무(辨誣)와 국왕 책봉을 위한 것으로 역대 사행 중 외교비용이 가장 많은 축에 속하였다.[27]

토역과 관련된 기존의 사신 파견 관행을 위의 진주사와 비교해서 살펴보면 우선 숙종 6년(강희19, 1680) 경신환국을 단행한 뒤 이를 알리는 진주사를 파견하였다.[28] 이에 대해 강희제가 위문하는 칙서를 보내자[29] 그 해 삼절연공행에 사은 표문을 첨부하여 발송했지만,[30] 별도의 사은사를 파견하지는 않았다. 영조 4년(옹정6, 1728) 이인좌(李麟佐)의 난을 평정한 후에도 이와 관련된 토역 주문을 올렸다.[31] 이후

---

24) 『日省錄』 정조 2년(1778) 3월 3일, "今當新服之初 彼若以欠於事大之誠 每以爲言 則亦甚難處 且我朝自前 每盡小邦之道 未嘗有致責之事矣 今忽有此事 可謂無聊矣"

25) 『日省錄』 정조 2년(1778) 3월 3일.

26) 『日省錄』 정조 2년(1778) 3월 3일.

27) 상환하지 않아도 되는 외교비용은 영조 47년 8,000냥, 영조 52년 3,000냥을 책정했다. 張存武, 「朝鮮對淸外交的秘密經費硏究」 『中央硏究院近代史硏究所集刊』5, 1976, 424쪽.

28) 『肅宗實錄』 숙종 6년(1680) 6월 10일.

29) 『同文彙考』 原編 卷33, 陳奏1 「慰問勅【一等侍衛孫郭等來】」 46a~46b.

30) 『肅宗實錄』 숙종 6년(1680) 11월 3일.

예부를 통해 잔당들을 체포하고 이들을 숨겨 놓았을 경우 연좌제를 적용해도 좋다는 황제의 명령이 전달되었다.[32] 그러나 조선에서는 이에 대해 어떠한 사은의 행동도 취하지 않았다. 따라서 이때 정조가 즉각 별사를 파견한 것은 해당 사안에 매우 민감하게 반응했다는 것을 알 수 있다.

정조는 이번 사행에 많은 주의를 기울였다. 표문의 내용도 두 가지를 준비해 만약의 사태에 대한 대비도 철저히 했다. 채제공이 북경에서 보낸 치계(馳啓)에 따르면, 예부에서는 조선에서 첫 번째로 제출한 주문을 확인한 후 황제에게 올리기를 꺼렸다. 이에 별도로 준비해 온 부본(副本)을 제출하자 흔쾌히 받아들였고, 이후 건륭제는 조선의 사죄 조치에 흡족해했다.[33] 최종적으로 조선에서는 다음과 같은 황제의 답변을 받았다.

> 왕이 상주하여 사은한 것을 보았다. 알았다. 조선국왕이 전의 주접(奏摺) 중 격식에 맞지 않는 부분이 있어 스스로 깊이 잘못을 탓하다가 감정이 일어나 실상을 아뢰니 진실로 훌륭하다. 짐은 평소에 말과 문자를 가지고 벌을 주지 않는다. 그런데 조선국왕이 이처럼 일을 당하자 조심해야 함을 알고서 그 공순함을 더욱 드러냈다. 따라서 자연히 앞으로 은혜로운 돌봄[恩眷]을 영원히 받을만하니 진정으로 조선을 위한 경사이자 행운일 것이다.[34]

---

31) 『承政院日記』 영조 4년(1728) 8월 10일;『同文彙考』 原編 卷34, 陳奏2「陳討逆奏」 18a~20a.

32) 『同文彙考』 原編 卷34, 陳奏2「禮部回咨」 21a~22a, “據朝鮮國王姓某咨 禮部文稱 本國賊黨 恐有潛逃 懇飭關口防汛詗察等語 朝鮮世效恭順 伊國逆犯 卽係朝廷法所 應誅之人 倘有逃入邊口內地者 自當卽爲擒捕 著行文盛京山東省等處地方官員 朝鮮之語言衣服 與內地人民迥別易於稽查 倘有此等罪犯潛逃者 著卽嚴拿解京 如有 窩留藏匿等情 是明知故犯 定將本人從重治罪 十家一併連坐 餘依議”

33) 『正祖實錄』 정조 2년(1778) 7월 2일.

34) 『通文館志』 紀年續, 정조 2년(1778);『同文彙考』 原編 卷41, 勅諭「禮部知會奏文 知道及嘉獎上諭咨」 51b~52b, “覽王奏謝 知道了 該國王以前摺措詞有不合式之處

건륭제는 조선에서 보인 태도에 매우 만족해하며 앞으로 양국 관계가 우호적으로 유지될 것임을 명확히 전달했다. 또한 채제공에 따르면 건륭제의 거둥을 지영하는 자리에서 황제가 국왕의 안부를 묻는 등 호의적인 모습도 보여주었다. 정조가 우려하던 상황은 일단 무사히 넘어갔다.

한편, 문서 위식을 지적받고 여기에 대한 진주사를 파견하는 사이 건륭제의 심양(瀋陽) 순행이 시행되었다.[35] 건륭제의 동순(東巡)은 영조 19년(건륭8, 1743), 영조 30년(건륭19, 1754)에 이은 세 번째의 순행이었다. 그런데 해당 시기에는 아직 황태후의 상기(喪期)가 끝나지 않았다. 건륭제는 이번 순행은 상 중에 시행하는 만큼 조하(朝賀)와 연회 등을 모두 시행하지 않을 예정이므로 조선에 사신을 파견하지 않도록 했다. 그러나 정조는 자문을 통해 그동안 황제의 순행에 사신을 파견해 왔던 전례를 언급하면서 문안사 파견의 허락을 간곡하게 요청했다.[36] 이에 건륭제는 파견은 허락하되 방물(方物)을 지참하지 말도록 명령을 전달했다.[37] 정조는 보낸 명령에 따르겠다고 답을 했지만 문안 표문과 해당 방물을 모두 준비시키고[38] 아울러 정사에 영중추부사 이은(李溵)을 임명하는 등 일반 사행보다 격식을 갖추어 파견했다.[39] 그 결과 다음과 같은 성과를 얻을 수 있었다.

深自引咎 感激陳情 誠懇可嘉 朕素不以語言文字罪人 而該國王如此遇事知儆 益見其恭順 自將足以永受恩眷 深爲該國慶幸也"

35) 건륭제의 1차 瀋陽 순행과 그 목적에 대해서는 이훈, 「17-18세기 淸朝의 滿洲地域에 대한 政策과 認識 : 건륭기 만주족의 위기와 관련하여」, 고려대학교 사학과 박사학위논문, 2013.
36) 『通文館志』紀年續, 정조 1(1777).
37) 『通文館志』紀年續, 정조 2년(1778).
38) 『日省錄』 정조 2년(1778) 5월 22일.
39) 『日省錄』 정조 2년(1778) 6월 11일.

조선은 외번(外藩)에 위치하며 대대로 충정(忠貞)을 독실히 하고 삼가 제후(諸侯)의 도리를 지켜왔다. 건륭 8년(영조19, 1743)과 건륭 19년(영조30, 1754)에 짐이 성경에 행차했을 때도 조선은 모두 조공의 예를 수행했었다. 그런데 금년은 아직 (황태후의 상을 당한지) 27개월이 지나지 않았기 때문에 연회를 시행하지 않기로 했고, 일찍이 조선에 명령을 내려 사신을 보내 조하(朝賀)할 필요가 없다고 하였다. 그러나 국왕이 정이 많고 은혜에 감격하여, 배신을 보내 표문을 가지고 와서 조공을 행한 후 어가를 맞이하여 문안을 청하며 진심을 드러내니, 공순함이 가상(嘉尙)하다. 위의 두 차례의 전례에 따라서 은혜로운 상사(賞賜)를 더하고 아울러 어서 편액(御書扁額)【동번승미(東藩繩美)】을 내려주어 우대하는 뜻을 밝게 보여주도록 하라. 그 배신에게도 또한 모두 전례에 따라서 상사를 더하도록 하라.40)

건륭제는 자신이 사신을 파견하지 말라고 했음에도 불구하고 이를 어기고 조공의 예를 충실히 수행한 정조를 크게 칭찬하였다. 이에 하사품을 더하고 어제 편액을 내려줌으로써 물질적인 측면에서도 정조의 조치를 보상하였다. 문안행 정사 이은(李溵)은 건륭제의 조치를 보고하였고, 정조는 보고를 확인한 즉시 사은 사신을 선발함으로써41) 건륭제의 어필 하사에 신속히 대응하였다.

정조는 즉위 직후 자칫 외교 문제로 비화될지 모르는 문서의 격식 위반 문제에 매우 기민하게 조치함으로써 사태를 조기에 진화했다. 더하여 해명을 위한 진주사 및 심양 문안사의 의례적 위상을 높이고 많은 양의 외교 비용을 투입함으로써 결과적으로 문서 위식 사건 이전보

---

40) 『同文彙考』原編 卷37, 錫賚 「【戊戌】盛京禮部查收方物抄錄賜物咨」 27a～28a, "朝鮮列在外藩 世篤忠貞 謹守侯度 乾隆八年及十九年臨幸盛京 朝鮮幷修朝貢之禮 本年以尙在二十七月之內 不行宴禮 曾預飭朝鮮 毋庸遣使朝賀 而該國王情殷感戴 遣陪臣齎表修貢 迎駕請安 藉抒忱悃 恭順可嘉 着照上兩次之例 加恩賞賚 幷御書匾額【東藩繩美四字】以賜 用昭優眷 其陪臣亦着一倂照例加賞"

41) 『正祖實錄』 정조 2년(1778) 9월 11일.

다 건륭제에게 호의적 평가를 받게 되는 성과를 얻어냈다. 청과의 관계에서 잡음이 발생할 경우 이로 인해 생길지 모르는 권위의 손상은 자칫 국내 정치에까지 미칠 수 있었기에 미연에 방지한 결과였다. 즉 위 후 첫 번째 대외정치의 갈등을 해결한 후 정조는 청과의 관계를 안정적으로 다지기 위한 전례 없던 조치를 단행하기 시작하였다.

2. '진하외교'의 전개

정조 4년(건륭45, 1780)은 조선과 청 관계에 획기적인 변화의 계기가 되는 시기이다. 정조는 그 해에 있던 건륭제의 칠순 성절에 사신을 파견함으로써 새로운 전례를 마련하였다.[42] 건륭제는 자신의 칠순이 되는 해에 성절을 북경이 아닌 열하에서 치르기로 했다.[43] 표면적인 이유는 검소함을 위해서였지만, 결과적으로 보면 건륭 연간에 청에 복속된 수장들을 모두 모아 열하에서 조하 의례를 펼침으로써 자신이 확장한 영역을 의례의 공간에서 현시하려는 목적을 갖고 있었다. 이로 인해 북경을 방문할 예정이었던 판첸라마의 도착지도 열하로 변경되었다. 정조 3년(건륭44, 1779) 이듬해에 있을 건륭제의 칠순 성절 소식을 들은 정조는 황인점(黃仁點)을 정사로 하는 삼절연공사를 파견하면서 기존의 성절 표문과는 별도로 칠순 진하 표문을 준비시켜 상황을 봐서 올리도록 명령하였다.

성절 이외에 육순 혹은 칠순을 대상으로 한 표문은 전례에 없는 일이었다. 청의 조공국들 중 매년 황제의 생일을 축하하는 표문과 여기

---

42) 건륭제 칠순을 계기로 새롭게 나타난 외교 방식[進賀外交]에 대해서는 구범진, 「조선의 청 황제 성절 축하와 건륭 칠순 '진하 외교'」『한국문화』68, 2014.
43) 건륭제가 열하에서 칠순 행사를 개최한 목적에 대해서는 차혜원, 「열하사절단이 체험한 18세기 말의 국제질서」『역사비평』93, 2010; 구범진, 「1780년 열하의 칠순 만수절과 건륭의 '제국'」『명청사연구』40, 2013.

에 수반하는 선물 즉 방물을 올리는 나라는 조선이 유일했다. 아울러 1월 1일 북경 자금성에서 실시하는 정조 조하(正朝朝賀) 의례에 참석하는 이들은 청 관료들과 외번의 수장들이었고 예부 관할의 외국 중에서 매해 참석하는 나라는 역시 조선이 유일했다. 기존의 관행만으로도 청의 대외질서 속에서 조선이 갖는 특수성은 명확히 드러나는데, 정조는 여기에 더하여 기존에도 없던 칠순 진하 표문을 올리도록 한 것이었다.

황인점은 정조의 지시대로 칠순 표문을 올려도 되는지 예부에 의사를 타진했다. 예부에서는 흔쾌히 칠순 진하 표문의 납부를 허락했고 이를 건륭제에게 상주했다. 건륭제 역시 접수하라는 유지(諭旨)를 내렸다. 이로부터 정조의 '진하외교'가 시작되었다.

그런데 황인점이 제출한 칠순 축하 표문은 정조 4년에 있을 칠순 성절을 그해 1월 1일에 미리 축하한 것이지 생일 당일 참석을 목표로 한 것은 아니었다. 정조는 칠순 축하 표문과 마찬가지로 조선과 청의 관계 속에서 전례가 없던 사행을 또다시 기획하였다. 그것은 건륭제 칠순 생일 당일에 맞춰서 사신을 파견하는 것이었다. 정조 4년 5월 건륭제의 성절 당일을 축하하는 사신이 출발하였다. 원래 목적지는 관행대로 북경(北京)이었다. 그렇지만 건륭제의 명령으로 조선 사신 일행은 북경에 도착한 직후 허겁지겁 열하로 이동하였다. 예부가 담당하는 조공국의 최종 목적지와 체류 지역은 북경으로 제한되어 있었다. 따라서 당시 조선의 진하사 일행은 조선 사신 중에는 최초로 열하를 방문하게 되었다.[44]

건륭제의 칠순 성절 당일에 참석하고자 했던 정조의 전략은 즉각적으로 충분한 보상을 받았다. 건륭제가 향후 사은에 대한 방물을 영원히 정지하라는 명령을 내린 것이다.[45] 조선에서는 해마다 연공으로 내

---

44) 차혜원, 앞의 글, 2010.

는 세폐(歲幣) 외에도 황제의 조치에 대해 사은 표문을 발송할 경우 관행적으로 황제·황태후 앞으로도 사은 방물을 납부해 왔다. 건륭제의 조치로 조선이 청과의 관계에서 짊어지게 되는 경제적 부담은 일부 완화되었다. 정조는 여기에 대해서도 즉각적으로 사은사를 파견했고, 건륭제의 사은 방물 면제조치에도 불구하고 방물을 지참해서 예부에 납부하도록 했다.[46] 건륭제는 자신의 명령을 어긴 정조의 조치를 형식적으로 나무라면서 이번에 도착한 방물에 대해 다음번 정공(正貢)으로 대체하도록 하였다.[47] 사실상 수용의 뜻을 밝힌 것이었다.

정조의 적극적 사신 파견은 청과 조선이 만나는 의례적 공간이 확장되면서 더 큰 효과를 가져왔다. 우선 정조 2년(건륭43, 1778) 토역 주문을 올렸다가 격식을 위반했다고 지적받았던 하은군(河恩君)일행은 황제의 회가(回駕)를 지영(祗迎)하였다. 지영은 정월 초하루 조회(朝會)를 제외하고는 황제를 직접 대면할 수 있는 드문 기회였고, 건륭제는 지영의 공간을 통해 외국 사신들에게 자신의 호의를 전달했다. 지영보다 중요한 것은 연회(宴會)였다.[48] 정조 5년(건륭46, 1781) 11월 삼절겸연공행 정사 황인점 일행이 출발했다. 같은 해 12월에 북경에 도착한 후 건륭제의 명령으로 보화전(保和殿)에서 거행된 세종연(歲終宴)에 참석했다. 다음 해 1월에는 원명원(圓明園)에서 열리는 연회에 연이어 초대받았다. 황인점은 귀국 후에 건륭제의 이러한 조치를 상세히 보고하였고,[49] 정조는 곧 조선에 대한 호의라고 받아들였다.

해당 연회들은 내외왕공(內外王公), 패륵(貝勒) 및 대신(大臣), 패자

45) 『通文館志』, 紀年續, 정조 4년(1780).
46) 『通文館志』, 紀年續, 정조 4년(1780).
47) 『通文館志』, 紀年續, 정조 5년(1781).
48) 건륭제가 개방한 황제 친림 연회에 대해서는 구범진, 「1780년대 淸朝의 朝鮮 使臣에 대한 接待의 變化」『명청사연구』48, 2017; 19세기 이후 해당 연회의 양상에 대해서는 손성욱, 「淸 朝貢國 使臣 儀禮의 形成과 變化」『동양사학연구』143, 2018b.
49) 『正祖實錄』 정조 6년(1782) 2월 24일.

(貝子)·액부(額駙)·태길(台吉)을 대상으로 한 종실과 대신 급의 고관, 그리고 번부(藩部)의 수장들이 참여하는 연회였다.[50] 건륭제는 자신의 천하를 정월 초하루 태화전(太和殿)에서 실시하는 조하(朝賀)뿐만이 아니라 연회에서 직접 확인하고자 했다. 몽골 왕공 및 고위 관원을 대상으로 한 의례 공간에 예부가 관할하는 조공국들이 참여하는 흐름은 앞서 건륭 칠순 때부터 명확히 나타나기 시작했다. 황제와 외국이 대면할 수 있는 의례 공간이 확장된 상황에서 정조의 빈번한 사신 파견은 곧 조선 사신과 황제의 만남을 촉발시키는 계기가 되기에 충분했다. 정조 6년(건륭47, 1782) 이후 조선 사신들은 모두 예외 없이 연말부터 연초까지 시행되는 여러 차례의 연회에 참석했으며, 연회에서 황제가 하사하는 술을 받고 또 황제의 어시(御詩)에 수답(酬答)하며 다시 상을 받는 등 청에 대한 반감과 심리적 거리를 줄여나갔다.

황제와 대면하는 공간이 늘어난 상황에서도 정조의 전례 없는 별사 파견은 지속되었다. 정조 7년(건륭48, 1783) 건륭제는 8월에 성경을 방문하여 조상들의 능을 참배하기로 했고, 예부는 해당 일정을 조선에 알렸다.[51] 정조는 6월에 이복원(李福源)을 문안사로 선발하였는데, 여기에 더하여 건륭제가 심양에 머무는 동안 생일을 맞게 될 것이므로 만수절(萬壽節)을 축하하는 사안을 추가하고 표문과 방물을 지참시켰다. 따라서 해당 사행 명칭은 '성절겸문안사(聖節兼問安使)'가 되었다.[52] 이번의 성절은 칠순과 같이 10년 단위의 행사도 아니었음에도 생일 당일에 맞춰서 표문과 방물을 올렸던 것이다.

이후 건륭제는 이동의 문제로 인해 출발을 연기해 9월 17일로 성경 도착 일정을 바꾸었다.[53] 이러한 내용을 알리는 자문을 받은 정조는,

50) 『大淸會典事例』 卷508, 外藩來朝筵宴, 997~999쪽.
51) 『通文館志』 紀年續, 정조 7년(1783).
52) 『承政院日記』 정조 7년(1783) 4월 1일.
53) 『通文館志』 紀年續, 정조 7년(1783).

사신의 출발 기일을 연기하기보다는 성경에서 대기하겠다는 자문을 보냈다.[54] 성경에 도착해 조선 사신으로부터 문안과 진하 두 가지의 하례를 받은 건륭제는 사신들에게 내리는 하사품(下賜品)을 더해주고 아울러 어시(御詩)도 내려주었다.[55] 같은 해 10월, 정조는 건륭제의 어제시(御製詩) 및 물품, 그리고 상유(上諭)에 감사를 올리기로 했고, 사은 방물을 면제한다는 건륭제의 명령에도 불구하고 별도로 방물을 지참하도록 했다.[56] 때문에 정조 7년 10월에는 사은사와 삼절연공사가 거의 같은 시기에 출발하는 장면이 연출되기도 하였다.[57]

정조의 이와 같은 행동에 건륭제 역시 전례에 없던 파격적인 조치를 단행했다. 정조 8년(건륭49, 1784) 건륭제는 다음 해에 천수연(千叟宴)을 시행할 예정이므로 중외 대소신료와 기로(耆老) 및 서인(庶人) 중에서 60세를 넘긴 자들을 참석하도록 했다. 여기에 더하여 조선의 평소 행실을 높이 평가하면서 올해 삼절연공사로 파견할 정사와 부사를 모두 60세 이상으로 차출하도록 하였다.[58] 정조는 같은 해 10월, 이휘지(李徽之: 1717년생)와 강세황(姜世晃: 1713년생)을 각각 정사와 부사로 임명한 후 천수연 참석에 감사한다는 내용의 표문을 준비했다.[59]

그런데 정조는 해당 사행에 황제의 즉위 50주년을 축하하는 표문과 방물을 추가하였다.[60] 황제의 통치 기간을 축하하는 것 역시 특수한 사례에 속했다. 과거 강희제의 50년 간의 치세[五紀治平]를 축하하기 위한 별사가 파견된 적은 있었다. 그러나 그것은 숙종 39년(강희52,

---

54) 『同文彙考』 原編 卷17, 問安 「回盛京禮部啓蠻改期仍報使行已發」 33a~33b.

55) 『正祖實錄』 정조 7년(1783) 9월 13일.

56) 『日省錄』 정조 7년(1783) 9월 30일.

57) 구범진, 앞의 글, 2014, 234쪽.

58) 『通文館志』 紀年續, 정조 8년(1784).

59) 『正祖實錄』 정조 8년(1784) 10월 9일.

60) 『同文彙考』 原編 卷15, 進賀9 「賀臨御五紀表」, 22a~22b.

1713) 3월 18일에 작성된 조서를 전달받고[61] 7월에야 비로소 사신을 파견했던 사안이었다.[62] 따라서 강희 연간 즉위 50주년에 대한 축하 사절은 조서에 대한 회답이라는 기존 관행을 따른 것이었다. 반면 건륭제의 즉위 50주년 축하 조서는 조선에서 사신을 파견하고 나서 약 4개월 후인 정조 9년(건륭50, 1785) 3월에 비로소 조선에 도착하였다.[63] 따라서 해당 사안은 조서가 반포되기 전에 미리 사신을 파견한 것으로 건륭제의 칠순 성절의 축하 방식과 같은 조치를 취한 것이었다.

조서가 아직 반포되지 않았음에도 불구하고 해당 의례 당일에 도착하기 위해 미리 사신을 파견하는 방식은 지속되었다. 건륭제의 팔순인 정조 14년(건륭55, 1790)에도 마찬가지의 방식으로 정조 13년 10월에 출발하는 삼절연공행에 팔순 축하 표문과 방물을 보낸 뒤, 다음 해(정조14) 생일 당일 도착을 목표로 다시 진하겸사은사를 파견했다. 정조 19년(건륭60, 1795)은 건륭제 즉위 60주년이 되는 해였다. 50주년 때와 마찬가지로 전년도(정조18)에 임어육기(臨御六紀)를 축하하는 진하사를 별도로 파견했다.

정조 연간 마지막 '진하외교'는 건륭제의 전위(傳位)를 축하하는 진하사였다. 건륭제는 자신의 즉위 60주년에 맞춰 가경제에게 전위함으로써 스스로 조부 강희제의 재위 기간(61년)을 넘어서지 않으려는 효심과 유교의 이상적 군주상을 모두 확보하고자 했다.[64] 정조 17년(건륭 58, 1793)을 전후하여 양위에 대한 언급이 빈번하게 나타났고, 정조도 이에 촉각을 곤두세웠다. 예부로부터 전위에 관한 건륭제의 명확한 의지를 확인한 후 재자관을 보내 진하의 의절에 대해 미리 확인하는

61) 『同文彙考』原編 卷11, 進賀5 「【癸巳】頒五紀昇平詔【護獵摠管穆克登等來】」 31a~38b.
62) 『承政院日記』 숙종 39년(1713) 7월 28일.
63) 『同文彙考』補編 卷9, 「詔勅錄」 38b.
64) 마크 엘리엇, 앞의 책, 2009, 350~353쪽.

작업까지 진행했다.[65] 두 명의 황제 모두를 만족시킬 수 있는 외교적 대응이 필요했다.

정조 19년 11월에 드디어 후계자를 15번째 아들로 결정했다는 소식이 전해졌다. 즉위식은 이듬해(정조20, 가경1) 1월 1일로 정해졌다.[66] 소식을 들은 당일 즉시 가경제의 등극을 축하할 사신을 선발해 놓았고,[67] 파견시기를 조정하는 가운데 11월 19일에 전위를 알리는 상유가 도착하자마자 즉시 사행 표문과 방물을 준비하여 불과 이틀 뒤에 별도의 사행을 출발시켰다. 목표는 이듬해 1월 1일 전위와 등극(登極) 행사에 참여하는 것이었다. 이병모 일행은 해가 바뀌기 전에 북경에 도착했고, 이들은 조선과 청 역사상 황제의 등극 진하 의례의 참석을 목적으로 한 유일한 조선 사신이자 마지막 사신이 되었다.

정조가 기존에 전례가 없던 칠순 표문을 올리고 이듬해 성절 당일을 목표로 사신을 파견했던 과정은 조선 후기 조선·청 관계에서 외교사적으로 매우 중요한 의미를 지닌다. 양국 관계에서 조선 내의 문제 즉 책봉 요청, 국왕·왕비·세자의 사망[告訃]과 같은 문제나 범월(犯越), 표민(漂民) 등의 외교 사안에 대해서는 조선에서 사신의 파견 시기를 자율적으로 결정하였다. 그러나 청 황실의 경조(慶弔)와 관련된 사안은 반드시라고 해도 좋을 만큼 청으로부터의 조서 반포가 있은 연후에야 사신을 파견해 왔다. 청 사신이 조서를 가지고 서울에 오면 영조(迎詔)의례를 시행한 뒤, 조서 반포에 대한 사은 사신을 파견했다.

조서 반포가 조서에 해당하는 의례와 거의 같은 시기에 이루어진다는 점을 고려하면, 조선 사신이 조서 관련 의례에 직접 참여하는 것은 시간상 불가능했다. 이는 심지어 황제의 즉위식에서도 마찬가지였다. 예를 들어 건륭제는 옹정 13년(1735) 9월 3일 태화전(太和殿)에서 즉위

---

65) 『承政院日記』 정조 19년(1795) 11월 19일.
66) 『日省錄』 정조 19년(1795) 11월 6일.
67) 『承政院日記』 정조 19년(1795) 11월 6일.

했다.[68] 당시 옹정제의 유조(遺詔)를 받고 진위진향(陳慰進香)을 위해 낙창군(洛昌君) 일행이 10월 20일 서울을 출발했고 이와 별개로 사은 겸삼절연공 사신단도 11월 북경으로 떠났다.[69] 이들 사신은 이미 즉위식이 끝난 뒤에야 출발했기 때문에 즉위식의 참여가 목적이 아니었고 청 역시 이를 요구하지 않았다. 건륭 등극에 대한 조서는 같은 해 9월 3일자로 작성되었고,[70] 병부시랑(兵部侍郎) 덕패(德沛) 등이 조서를 받들고 같은 해 11월 12일 서울에 도착했다. 덕패 일행은 공식 업무를 마치고 5일 후인 17일에 다시 귀국길에 올랐다.[71] 조선에서는 이때야 비로소 진하행을 준비하기 시작해 함평군(咸平君)을 정사에 임명하고 이듬해(건륭1, 1736) 3월 6일에 사신단을 출발시켰다.[72] 즉위식 이외에도 황제 및 황태후의 죽음을 애도하는 진위진향, 황태후에 대한 존호 가상에 대한 진하사도 모두 당일 행사 참여를 목적으로 파견되지 않았다.

정조 연간 연속되었던 진하사 및 사은사의 파견은 조선과 청의 조공 책봉관계 속에서 전례가 없는 일이었다. 그렇다면 정조는 무엇을 기대했고 또 어떠한 성과를 얻었을까?

3. '진하외교'의 성과

정조 연간 연속적으로 이루어진 진하사 및 사은사는 조선·청 관계 속에서 처음 나타난 현상이다. 비록 파견의 구조와 절차는 불평등을

---

68) 『淸世宗實錄』 雍正 13년(1735) 9월 3일, "上卽皇帝位於太和殿"

69) 『同文彙考』 補編 卷7, 「使行錄」 38b.

70) 『同文彙考』 原編 卷13, 進賀7 「【乙卯】頒乾隆皇帝登極詔【宗室德沛等來】」 1a～4a.

71) 『承政院日記』 영조 11년(1735) 11월 12일.

72) 『同文彙考』 補編 卷7, 「使行錄」 39a.

전제로 한 의례적 성격을 지니지만, 명확한 목적을 갖고 있었다는 점에서 외교의 한 형태라고 할 수 있다. 따라서 기존 연구에서 정조의 이와 같은 사신 파견을 '진하외교'라고 명명한 것은 역사용어로서 적절하다고 판단한다.[73] '진하외교'의 과정에서 건륭제는 앞으로 사은에 대한 방물을 영원히 정지시켰고, 또 북경·심양·열하에 도착한 조선 사신에게 많은 선물을 하사하기도 했다. 더하여 어필을 빈번히 내려줌으로써 황제의 융성한 은혜를 과시하기도 했다. 사은 방물을 면제받았다는 부분은 조선이 감당해야 할 경제적 부담의 일부가 완화되었다는 점에서 일정한 의미가 있다.

그렇지만 이와 같은 특전은 정조가 의도했던 바라기보다 부수적인 산물이었다. 정조는 복잡한 국내 정치의 구도 속에서 자신의 정치적 주도권과 권위를 확보하고자 했다. 영조가 설정해 놓은 대의리의 틀을 깨지 않는 범위 내에서 사도세자(思悼世子)를 죽음에 몰아넣고 또 자신의 세손 책봉 및 대리청정을 반대했던 세력을 처벌함으로써 국왕의 정통성, 자식으로서의 도리, 정치적 안정을 모두 확보해야 하는 문제에 직면해 있었다.[74] 그런데 그 과정에서 즉위 초 주문의 격식 위반을 지적당하는 사건이 발생하면서 청에 다시금 사신을 파견해서 해명해야 했기에 왕의 권위가 손상될 수 있었다. 정조가 이후 진행한 몇 차례의 정치적 사건을 토역으로 정리했음에도 불구하고 청에 알리지 않았던 것은 아마도 첫 번째 토역에 관한 진주가 사실상 실패했기 때문일 것이다.

정국의 안정과 정조 자신의 종통(宗統)을 다지는 가장 확실한 방법은 세자의 책봉이었다. 문효세자(文孝世子)의 책봉을 전후로 한 정조 전반기의 정치적 정국에서 왕권은 후반기와 비교해 안정적이지 못했

---

73) 구범진, 앞의 글, 2014.
74) 최성환, 앞의 책, 2020.

다. 주요 사건을 간단하게 정리하면 정조 2년(건륭43, 1778) 홍양해(洪量海)·한후익(韓後翼) 등이 은전군(恩全君) 찬(禶)을 추대한 사건, 정조 4년(건륭45, 1780) 홍국영(洪國榮)이 완풍군(完豐君)을 세자로 추대하려고 한 사건, 정조 8년(건륭49, 1784) 김하재(金夏材)의 흉서(凶書) 사건, 정조 9년(건륭50, 1785) 김두공(金斗恭)의 흉언 사건, 같은 시기 이율(李瑮)의 거병 모의 사건, 정조 10년(건륭51, 1786) 문효세자 사망과 관련된 사건, 구선복(具善復)과 김우진(金祐鎭)이 상계군(常溪君) 담(湛)을 추대한 사건 등 1780년대 후반까지 정조의 권위에 도전하는 정치적 모의가 지속되었다.

문효세자의 책봉 요청을 위해 정조가 건륭제 혹은 청에 어떠한 사전 작업을 했는지는 명확한 자료는 없다. 다만 국내에서 책봉하는 시기와 청에 책봉을 요청하는 사신의 출발이 거의 같은 때에 이루어졌다는 점을 고려한다면 세자 책봉은 국내외의 상황을 모두 감안해서 결정하였음이 틀림없다. 문효세자의 책봉을 요청한 시기는 정조 8년(건륭49, 1784)이었다. 해당 시점은 건륭제의 칠순에 맞춰 전례에 없던 진하사와 사은사를 연속으로 파견함으로써 건륭제로부터 두터운 호의를 받은 때였다. 또한 책봉 요청 바로 전 해인 정조 7년에는 성경 순행을 문안하기 위해 파견하는 사신에게 황제의 성절을 축하하는 표문과 방물을 추가로 지참시켰고, 이에 대해 건륭제가 하사품을 내리며 사은 방물을 영원히 면제해주자 다시 사신을 파견해 감사를 전했다. 매우 드물게 일 년에 두 차례나 별사를 파견했고 또 이를 건륭제가 크게 만족했던 상황 속에서 세자 책봉은 수월하게 진행되었다.[75]

---

75) 국내의 정치상황과 연결 지어 볼 때 文孝世子의 책봉을 실시한 정조 8년은 시파와 벽파의 대립 및 時僻 내부의 갈등이 표출되는 시기이기도 했다. 또 세자 책봉을 계기로 攻洪·扶洪 및 선세자 추숭과 관련된 이들에게 大赦免을 내리기도 했다. 청으로부터의 책봉도 의례 절차상 赦免 敎書를 반포하기 때문에 정조의 保合에 일정한 영향을 주었을 것으로 추정된다. 정조 8년 상황에 대한 부분은 최성환, 앞의 책, 2020, 163~167쪽.

세자 책봉과 대청(對淸) 외교가 보다 명확하게 연결되는 부분은 문효세자의 죽음 이후였다. 정조 10년(건륭51, 1786) 5월, 정조는 심낙수(沈樂洙) 등을 파견해 문효세자의 죽음을 알렸다. 이에 건륭제는 유제사(諭祭使) 파견을 결정하는 동시에 다음과 같은 상유를 내렸다.

조선국왕이 번봉(藩封)의 직임을 삼가 지키고 해마다 공물을 마련하여 바치는 것은 속국(屬國) 중에서 가장 공순(恭順)하다고 일컬어졌다. (중략) 해당 국왕은 한창나이니, 또한 지나치게 상심할 것 없다. 사자(嗣子)를 얻거든 즉시 세자의 책봉을 명백하게 아뢰어 종묘를 계승하고 나라의 복을 연장하도록 하라. 나머지는 해부(該部)가 청한 바에 따라 행하라.[76]

건륭제는 그동안 정조가 보인 공순한 태도를 칭찬하면서, 정조의 원자(元子)가 태어날 경우 세자 책봉을 요청하라고 먼저 이야기를 꺼내고 있다. 건륭제의 조선에 대한 호의는 자신의 언급대로 정조의 공순함 때문이며, 그것은 구체적으로 건륭 후반 조선에서 유례없이 파견했던 진하사와 사은사를 통해 구현되었다. 정조가 즉위 직후부터 시행했던 '진하외교'가 빛을 발하는 순간일 것이다. 과거 세자 책봉의 문제를 둘러싸고 명조와 심각한 갈등을 빚었던 광해군의 사례를 차치하고라도,[77] 가까이 경종·영조·정조 자신의 책봉까지 막대한 외교비용을 들여 막후교섭을 진행해야 했던 상황을 고려한다면,[78] 건륭제의 위와 같은 발언은 책봉에 대한 가장 확실한 보장이 될 수 있을 것이었다.

문효세자에 대해 유제(諭祭)하기 위한 청 사신이 정조 10년(건륭51,

---

76) 『日省錄』 정조 10년(1786) 윤7월 18일, "朝鮮國王恪守藩封 歲修職貢 於屬國中最稱恭順 (중략) 該國王正在壯年 亦不必過傷 俟得有子嗣 卽行奏明冊封世子 承續宗祧用延國慶 餘著照該部所請行"

77) 한명기, 『임진왜란과 한중관계』, 역사비평사, 1999.

78) 張存武, 앞의 글, 1976.

1786) 12월에 서울에 도착했다. 정사는 공부시랑(工部侍郎) 소릉아(蘇凌阿) 부사는 내각학사(內閣學士) 서보(瑞寶)였다. 정조는 청 사신을 극진히 접대했을 뿐 아니라 출발을 늦추도록 여러 차례 만류하여 하루 반나절 동안 칙사의 일정을 연기하게끔 했다. 더하여 청 사신과의 다례 자리에서는 황제의 은혜에 감격한다는 말을 전해달라고 부탁하였다.[79] 해당 일자의 『승정원일기』 및 『일성록』의 기록에는 더 이상의 내용이 없었지만 이후 다음 해(정조11, 건륭52) 삼절연공행 정사로 파견된 황인점의 보고를 고려할 때 당시 정조는 소릉아 등에게 세자 책봉에 대한 건륭제의 언급을 상기해줄 것을 부탁했다.

정조 10년(건륭51, 1786) 10월 사은겸삼절연공 정사 황인점에게 정조는 문효세자의 유제를 위해 조선에 왔던 청 사신들을 찾아가도록 했다. 이에 황인점은 상사였던 소릉아의 자택을 방문하여 국왕의 안부를 전하는 한편, 소릉아가 조선을 방문했을 때 정조가 그에게 부탁한 일의 처리를 확인하였다. 그것은 문효세자 유제 당시의 상유 즉 후사가 생길 경우 바로 책봉을 주청하라는 것에 대해 정조가 매우 감격했다는 내용을 황제께 전달해달라고 소릉아에게 부탁했었는데, 이는 건륭제의 우회적인 책봉 승인을 기정사실로 확정하려는 조치였다. 소릉아는 복명하는 날 이러한 뜻을 건륭제에게 직접 아뢰었고 황제가 기쁘게 받아들였다는 내용을 이야기해 주었다.[80]

정조의 책봉을 위한 사전작업은 성과를 보였다. 정조 13년(건륭 54, 1789) 2월 연공사 일행이 보낸 선래장계가 도착했는데, 그 안에는 황제의 어가를 지영하기 위해 대기하고 있던 조선 사신에게 건륭제가 국왕의 안부와 함께 득남(得男) 여부를 물었다는 내용이 포함되어 있었다.[81] 정조 14년(건륭55. 1790) 1월에는 건륭제가 조선국왕의 자손

79) 『日省錄』 정조 10년(1786) 9월 4일.
80) 『正祖實錄』 정조 11년(1787) 2월 11일.
81) 『日省錄』 정조 13년(1789) 2월 21일.

번창을 기원하는 의미에 복자(福字)를 직접 써주었다.[82] 이렇게 건륭제가 조선의 후계자 탄생에 각별히 관심을 두는 가운데, 정조 14년 9월 수빈(綏嬪) 박씨로부터 원자(元子)가 태어났다. 그리고 정조 14년 9월 건륭제의 팔순을 축하하기 위해 파견한 황인점 등으로부터 다음과 같은 보고를 받았다.

> 황제께서 "짐은 그대들의 국왕이 '세자'를 얻었다는 자문을 보고 마음이 매우 기뻤다."라고 하였습니다. (중략) 책봉 의식이 있기도 전에 황제가 먼저 '세자'라고 칭하여 좌우의 시위 대신들이 모두 놀랐습니다.[83]

건륭제는 정조의 원자에 대해 세자라는 표현을 사용하여 사실상 책봉을 수락한 것이나 다름없는 행동을 취했다. 이와는 별도로 같은 해 6월 책봉을 천천히 요청하겠다는 조선의 자문[84]에 대해서도 승인하였다.[85] 이 소식을 들은 정조는 몹시 기뻐하며 건륭제의 상유에 대한 사은 표문을 절사(節使)에 포함할 것을 명령하였다.[86] 황제의 태도가 위와 같이 긍정적인 상황에서 책봉의 승인은 거의 이루어진 것과 다름없었기 때문이다. 정조 15년(건륭56, 1791)에는 건륭제가 오히려 아들이 두 살이 되었을 텐데 어째서 책봉을 요청하지 않는지 먼저 물어보는 일까지 발생했다.[87] 이제 세자 책봉에서 더는 청이 변수가 될 일은 없어졌고, 이에 정조는 세자 책봉을 요청하는 신료들에게 숙종 연간의

---

82) 『日省錄』 정조 14년(1790) 2월 20일.

83) 『日省錄』 정조 14년(1790) 9월 27일, "又曰 朕自見爾國王得世子之咨 朕心大以爲喜 (중략) 封典之前 皇帝先稱世子 左右侍衛大臣 莫不動色"

84) 『同文彙考』 原編續, 封典1 「【庚戌】請姑徐封典咨」 1a~2a.

85) 『日省錄』 정조 14년(1790) 9월 27일.

86) 『日省錄』 정조 14년(1790) 9월 27일.

87) 金箕性, 『燕行日記』 정조 15년(1791) 1월 19일, "又曰 國王昨秋有斯男慶今已二歲矣 何不請封典"

사례를 들며 조금 더 성장한 후 책봉하겠다며 시기를 조율할 정도의 여유를 보였다.[88] 그리고 실제로 책봉 요청은 세자가 11살이 되는 정조 24년(가경5, 1800)에서야 비로소 시행되었다.

1790년대에 들어 정조는 국내 정치에서 의리론과 보합(保合)을 통해 정치적 주도권을 점차 확고하게 다지기 시작하였다. 화성건설과 사도세자의 추숭사업은 모두 정조의 정치적 자신감에 기반한 행동이었다. 한편 조선에 다양한 변수로 작용할 수 있었던 청과의 관계에서는 즉위 초 주문 위식 사건을 겪으면서 약간의 긴장이 형성되었지만, 이후 건륭제의 경사(慶事)에 맞추어 전례 없는 진하사와 사은사를 연달아 파견하는 '진하외교'를 시행했다. 그 결과 청과 매우 안정적인 관계를 만들 수 있었으며, 조선 사신들은 매번 북경에서 건륭제로부터 특별한 대우를 받았다. 세자 책봉은 국내정치 및 대청(對淸) 관계와 모두 연관되는 사안이었다. 정조는 '진하외교'의 성과물로서 건륭제로부터 세자 책봉의 사전 승인을 얻어낼 수 있었고, 국내의 정치적 안정과 더불어 세자 책봉 시기를 조율할 수 있는 여건을 마련하였다.

정조가 시행했던 '진하외교'는 조선·청 관계에서 새롭게 등장한 방식이었다. 조서를 받은 후 사신을 파견했던 기존의 방식에서 벗어나 조서가 오기 전에 해당 일에 북경에 도착할 수 있도록 일정을 조정하였다. 조선과 청이 유지했던 외교 절차는 계서화된 의례(儀禮)로 이루어졌지만, 이와 같은 형식적 틀 안에서 조선에서 특정한 목적을 가지고 사신의 파견 유무와 시기를 조율했다. 그리고 이와 같은 방식은 19세기에도 지속되었다.

---

88) 『日省錄』 정조 15년(1791) 3월 8일, "予曰 昨年奏表旣有陳懇者 故相所謂元子誕降之辰 卽國本已定之日云者 果格言也 豈在於封冊之早晚乎 肅廟朝六歲封冊 豈不爲紹述之一端乎"

4장
18세기 후반 외교 의례의 확장과
교류 기반의 형성

1. '문금(門禁)'과 사신의 제한적 교류

18세기 중반 이후 조선·청 문인 사이의 본격적인 교류가 나타나기 시작하였다. 다만 교류의 주체는 삼사신(三使臣)이 아닌 사신 수행원들이 주도하였다. 그러나 수행원의 교류조차 홍대용(洪大容)의 경우는 엄성(嚴誠) 및 반정균(潘庭均)과의 국경을 넘어선 우정을 갖게 되지만, 박지원(朴趾源)의 경우 심세(審勢)의 관점에서 중국을 바라보는 등 분명 차이가 있었다.[1] 따라서 이번 장에서는 고위 관원으로서 조선을 대표하는 위상을 지녔던 사신들의 교류를 검토하되, 교류의 물리적 제한으로 작용한 문금의 적용양상에 대해 살펴보도록 한다. 사신이 조선 내에서 정치적 영향력과 학문적 위상을 지녔다는 점을 고려할 때, 사신의 교류는 수행원보다 파급력이 컸을 것으로 추측된다. 더하여 사신 교류를 통해 만들어지는 인적 교류망은 외교의 기반이 되었을 것이다.

조선·청 지식인 교류와 관련해서 기존 연구들은 홍대용의 다음과 같은 문금에 대한 언급에 주목하였다.

> 청나라가 중국을 지배한 이후에는 전쟁이 갓 끝난 처지인지라, (조선에 대한) 의심이 없지 않으므로 문금이 더욱 엄중하였다. 강희 말년에

---

1) 청 문물 도입의 성격에 관해서는 김문식, 『조선후기 지식인의 대외인식』, 새문사, 2009, 122~130쪽 및 148~150쪽.

이르러서는 천하가 이미 안정되었고, 조선을 그리 염려하지 않아도 된다고 여겨 문금이 조금 풀렸다. (중략) 이렇게 수십 년을 내려오면서 태평 시대가 이미 오래 계속되고 법령이 점점 느슨해져, 출입에 대해 거의 간섭하지 않았다.[2]

위 내용에 따르면 강희 말년 즉 18세기 초부터 문금이 점차 완화되었고 홍대용이 연행을 갔던 18세기 중반에는 이미 해체되었다고 볼 수 있다. 그러나 사신단의 계층을 사신과 수행원으로 나눌 때, 문인 교류의 핵심적인 역할을 담당한 김창업, 홍대용, 박지원, 박제가, 유득공 등은 사신이 아닌 수행원의 신분으로 연행에 참여했다. 사신과 비교해보면 수행원들은 북경에서 훨씬 자유롭게 이동할 수 있었다. 따라서 사신들의 교류를 분석할 때 문금이라는 물리적 제한으로부터 수행원들과 마찬가지로 자유로웠는지, 또한 교류의 의지와 적극성은 어떠했는지 등을 구분할 필요가 있다.

영조 8년(옹정10, 1732) 진하겸사은행 서장관 한덕후(韓德厚)는 조선 사신의 숙소를 담당하는 회동관제독(會同館提督)이 뇌물을 받아내기 위해 오후만 되어도 관문을 걸어 잠그고 저녁 무렵에야 비로소 문을 열어줘 회동관 무역 및 왕래가 매우 불편하다고 불만을 토로하였다.[3] 교역과 관련된 사항이지만 청 측에서 임의로 문금을 시행할 수 있었다는 점을 알 수 있다. 이와 같은 관행은 18세기 중반까지 이어졌다. 문금과 관련된 다음의 사료를 살펴보자.

2) 洪大容, 『湛軒書』 外集 7권, 「燕記」 衙門諸官, "淸主中國以來 弭兵屬耳 恫疑未已 禁之益嚴 至康照末年 天下已安 謂東方不足憂 禁防少解 (중략) 數十年以來 昇平已久 法令漸疎 出入者幾無間也"

3) 韓德厚, 『承旨公燕行日記』 영조 8년(1732) 10월 14일, "自禮部揭榜貼門 許多行出 外行動 物貨交易之際 禁奸商欺騙 蓋使行留館時 禮部郞一人接伴 名曰提督 今此提 督者 乃蒙古人 而貪狠特甚 操切備至 日繼午 輒下鑰館門 日晏始開公禁 內外往來 種種作梗不一 蓋索賂也 榜後始懼 稍異於向來矣"

오랫동안 문을 걸어 잠가 할 만한 일이 하나도 없다. 또 교역은 날이 정해져 있어 그 전에 서책조차 구입할 수 없다.[4]

관소에 들어오면 즉시 잠가 버리고 옆의 작은 문만 열어 놓는데, 문 밖에는 (회동관) 제독, 통관(通官) 및 서반(序班)들이 지키면서 출입을 금지한다. (조선의) 역관들이 때로 일이 있어 나가면 갑군이 따라 붙는다.[5]

첫 번째 사료는 영조 23년(건륭12, 1747)에 북경에 머물고 있던 부사 윤급(尹汲)의 기록으로 정조 하례(正朝賀禮) 이후에 한 번도 관소를 벗어나지 못한 답답함을 언급하는 내용이다. 그에 따르면 삼사신의 경우 한두 곳을 유람하더라도 제독에게 반드시 알려야 했다. 이로 인한 번거로움 때문에 윤급은 천주당 방문을 포기하기까지 했다.[6] 두 번째 사료는 영조 36년(건륭25, 1760) 서명신(徐命臣)의 기록으로 문금을 통해 역관 혹은 수행관의 활동도 일정 부분 제한하고 있으며, 사신들의 외부활동은 명백히 금지되고 있는 모습을 엿볼 수 있다. 특히 조선 역관이 나갈 때도 갑군이 따라붙는다는 내용은 이동에 상당한 제약이 존재했다는 점을 알 수 있다. 이에 서명신은 죄수와 다름없는 꼴이라고 한탄하기도 했다.[7]

이상의 내용을 통해 볼 때, 18세기 중반까지 조선 사신들에게 여전히 문금이 적용되었고 이로 인해 교류 혹은 교섭에 대한 물리적인 제

---

4) 尹汲, 『燕行日記』 영조 23년(1747) 1월 7일, "長日掩關 無一事可爲 且交市有定日 故其前雖書冊 亦不得入 消日爲難 只與褌譯相對"

5) 徐命臣, 『庚辰燕行錄』 영조 36년(1760) 10월 14일, "而入館後大門卽鎖之 只開小傍門 門外提督通官序班輩守之 禁出入 譯輩或有故出去 則甲軍守護"

6) 尹汲, 『燕行日記』 영조 23년(1747) 1월 16일, "正使書狀欲往天柱寺 卽西洋人所在也 要余同往 辭以病 一二處遊賞 固無不可 而出入之際 必關由於提督通官 (중략) 余則以不出館外一步爲定"

7) 徐命臣, 『庚辰燕行錄』 영조 36년(1760) 10월 13일, "初昏 提督通官輩鎖館門而去 無異於南冠之楚囚矣"

한이 존재했다. 따라서 지속적이고 밀접한 교류를 위해서는 사신들의 적극적인 의지가 매우 중요했을 것이며, 이는 실제적인 교류 양상을 통해 검토해야 한다.

사신의 교류는 19세기 후반까지도 조정에 보고하는 공식기록에서는 거의 확인할 수 없고, 연행록(燕行錄) 혹은 개인문집을 통해서만 파악할 수 있다. 숙종 46년(강희59, 1720) 삼절연공행 정사로 북경에 도착한 이의현(李宜顯)은 공식 일정을 마치고 관소에 있던 중 청 관원의 사적인 방문을 받았다. 찾아온 이는 연희요(年希堯)로, 그는 숙종 35년(강희48, 1709) 황태자 복위 조서를 전달하기 위해 조선에 사신으로 왔던 연갱요(年羹堯)의 형이었다.[8] 연희요의 방문 목적은 개인적 교류에 있었다. 그런데 연희요가 방문했을 때 역관들은 그를 들어오지 못하게 막아서고는 사신들이 병에 걸렸기 때문에 만날 수 없다고 말했다.[9] 이의현 일행은 논의 끝에 연희요를 만나 대화를 나누었지만, 그의 문한 실력에 매우 실망했다. 이후 연희요를 비롯하여 다른 청 관원과의 만남은 확인되지 않는다.

경종 1년(강희60, 1721) 서장관으로 연행에 참여한 유척기(兪拓基)는 통주(通州)에서 유생 두 명과 청의 정세에 관해 많은 대화를 나누었다.[10] 그러나 연속적인 만남은 이루어지지 않았다. 또한 북경에서 다

---

8) 당시 年羹堯의 지위는 內閣學士였다(『同文彙考』補編 卷9,「詔勅錄」26b; 錢實甫, 『淸代職官年表』, 北京: 中華書局, 1980, 934쪽). 이후 연갱요는 무원대장군에 임명되어 옹정 2년(1724) 코코노르[淸海]의 호쇼트 몽골족의 반란을 진압하고 코코노르를 청 제국의 영역으로서 확고히 하는 데 공을 세웠다. 피터 C. 퍼듀 지음, 공원국 옮김, 『중국의 서진』, 도서출판길, 2012, 389~395쪽.

9) 李宜顯,『庚子燕行雜識』숙종 46년(1720), "譯輩來言門外 有一官人來到 欲見使臣 云 渠輩以三使俱有身患 恐難接應爲言 其人答云第入通 故來告矣 遂與二使 並坐椅 邀入 卽年希堯爲名人 而向年來我國勅使羹堯之兄也 問其官 爲正二品 江南布政使 去九月遞還 未及授職 奉天府瀋陽人 本漢人也 其祖爲明朝指揮 其父方爲湖廣總督 其弟羹堯方爲四川總督 年今四十二 渠年五十云 頗秀俊 以筆帖式拔身者也"

10) 兪拓基,『燕行錄』경종 1년(1721), "還至通州 寶坻縣人彭坦【年卄六】彭城【年卄二】 爲赴考到此 入見辟人"

른 청 인사들과 교류한 흔적은 확인되지 않는다. 서장관은 중국의 상황에 대해 서면 보고서를 올려야 하는 임무를 띠고 있었기 때문에 정·부사에 비해 청 문인 및 관원과의 접촉이 잦았다. 영조 1년(옹정3, 1725), 효장세자(孝章世子)의 책봉을 위해 파견되었던 조문명(趙文命)의 경우 서장관의 직함을 띠고 갔으나 유척기와 달리 책봉 승인을 위한 비공식 교섭 활동만 나타날 뿐 정보탐색을 위한 교류조차 전혀 확인할 수 없다. 영조 8년(옹정10, 1732) 서장관 한덕후(韓德厚)는 정사 이의현(李宜顯) 및 부사 조최수(趙最壽)와 함께 천주당을 방문해 천주교리에 관한 서적을 받아오기까지 했는데 정작 청 문인과의 교류는 없었다.[11] 한덕후가 제출한 서면보고서의 경우 직접 목도한 사실을 위주로 서술했고 들은 이야기는 거의 나타나지 않는데,[12] 아마도 청 측 관원들과의 대화를 시도조차 하지 않았던 것으로 보인다. 청 관원과 어떠한 교류도 하지 않는 모습은 영조 13년(건륭2, 1737) 사도세자 책봉 요청을 위해 파견된 서장관 이철보(李喆輔)의 연행록이나,[13] 영조 16년(건륭5, 1740) 삼절연공겸사은행 서장관 홍창한(洪昌漢)의 기록에서도 마찬가지였다.[14]

영조 23년(건륭12, 1747) 북경에 머물던 윤급의 연행록에도 교류는 전혀 등장하지 않고 역관과 개봉(開封) 출신 호인(胡人)과 나눈 대화를 수록하여 강남 지방에 대한 호기심을 보일 뿐이었다.[15] 영조 30년(건륭19, 1754) 심양(瀋陽)을 방문한 문안행(問安行) 정사 유척기 역시 교류가 확인되지 않으며,[16] 영조 32년(건륭21, 1756) 정광충(鄭光忠)은

---

11) 韓德厚, 『承旨公燕行日錄』 영조 8년(1732) 10월 12일, "會後三使同往天主堂 所謂 天主堂者 卽尊天之義也"
12) 『同文彙考』 補編 卷5, 使臣別單5 「【壬子】謝恩兼進賀行書狀官韓德厚聞見事件」 12a~15b.
13) 李喆輔, 『丁巳燕行日記』 영조 13년(1737).
14) 洪昌漢, 『燕行日記』 영조 16년(1740).
15) 尹汲, 『燕行日記』 영조 23년(1747) 2월 5일, "譯官李天埴逢一賣藥胡人 卽汴京人也"

정사와 함께 천주당을 방문하여 서양인과 대화를 나누기도 하지만 청지식인과의 교류는 없었다.[17] 천주당 방문의 사례로만 본다면, 당시 조선 사신에게 서양인보다 청 지식인과의 심리적 거리가 훨씬 더 멀었다고 할 수 있을 것이다.

영조 36년(건륭25, 1760) 진하겸사은행 부사 서명신(徐命臣)은 건륭제를 영송(迎送)하는 반열에서 예부 당상관들과 대화의 자리를 가졌는데, 이중 예부좌시랑 김덕영(金德瑛)[18]은 조선 사신에게 편지와 시문을 보내주었다.[19] 또한 서장관의 자제군관과 인연을 맺은 국자감 조교가 관소로 찾아오자, 서장관은 삼학사(三學士)와 관련된 사서(史書)를 찾아달라고 부탁하였다.[20] 이는 앞서 연희요가 관소를 방문했을 때 역관과 사신들이 보인 경계심을 고려한다면 일정한 변화라고 할 수 있을 것이다. 그럼에도 불구하고 위의 청 관원들과의 교류는 수동적인 동시에 단속적으로 이루어졌다. 이러한 상황 속에서 서명신이 함친왕(諴親王)으로부터 선물을 받아 온 자제군관에게 다시는 물건을 받지 않도록 당부한 일은 그다지 특별한 일도 아니었다.[21]

영조 43년(건륭32, 1767) 12월, 조선 사신이 북경에 도착하여 예부에 표문(表文)과 자문(咨文)을 납부할 때 이를 주관했던 이는 예부우시랑

---

16) 兪拓基, 『潘行錄』 영조 30년(1754).

17) 鄭光忠, 『燕行日錄』 영조 32년(1756) 1월 17일, "飯後與上使 往天主堂"

18) 錢實甫, 앞의 책, 1980, 615쪽.

19) 徐命臣, 『庚辰燕行錄』 영조 36년(1760) 11월 7일.

20) 徐命臣, 『庚辰燕行錄』 영조 36년(1760) 11월 25일.

21) 徐命臣, 『庚辰燕行錄』 영조 36년(1760) 11월 1일, "招畫師任思南出畫像草本 任年四十二 本以漢人居浙江 以繪事被選 來北京已十二年云爲人頗精明 諴親王又招金在鉉去 書狀之侄趙鼎說爲玩賞 隨金譯而行 王見而問之 金譯以實對 王款待之 給紙筆求詩 趙生卽製五言律一首 王覽而稱之 給紋緞一疋 繡黃槖二部云 夕趙生來見言以其叔不許捧之 爲書而還送如何 余答曰 初旣不得力辭 則旣受之後 更î還送 事涉如何 趙生曰 以淸心元徒花紙等 特答禮何如 余答曰 無妨 而此後 則雖苦 要托以採薪似好 趙生曰 生意亦然矣"

예승관(倪承寬)[22]이었다.[23] 이듬해 2월, 상을 수령하기 위해 오문 앞 행각(行閣)에서 대기하던 중 예부시랑이 먼저 조선 사신을 방문하여 인사를 했고 몇 차례의 전언이 오고 갔다. 더하여 귀국 직전 하·상마 연을 시행할 때도 예부시랑이 은근한 뜻을 보내왔지만, 사신 일행과 사적인 교류를 행했던 흔적은 나타나지 않는다.[24]

18세기 내내 조선은 책봉 등의 사안에 대해 신속하고 원활한 승인을 위해 청의 고위 관원들을 대상으로 외교비용을 투입하는 등 비공식 교섭을 지속했다.[25] 반면 같은 기간 동안 사신의 교류는 북경 이외의 지역에서 단속적으로 이루어졌으며, 교류 대상은 전부라고 해도 좋을 정도로 관직을 갖지 않은 한족 지식인으로 제한되었다. 다시 말해서 북경 내에서 청 관원과의 교류는 거의 이루어지지 않았다.

1770년대에 들어서 약간의 변화된 모습이 나타났다. 영조 49년(건륭 38, 1773) 서울을 출발한 부사 엄숙(嚴璹)은 이전 연행 사신들보다 청 지식인들과 비교적 밀도 있는 만남을 가졌다. 귀국 여정을 꾸리는 도중, 조선 사신들이 머무는 회동관 바로 옆에 머물고 있던 서길사(庶吉士)가 명첩(名帖)을 보내며 찾아왔다.[26] 세 명의 서길사와의 대화를 통해 현재 『사고전서(四庫全書)』의 편찬 상황, 『고금도서집성(古今圖書集成)』에 대한 정보, 과거제의 현황 등을 파악할 수 있었다. 일주일 후인에는 세 명의 서길사에게 곧 돌아간다는 사실을 알리고 의례와 관련

---

22) 倪承寬은 字는 余疆, 號는 敬堂으로 杭州人이다. 건륭 32년(1767)부터 건륭 37년 (1772)까지 예부우시랑의 지위에 있었다. 錢實甫, 앞의 책, 1980, 619~623쪽.

23) 李心源, 『燕槎錄』 영조 43년(1767) 12월 27일.

24) 李心源, 『燕槎錄』 영조 43년(1767) 2월 10일.

25) 張存武, 「朝鮮對清外交的秘密經費研究」『中央研究院近代史研究所集刊』5, 1976.

26) 庶吉士는 翰林院 소속으로 비록 品級은 낮지만(7~8품대우) 황제의 지근거리에서 詔勅의 초안 작성, 경서 강독 등의 업무를 수행하면서, 이후 內閣의 핵심관직으로 가는 중요한 문한 관직이다. 鄒長清, 「清代翰林院庶吉士待遇及身份探究」『中國社會歷史評論』15, 2014.

된 자문을 구하기도 하였다.[27] 떠나기 전날 교유를 맺었던 서길사 중두 명이 찾아와 다시 북경에 올 수 없다는 말을 듣고 안타까워하면서 조선 사신을 통해 편지를 보내고 싶다는 마음을 전했다. 이에 엄숙은 어려운 일이 아니라며 흔쾌히 허락했다.[28] 엄숙과 서길사의 만남은 분명 이전의 사신과 비교해 볼 때 교류의 지속 면에서 어느 정도 차이가 있었다.

모든 사신이 연행록(燕行錄)을 남기지 않았기 때문에 균질한 분석을 가하는 데에는 어려움이 있다. 그럼에도 불구하고 1770년대 이전까지 문금은 사신에게 여전히 적용되었고, 이로 인해 사신들의 인적 교류는 거의 나타나지 않는다고 보아도 좋을 것이다. 보다 구체적으로 살펴보면 북경 내에서 청 관료와의 교류가 특히 제한적이었다는 점을 알 수 있다.

2. 외교 의례의 관행과 변화

1) 17~18세기 외교 의례의 관행

18세기를 전후한 시점, 즉 '삼번(三藩)'의 난이 진압되고 강희제의 치세가 본격화된 이후로 청의 조선에 대한 압박이 감소하면서 양국의 관계가 안정적으로 변화되었다.[29] 여기에 더하여 건륭제 중반까지 이루어졌던 세폐(歲幣)의 감면도 양국 관계를 우호적으로 바꾸는 데 주요한 역할을 수행했다는 점은 이미 지적되었다.[30] 한편 18세기 후반

---

27) 嚴璿, 『燕行錄』 영조 50년(1774) 2월 8일, "致書許平邱三人 告以將還不得使見之意 仍以別紙問先聖廟中銅器所設塗金寶樹 恰似寺利所置 不知此物何名"

28) 嚴璿, 『燕行錄』 영조 50년(1774) 2월 10일, "平日 或貢使來 欲以一簡致候可寄到否 余曰不難"

29) 전해종, 『한중관계사 연구』, 일조각, 1979(重版), 75~77쪽.

30) 전해종, 앞의 책, 75~84쪽.

건륭제가 조선 사신들에게 베풀었던 특별대우가 조선의 청 인식에 영향을 주었다고 분석한 연구가 있다.[31] 사신들이 직접 경험하게 되는 청의 조치들은 양국의 관계에, 나아가 청에 대한 인식에도 영향을 끼쳤으리라는 점은 쉽게 상상할 수 있다. 다만 이 책에서는 해당 조치가 새롭게 확장된 의례 공간에서 시행되었다는 점에 주목하였다.

18세기 후반부터 건륭제는 조선 사신들에게 몇 가지 의례에 참여를 요구했다. 국내 신료를 대상으로 한 의례에 외국 사신들을 참여시키는 것은 건륭제의 입장에서는 매우 파격적인 조치였다. 동시에 조선 사신의 관점에서 보자면 청의 고위 관원과 공식적으로 접촉할 기회가 늘었다는 점에서 인적 교류의 확장과 밀접히 연관되었다.

순치 1년(1644) 청이 북경을 점령한 이듬해에 삼대절(三大節) 즉 동지(冬至)·정조(正朝)·성절(聖節) 및 연공을 하나로 통합하여 사신단을 1년에 한 번만 파견하도록 하고, 그 시점은 正朝(음력 1월 1일)를 기준으로 하였다.[32] 예외적으로 청 황후나 황태후의 사망을 위로하기 위한 진위·진향사나 황제의 심양 순행(巡行)에 대한 문안사(問安使)가 있었지만, 정조 하례의 참석이 원칙이었다.[33] 이와 관련된 청 측과 조선 측의 규정은 모두 동일했다.[34]

18세기 후반까지 북경에 머물고 있던 조선 사신에게는 정조 이외의 조회 참여는 일정하지 않았다. 17세기 중반 빈번히 북경을 오갔던 인평대군의 경우, 청의 조회(朝會)에 참석한 사례가 확인되지만, 인평대군 스스로 밝혔듯이 해당 조회는 강희제가 곧 순행을 떠나는 상황에서

---

31) 黃枝蓮, 『天朝禮治體系研究』下, 北京: 中國人民大學出版社, 1995, 451~460쪽.

32) 『仁祖實錄』 인조 23년(1645) 2월 18일.

33) 조선 후기 문헌에 등장하는 수많은 '冬至使'는 동지가 아닌 正朝 하례에 참여하기 위한 사신이었으며, 명대의 행했던 관성에 따라 '동지'라는 명칭을 붙였던 것으로 보인다. 구범진, 「조선의 청 황제 성절 축하와 건륭 칠순 '진하 외교'」 『한국문화』68, 2014, 218~220쪽.

34) 『通文館志』 事大上, 朝參.

몽골왕과 조선 사신이 출발을 앞두고 있었기에 특별히 초청받은 것이었다.[35] 더하여 인평대군의 종친이라는 특수한 신분도 작용했다.[36] 따라서 황제의 만남은 정례화된 것은 아니었다. 영조 1년(옹정3, 1725) 8월 여성군(礪城君)을 수반으로 하는 주청사 일행은 조회에 참여하라는 옹정제의 명령을 받았다. 그러나 이 역시 예외적인 사례였다. 당시 서장관으로 사행단을 관리하고 있던 조문명(趙文明)은 정조 행사 이외에 조선 사신이 조회에 참여했던 전례가 없었음을 상기하며 이번 명령은 황제의 특혜일 것이라고 추측하였다.[37]

　다음으로 황제의 거둥과 관련된 영송 의례를 확인해보도록 하자. 정조 14년(건륭55, 1790) 무렵 김홍도가 그린 것으로 알려진 「연행도(燕行圖)」(숭실대박물관 소장)의 제9폭에는 청 황제의 행차를 지영(祗迎)하는 장면이 묘사되어 있다. 그렇지만 이와 같은 모습은 결코 18세기 후반에 이르기까지 일상적인 형태가 아니었다. 적어도 인조 22년(순치1, 1644) 이후 연행록과 사신들의 귀국보고에서 청 황제의 거둥을 영송하는 행위는 확인되지 않는다. 영송 의례에는 청 조정의 신료만 참석했기에 조선 사신의 참여는 전례를 변경해야 하는 문제였다. 정월 초하루에 조선 사신들이 종종 영송한 사례가 확인되지만, 이는 황제가 정조 하례를 받기 전에 자금성 밖에 위치한 당자(堂子)를 왕래하면서 나타난 부수적 행위일 뿐 영송 그 자체를 위한 것은 아니었다. 때문에 17세기 중반부터 18세기 중반까지 약 100여 년간의 연행록에서 정조

---

35) 李渚(麟坪大君), 『燕途紀行』 효종 7년(1656) 10월 15일, "蓋今日朝參禮 鮮蒙並許入參者 淸主之幸園圃在邇 而蒙王明日發行 余亦不久當發 將一時辭退 且頃日宴時欲謝恩 孫異入奏故也"

36) 인평대군이 종친으로서 특혜를 받았던 점은 이재범, 「인조·효종연간 대청사행의 종친파견 배경과 그 의의」, 경북대학교 사학과 석사학위논문, 2016, 12~13쪽.

37) 趙文明, 『燕行日記』 영조 1년(1725) 7월 30일, "禮部官員招謂譯官等曰 皇上忽下來初五日朝參之令 自前正朝外無朝參之例 此皆皇上眷待爾國使臣 特行非時盛擧 欲令同參故也 數日後當令習儀於鴻臚寺云"

하례 때의 영송을 제외하면, 황제의 거둥을 서술하면서도 영송 의례를 실시했다는 기사는 거의 확인되지 않는다.

18세기 이후 처음으로 영송 의례의 참여가 확인되는 것은 영조 36년(건륭25, 1760) 건륭제의 회부(回部)진압을 축하하기 위해 파견된 해운군(海運君) 일행이었다. 예부에서 조선 사신의 북경 도착을 듣고는 사행 사유를 확인한 후 건륭 22년(1757)에 유구 사신 등이 왔을 때 마침 황제의 순행에서 돌아왔기에, 길에서 황제를 뵙게 했던 사례를 언급하며 이번에 온 조선 사신에게도 마찬가지의 조치를 취하겠다는 내용의 주문을 올렸다.[38] 『청실록(淸實錄)』에 따르면 당시 유구국 중산왕(中山王) 상목(尙穆)이 책봉을 사은하는 표문과 방물을 보냈고, 해당 사신은 건륭 22년 9월경에 북경에 도착했다.[39] 건륭제는 유구국 사신에 대한 일반적인 연회에 외에도 카자크[哈薩克] 사신 함께 유구국 사신을 조회에 참석시켰다.[40]

조선 사신이 공식적으로 영송한 전례가 없기 때문에 유구의 사례를 인용했다고 한 점을 고려하면 외국 사신의 영송 의례의 참여는 정례화되지 않았다는 것을 알 수 있다. 또한 해운군 일행이 영송에 참여했음에도 불구하고, 건륭제가 조선 사신에게 무슨 일로 왔는지를 물어보는 것으로 보아 황제가 주도한 조치는 아니었던 것으로 보인다. 당시 조선 사신 일행은 황제의 어가(御駕)를 영송하기 위해 북문 밖으로 이동하여 5일 동안이나 대기하였다. 그런데 이처럼 영송만을 위해 관소를

---

38) 徐命臣, 『庚辰燕行錄』 영조 33년(1757) 10월 14일, "禮部聞使行入來 送通官之奴于防均站 問以何事入來 使臣名字爲誰 則首譯輩書給云矣 今日禮部爲奏底于皇帝所在處云 故使節班得來 則其奏曰 禮部謹奏 爲奏聞事 査乾隆二十二年琉球國使臣馬宣哲等 齎捧謝恩表文 於九月初一日到京 恭遇皇上面鑾 臣部帶領該國使臣等 道傍跪接瞻仰 在案朝鮮 今國王姓諱 差正使海運君李橍副使禮曹刻書徐命臣等齎捧慶賀兼謝恩表文 於十月三日到京 恭遇皇上駕幸木蘭回鑾 臣部照例 帶領該國使臣等於官員接駕班末 令其道傍跪接 瞻仰天顏 爲此謹其奏聞"

39) 『淸高宗實錄』 乾隆 22년(1759) 9월 11일.

40) 『淸高宗實錄』 乾隆 22년(1759) 10월 5일.

벗어난 일은 부사 서명신의 기억에 따르면 조선 사신으로서는 처음 있는 일이었다.[41] 이후 건륭제의 이동은 최소한 세 차례가 더 있었지만, 또다시 참여하라는 명령은 내려오지 않았다.[42]

영조 43년(건륭32, 1767) 동지 부사 이심원(李心源)의 연행록에서도 영송에 관한 기록은 나타나지 않는다. 보다 확실한 불참사례는 영조 49년(건륭38, 1773) 파견된 부사 엄숙의 기록이다. 당시 조선 사신일행은 정조 의례에 참여한 후 귀국일정을 기다리며 대기하고 있었는데, 이듬해(영조50, 건륭39) 1월 6일 황제가 기곡단(祈穀壇)으로 행차한다는 소식을 들었지만, 예부에서는 아무런 조치가 없었다. 통관의 말에 따르면 조선 사신 일행이 어로(御路)를 범하는 문제를 일으킬까 오히려 외출을 금지하는 상황이었다.[43] 따라서 영조 36년(1760)의 영송 의례 참여는 일시적인 현상이었고 조선 사신은 거의 대부분의 영송 의례에서 배제되었다고 보아도 무방할 듯 하다.

불규칙한 조회의 보다 분명한 사례는 대조(大朝)의 불참이다. 절행의 경우 삼절, 즉 성절·정조·동지를 겸행하며, 구체적으로 정월 초하루에 시행하는 정조 하례에 참여하는 것을 목적으로 파견되었다. 이러한 정기 사행 이외에도 사은(謝恩) 또는 진하(進賀)를 위해 비정기적으로 별사가 빈번히 파견되었는데, 이들 별사가 북경에 머무는 동안에 황제의 생일[聖節]이나 동지와 같은 절일(節日)과 겹치는 일이 종종 발생했다. 영조 8년(옹정10, 1732) 이의현 일행은 7월 조선을 출발해 10월 초 북경에 도착, 11월 3일 임무를 완료하고 조선으로 출발하였다.[44]

---

41) 徐命臣, 『庚辰燕行錄』 영조 33년(1757) 10월 18일, "朝鮮使行之出北京北門七十里外者 曾所未有之事"

42) 徐命臣, 『庚辰燕行錄』 영조 33년(1757) 11월 14일; 같은 자료, 영조 33년(1757) 11월 8일; 같은 자료, 영조 33년(1757) 11월 14일.

43) 嚴璹, 『燕行錄』 영조 50년(1774) 1월 6일, "初六日晴 皇帝行祈穀壇 大使通官 恐我人出犯路 禁不得出門"

44) 당시 조선 사신의 파견 목적은 황후[孝敬憲皇后]의 冊諡를 축하하고, 『明史』「朝鮮

그런데 약 한 달간의 북경 거주 기간에 옹정제의 생일(음력 10월 30일)이 있었다. 서장관 한덕후에 따르면 조선의 외교 사안을 중간에서 주선해주었던 김상명(金常明)이 황제의 생일을 축하하는 성절 의례에 참여하지 않도록 처리해주었다고 했다.[45] 그런데 옹정제의 생일과 관련된 연회를 으레 정지했고 이 해에도 마찬가지로 시행하지 않았다.[46] 조선 사신들은 성절 관련 의례에 참여한 적이 없었기 때문에 김상명의 주장이 타당한지 판단할 근거가 부족했고, 이는 성절에 대한 참여 여부가 여전히 정례화되지 않았기 때문에 발생한 일화라고 할 수 있을 것이다. 이러한 모습은 건륭 시기의 그것과 명확한 차이를 보인다.

2) 18세기 후반 외교 의례의 변화

18세기 후반에 들어서면 청의 외교 의례, 구체적으로 외국 사신이 참여하는 의례의 운영방식이 바뀌었다. 그것은 먼저 영송 의례에서 나타났다. 18세기 후반부터 외국사신의 영송 의례 참여가 정례화되었다. 가장 이른 시기 확인되는 사례는 정조 2년(건륭43, 1778) 진주사 하은군(河恩君)의 보고이다. 당시 조선 사신들은 황태후[孝聖憲皇后]의 부묘(祔廟)를 축하하고 관련 조서(詔書)를 보낸 준 것에 사은하는 사절단을 파견했다. 이때 예부에서는 외국 사신들의 지영(祗迎) 사안을 황제에게 올려 허락을 받았고, 당시 북경에 있던 조선과 유구 사신들은 돌아오는 황제의 어가를 맞이하였다.[47]

列傳」을 초록해 보내준 것에 謝恩하기 위해서였다, 『同文彙考』補編 卷7, 「使行錄」 37a.

45) 韓德厚, 『承旨公燕行日記』 영조 8년(1732) 10월 10일, "首譯往見常明歸言 懇其旋力速歸 則答云 所謂皇帝萬壽節在晦日 朝鮮使臣禮當同參 然後始言歸事 而爾言如此 當私言于禮部而周旋"

46) 옹정제의 생일은 10월 30일로 재위 기간 생일 당일의 행사를 모두 정지시켰다. 『淸世宗實錄』 해당월일.

47) 『正祖實錄』 정조 2년(1778) 3월 3일, "禮部以外國使臣祗迎事 照例啓奏 只令正使臣

이 해를 기점으로 영송 의례의 참여가 연속적으로 확인된다. 하은군 일행이 청에 올린 주문에 격식에 어긋난 부분이 있어 이로 인해 자문을 받지 못하자, 정조는 채제공(蔡濟恭)을 정사로 하는 진주사(陳奏使)를 다시금 파견했다.[48] 이때 채제공 일행은 방택단(方澤壇)에서 하지대사(夏至大祀)를 친행(親行)하고 돌아오는 건륭제를 지영했다.[49]

정조 4년(건륭45, 1780)은 양국의 외교 의례, 그리고 나아가 조선 사신들의 청 인식이 전환되는 시점이라고 볼 수 있다. 건륭제는 본인의 칠순을 맞이하는 성절을 기념비적 행사로 만들고자 했다. 스스로를 '십전노인(十全老人)'이라고 부르며 공전절후의 통치자로서 자임했던 그에게 있어 칠순 성절은 자신의 공적을 통치 영역에 과시할 수 있는 매우 중요한 기회였다. 파첸 라마를 초청하여 몽골·티베트 지역에서 세속적 통치자를 넘어선 종교적 권위를 확보하고자 했으며,[50] 자신의 재위 기간에 복속시킨 수장들을 모두 열하로 불렀다.[51] 이러한 상황 속에서 조선 사신도 특별히 열하로 초청받았다. 청 황제의 생일을 축하하기 위해 조선 사신이 열하로 가게 된 것은 이번이 처음 있는 일이 었다.

건륭제는 열하에서 진하 의례를 행할 때 조선의 정사는 2품에 부사는 3품에 위치시키라고 명령하였고, 며칠 뒤 자신의 앞으로 사신들을 직접 불러 국왕의 안부를 물었다.[52] 이후 의례 공간은 단순한 관행을 넘어 황제가 조선 사신과 국왕에게 자신의 우호적인 의사를 전달하는 정치적 공간으로 활용되기 시작했다. 정조 5년(건륭46, 1781) 사은행

　　　珧副使臣坤首譯朴道貫　祗迎於午門外"
48) 상세한 내용은 이 책의 3장 1절 참조.
49) 『正祖實錄』 정조 2년(1778) 6월 1일.
50) 차혜원, 「열하사절단이 체험한 18세기 말의 국제질서」『역사비평』93, 역사비평사, 2010.
51) 구범진, 「1780년 열하의 칠순 만수절과 건륭의 '제국'」『명청사연구』40, 2013.
52) 『正祖實錄』 정조 4년(1780) 9월 17일.

정사 무림군(茂林君),[53] 정조 7년(건륭48, 1783) 성절겸문안행 정사 이복원(李福源)은 지영하는 중 황제가 조선국왕의 안부를 물었다고 보고하였다.[54] 건륭제의 이와 같은 조치는 그가 세상을 떠나기 불과 3개월 전까지 지속적으로 이어졌다. 이조원(李祖源) 일행은 정조 23년(가경4, 1799) 12월 북경에 도착하여 동월 29일 태묘로 거둥하는 어가를 영송했었는데, 당시 태상황으로 있던 건륭제는 노령과 병환에도 불구하고 영송을 마친 조선 사신들을 불러 국왕의 안부를 물었다.[55]

영송 의례 이상으로 중요한 변화는 연회의 확장이다. 외국 사신들과 관계된 연회는 기본적으로 신년 조하(朝賀)에 수반되는 태화전 연회, 북경 도착 및 출발에 따른 하마연·상마연이 시행되었다. 그러나 전자는 강희 전반을 제외하고는 거의 시행되지 않다시피 하여 황제가 친림하는 연회에 조선 사신이 참석할 일은 거의 없었다. 또한 후자의 경우도 점차 형식화되어 출발 일에 하마연과 상마연을 동시에 거행하였을 뿐 아니라 상마연의 경우, 연회 상차림만 관소로 보내는 경우가 대부분이었다.[56]

연회 또한 영송과 마찬가지로 1780년대를 기점으로 큰 변화를 맞이하였다. 위에서 언급한 연회들은 (광서)『대청회전사례(大淸會典事例)』(이하 '(광서)『회전사례』')에서 '각국공사래조연연(各國貢使來朝筵宴)'으로 명명하고 있으며, 조선·유구·안남·남장(南掌: 라오스), 면전(緬甸: 미얀마) 등 외국을 대상으로 한다.[57] 반면 외번몽골(外藩蒙古)을 대상으로 하는 '외번래조연연(外藩來朝筵燕)'이 별도로 존재하였는데,

---

53) 『正祖實錄』 정조 5년(1781) 2월 7일.

54) 『正祖實錄』 정조 7년(1783) 9월 13일.

55) 『正祖實錄』 정조 23년(1799) 1월 22일.

56) 태화전 연회와 하·상마연의 시행 양상에 대해서는 구범진, 「1780년대 淸朝의 朝鮮 使臣에 대한 接待의 變化」 『명청사연구』48, 2017, 543~545쪽.

57) (光緒) 『大淸會典事例』 卷519, 997쪽.

연말에 실시하는 세종연(歲終宴, 또는 除夕宴)과 새해 초의 세수연(歲首宴), 그리고 정월 보름의 원소절(原宵節) 연회가 여기에 해당하였다.[58] 세종연은 보화전(保和殿)에서, 세수연은 자광각(紫光閣)에서, 원소절에는 원명원(圓明園)의 산고수장각(山高水長閣)·정대광명전(正大光明殿)에서 연회를 시행하였다. 이중 원명원은 황제의 이궁(離宮)으로서 1780년대까지 조선 사신들에게 황제의 사치와 음란을 상징하는 미지의 공간으로 알려졌던 곳이었다.[59] 원명원은 강희제가 하사한 옹정제의 어원(御園)이다. 옹정제는 즉위 이후 원명원에서 자주 거주하며 정사를 보았지만 그곳에서 외국 사신을 접견하지는 않았다. 건륭제는 부친의 사용한 공간을 중시하여 원명원을 확장하고 본인 스스로도 그곳을 또 다른 집무공간이자 연회장소로 활용했다.

'외번래조연연'은 "내외왕공(內外王公) 패륵(貝勒) 및 대신, 패자(貝子)·액부(額駙)·태길(台吉)"을 대상으로 한 종실과 대신 급의 고관, 그리고 번부(藩部)의 수장들이 참여하는 연회였다.[60] 관련 규정을 살펴보면, 강희 21년(숙종8, 1682)에 "외번 왕 이하 태길·탑포낭(塔布囊, tabun-ong) 이상이 조하(朝賀)를 위해 북경에 올 때, 제석(除夕) 및 정월 14·15일에 연회를 베푼다."라고 하였다. 그리고 그 대상은 할하[喀爾喀], 솔론[索倫], 울르트[額魯特], 호르친[科爾沁], 서장(西藏) 달라이라마[達賴喇嘛], 아라사(俄羅斯) 두목(頭目)[61] 등 청이 서북지역으로 영역을 확장해 나가는 상황과 맞물려 있다. 앞서 언급한 것처럼 이들 연회는 각국공사(各國貢使)에 대한 것과 구분되었으며, 조선을 비롯한 외국 사신들은 해당 연회에서 철저하게 배제되어 있었다.

---

58) 구범진, 앞의 글, 2017.

59) 孫成旭,「"盛極又衰的"圓明園 -以朝鮮使臣的圓明園經驗爲中心」『淸史硏究』1, 2015, 62~65쪽.

60) (光緖)『大淸會典事例』卷518, 外藩來朝筵宴.

61) (光緖)『大淸會典事例』卷518, 外藩來朝筵宴.

건륭 후반기에 들어서 제석연 등의 연회에서 새로운 변화가 나타났다. (광서)『회전사례』에 따르면 건륭 47년(1782) "조선·유구·남장·섬라(暹羅: 타이) 등의 공사(貢使)는 지(旨)에 따라 자광각·산고수장·정대광명전에서 모두 연연(筵燕)을 내린다."라고 되어 있다.[62]

위의 내용대로 최초로 궁정연회에 참석한 이는 정조 5년(건륭46, 1781)에 파견된 삼절연공겸사은사 일행이었다. 장계에 따르면 조선 사신들은 다음과 같이 행사에 참석하였다.[63]

〈표 2〉 황인점의 활동 내역

일정	행사	장소
정조 5년 12월 27일	북경도착	
정조 5년 12월 28일	황제 영송	자금성 午門
정조 6년 1월 5일	조회	자금성 太和殿
정조 6년 1월 8일	皇旨 경청	자금성 靈壽閣[64]
정조 6년 1월 9일	연회	紫光閣
정조 6년 1월 10일	황제 영송	원명원 앞
정조 6년 1월 12일	연회	원명원 山高水長
정조 6년 1월 13일	불꽃놀이 관람	원명원 후원
정조 6년 1월 14일	연극 관람	원명원
정조 6년 1월 15일	연회	원명원 正大光明殿
정조 6년 1월 15일	불꽃놀이 관람	원명원

---

62) (光緒)『大淸會典事例』卷519, 各國貢使來朝筵, "(乾隆)四十七年 朝鮮琉球南掌暹羅等國貢使 奉旨於紫光閣 山高水長 正大光明殿 賜同一體筵燕 仍在禮部及會同館筵燕二次"

63) 『正祖實錄』 정조 6년(1782) 2월 24일.

64) 寧壽宮의 오기로 보인다. 영수궁은 자금성의 內庭에 위치하며 皇極殿에 뒤쪽에 있다. 조선 사신은 정조 20년(가경1, 1796) 정월에도 영수궁 연회에 참여하였다. 『同文彙考』原編續 進賀 「禮部知會使臣寧壽宮加賞咨」 40b.

황인점 일행은 두 차례의 영송과 세 차례의 연회, 세 차례의 관람 행사에 참여하였다. 이를 통해 건륭제 후반 확장된 외교 의례가 모두 적용되었음을 알 수 있다. 새로운 의례 공간은 시간이 지남에 따라 점차 늘어났다. 정조 6년(건륭47, 1782)에 출발한 정존겸(鄭存謙) 등 역시 작년의 황인점 일행과 마찬가지로 건륭제의 영송과 궁정연회뿐만 아니라 이전 사신이 가보지 못한 동락원(同樂園) 경풍도(慶豐圖) 행사에도 참석하였다. 정조 7년(건륭48, 1783)에는 절사와 별사(사은)가 동시에 북경으로 파견되었는데, 이들은 건륭제의 명령에 따라 보화전에서 개최된 세종연에 처음으로 참석하였다. 정조 8년(건륭49, 1784)에 출발한 진하사은겸삼절연공행65) 일행은 또 다른 의례 공간을 방문할 수 있었다. 이들은 같은 해 12월 15일 태화전에서 거행된 상조(常朝), 더하여 영대(瀛臺)의 빙희(氷戲), 건청궁(乾淸宮)에서 개최된 천수연(千叟宴)에 참석하였다.

〈표 3〉에서 확인할 수 있듯이 정조 6년(건륭47, 1782) 이후 조선 사신들은 건륭제가 생존해 있는 동안 문효세자의 상으로 인해 연회를 정지한 한 차례를 제외하고는 매년 궁정연회에 참석했다. 참석자는 대체로 정사와 부사로 제한되었으며, 오직 이들만이 청 측 인사와 교류할 기회가 만들어졌다. 따라서 청의 궁정연회는 오직 사신에게만 허락된 교류 공간이 되었다.

건륭 47년 청에서 외국사신을 궁정연회에 초청한 이후, 조선 사신은 연말부터 연초에 이어지는 연회에 대부분 참석하였으며, 시간이 지남에 따라 새로운 연회 장소가 늘어났다. 이와 같이 확장된 의례 공간은 사신들의 교류 방식에 매우 큰 변화를 가져왔다.

---

65) 정사 이휘지(李徽之), 부사 강세황(姜世晃), 서장관 이태영(李泰永)이다.

파견시기	정·부사 성명	전거
정조 5년(건륭46, 1781)	黃仁點 洪秀輔	『正祖實錄』 6년 2월 24일
정조 6년(건륭47, 1782)	鄭存謙 洪良浩	『正祖實錄』 7년 2월 27일
정조 7년(건륭48, 1783)	洪樂性 尹師國 黃仁點 柳義養	『正祖實錄』 8년 2월 17일
정조 8년(건륭49, 1784)	李徽之 姜世晃 朴明源 尹承烈	『正祖實錄』 9년 2월 14일
정조 9년(건륭50, 1785)	李烇 李致中	『正祖實錄』 10년 2월 28일
정조 10년(건륭51, 1786)	黃仁點 尹尙東	『正祖實錄』 11년 1월 23일*
정조 11년(건륭52, 1787)	俞彦鎬 趙瑍	『正祖實錄』 12년 2월 25일
정조 12년(건륭53, 1788)	李在協 魚錫定	『日省錄』 정조 13년 2월 21일
정조 13년(건륭54, 1789)	李性源 趙宗鉉	『正祖實錄』 14년 2월 20일
정조 14년(건륭55, 1790)	金箕性 閔台爀	『燕行日記』 정조 15년 1월 19일
정조 15년(건륭56, 1791)	金履素 李祖源	『日省錄』 정조 16년 2월 18일
정조 16년(건륭57, 1792)	朴宗岳 徐龍輔	『正祖實錄』 17년 2월 22일
정조 17년(건륭58, 1793)	黃仁點 李在學	『正祖實錄』 18년 2월 22일
정조 18년(건륭59, 1794)	朴宗岳 鄭大容	『日省錄』 정조 19년 2월 20일
정조 19년(건륭60, 1795)	閔鍾顯 李亨元 李秉模 徐有防	『日省錄』 정조 20년 2월 7일
정조 20년(가경1, 1796)	金思穆 柳烱	『日省錄』 정조 21년 2월 17일
정조 21년(가경2, 1797)	金文淳 申耆	『日省錄』 정조 22년 2월 19일
정조 22년(가경3, 1798)	李祖源 金勉柱	『日省錄』 정조 23년 1월 22일

*文孝世子의 喪으로 연회에 불참

3. 새로운 교류 공간과 사신의 활동

18세기 후반, 건륭제의 조치를 통해 조선 사신들은 황제의 이동에 따른 영송, 그리고 황제가 주관하는 궁정연회에 참여하게 되었다. 이처럼 확대된 외교 의례는 조선 사신과 청 관원이 공식적으로 접촉할 수 있는 공간을 확장시켰다.

영조 36년(건륭25, 1760) 서명신 일행은 전례에 없던 황제의 영송으로 인해 자금성 북문 밖으로 이동하였다. 영송 당일 대기하는 와중에 조선 사신이 우왕좌왕하자 예부상서 진덕화(陳德華)가 천막을 설치해서 대기할 장소를 마련해주었고 해당 장소에서 청 고관들과 잇달아 만남을 갖게 되었다. 현장의 모습을 살펴보면 다음과 같다.

> 이윽고 만상서(滿尚書) 오령안(五岺安)이 어가를 따라갔다가 지금 비로소 돌아온 후 여러 시랑과 길가 밭 사이에 앉았다. (청 측) 통관들이 먼 길을 오는 동안 평안한지 묻지 않을 수 없다면서 앞장서서 인도하고 역관들이 뒤따라갔다. 예부 당상들이 있는 곳으로 가니 예부 당상들이 또한 일어나서 들어 왔다. (중략)
> 사신들이 말하길, "먼 길에 평안하신가요?"
> 답하길, "사신 또한 평안하게 왔는지요?"라고 하니,
> 무사히 들어 왔다고 대답하였다.
> (사신들이) 또 묻길, "황상께서 행행하는 동안 만안(萬安)하신지요?"
> 답하길 "만안합니다."
> 한상서(漢尚書) 및 시랑들 역시 들어 왔다. 한 사람씩 손을 들어 은근한 뜻을 보냈다. 그중 시랑 개복(介福)은 정축 연간 부사로서 우리나라에 온 자이다. 내 앞에서 계속해서 말을 했지만 알 수 없었다.[66]

영송을 대기하는 사이에 예부의 상서와 시랑 등 대외담당 부서의 주요 고관들과 안면을 익힐 기회가 마련되었고, 영조 33년(건륭22, 1757)에 조서를 반포하기 위해 조선에 왔던 예부좌시랑 개복과의 만남

---

66) 徐命臣, 『庚辰燕行錄』 영조 36년(1760) 10월 19일, "俄而淸尙書五岺安 隨駕而往 今始還來 與諸侍郞 坐于路傍田間 通官輩言 以遠來平安之意 不可不就問 因導之先行 譯官次之 進去禮堂所在之處 則禮堂輩 亦起而進來 (중략) 使臣送言曰 遠來平安否 答曰使臣亦平安而來否 對無事入來矣 又問皇上幸行萬安否 答曰萬安 漢尙書及侍郞輩亦進來 面面擧手卞懃懃之意 其中 侍郞介福 丁丑年間 以副勅出來我國者 向余前而有縷縷所言 而不能知"

도 있었다. 이때 만남에 참여했던 예부좌시랑 김덕영(金德瑛)은 이후
관소로 문한을 보내 교류를 시도했다.[67] 위의 사례는 영송 공간이 어
떻게 청 고관들과 교류의 계기가 되는지를 잘 보여준다. 앞서의 언급
처럼 서명신 일행의 영송 참여는 일시적인 현상이었지만, 1780년대 이
후 청 고관들과 만날 수 있는 공식적 자리는 지속적으로 마련되었다.
　최초로 궁정연회에 참석한 황인점 일행이 어떠한 방식으로 교류했
는지 사료가 남아 있지 않아서 알 수 없지만, 정조 8년(건륭49, 1784)
부사로 파견된 강세황은 구체적인 자료를 남겼다. 우선 당시 강세황이
참여한 행사들과 일정은 〈표 4〉와 같다.[68]

〈표 4〉 강세황의 활동 내역

일정	행사	장소
정조 8년 12월 15일	조회	자금성 태화전
정조 8년 12월 21일	氷戲 관람 및 영송	瀛臺
정조 8년 12월 29일	세종연	자금성 보화전
정조 9년 1월 1일	조회	자금성 태화전
정조 9년 1월 2일	세수연	자광각
정조 9년 1월 6일	천수연	자금성 건청궁
정조 9년 1월 10일	기곡제 영송	자금성 오문
정조 9년 1월 14일	연회	원명원 산고수장각
정조 9년 1월 15일	원소연 연등연	원명원 정대광명전 원명원 산고수장각
정조 9년 1월 18일	이동	원명원
정조 9년 1월 19일	연회 간등희	원명원 산고수장각 원명원 慶豐圖

---

67) 徐命臣, 『庚辰燕行錄』 영조 36년(1760) 11월 7일.
68) 『正祖實錄』 정조 9년(1785) 2월 14일.

〈표 4〉의 일정을 보면 확대된 의례가 모두 적용되었다는 것을 알
수 있다. 서명신의 사례에서 보이듯이 각 연회에 앞서 행해지는 영송,
연회, 연회를 파하고 난 뒤, 연회에 참석했던 청의 고위 관원들과 자연
스럽게 교류할 기회가 만들어졌다. 강세황 역시 이러한 경험을 했을
것으로 추측된다. 강세황의 문집인 『표암집(豹菴稿)』에는 북경에서 행
한 시문 교류의 내용이 수록되어 있는데, 예부상서 덕보(德保) 6편, 박
명(博明) 2편, 호부상서 김간(金簡) 1편, 낭중 화림(和琳) 1편이며, 이들
에게 각각 시문을 보냈다.[69] 이중 박명은 문한 능력으로 조선에 상당
히 알려진 인물로서, 홍대용, 이갑, 박지원 등의 연행록에 등장하며,[70]
강세황 역시 박명의 문명을 어느 정도 알고 있었던 듯하다.[71] 김간은
조선인의 후손으로 조선 사신을 위해 몇 차례 외교 사안을 주선하였던
인물이다. 화림은 당시 최고 권력자인 화신의 동생으로 태학의 벽옹
(璧雍) 개축을 담당하고 있었다.[72]

　주목할 인물은 예부상서 덕보이다. 강세황은 덕보와 가장 많은 시를
주고받았다. 덕보에게 보낸 시의 내용을 살펴보면 삼수(三首)의 첫 번
째 시에서는 어연(御筵)의 개최, 채색옷을 입은 선동(仙童), 그네 묘기,
등화(燈火)가 등장하고,[73] 두 번째 시에서는 둥근달[圓月], 점화(點火),
만 개의 등[萬枝燈] 및 각종 기예를,[74] 세 번째 시에서는 맑은 밤[良

69) 姜世晃, 『豹菴稿』 卷2, 詩, "甲辰拜副使入燕京 和禮部尙書德保三首; 次德保次上使
　　千叟宴詩韻; 次德保次千叟宴詩韻; 次博西齋明見贈韻; 次上使韻贈博西齋; 次正使
　　韻呈金尙書簡; 贈和郎中琳"

70) 洪大容, 『湛軒書』 外集 卷7, 「燕記」 舖商; 李坤, 『燕行記事』 정조 1년(1777) 11월
　　29일; 朴趾源, 『熱河日記』 「山莊雜記」 萬國進貢記後識.

71) 博明과는 서간을 먼저 보낸 후 만남을 가졌는데, 관소 밖 현친왕(賢親王)의 사당에
　　서 대화를 나누었다. 이경화, 「표암 강세황 연구」, 서울대학교 국문학과 박사학위논
　　문, 2016, 152~153쪽.

72) 정은진, 「표암 강세황의 연행체험과 문예활동」 『한문학보』25, 2011, 317쪽.

73) 姜世晃, 『豹菴稿』 卷2, 詩, "甲辰拜副使入燕京 和禮部尙書德保三首: 新春又値太平
　　年 禁簾淸晨設御筵 邃殿仙童飄彩服 遏雲淸唱逐繁絃 鞦韆競出迷空霧 燈火爭穿羃
　　地烟 海外微蹤瞻勝事 相隨踏抃赤墀前"

宵], 굉음[轟雷], 용무(龍舞), 등화(燈火) 등을 묘사하였다.[75] 세 편의 시 중에서 적어도 두 편은 1월 15일과 19일에 개최된 연회와 연등 행사를 가리킨다고 보아도 좋을 것이다. 해당 시를 통해 덕보와 상황을 공감하려 했다면, 각각의 공간에서 덕보와 만났을 가능성은 매우 크다고 할 수 있다.

새로운 의례 공간 속에서 이루어지는 교류는 서호수(徐浩修)의 사례에서 보다 구체적으로 나타난다. 정조 14년(건륭55, 1790) 건륭제의 팔순을 축하하기 위해 열하와 북경을 왕래했던 서호수는 청 관원들과 더욱 활발하게 교류했다. 서호수가 열하에 도착한 직후 개최된 연회에서 이부상서 팽원서(彭元瑞)는 서호수에게 『해동비사(海東秘史)』와 『동국성시(東國聲詩)』 등의 서적이 조선에 있는지 자연스럽게 물었고, 조선과 중국의 경무법에 대한 차이도 서로 질의하였다.[76] 다음날 연회에서는 예부시랑 철보(鐵保)가 서호수에게 자신의 시문을 평가해줄 것과 및 서호수의 저서를 요청하였고 서호수는 『혼개도설집전(渾蓋圖說集箋)』 두 권을 주었다.[77] 그 다음날에는 연회를 마치고 서호수가 철보를 방문하여 책봉 요청 자문(咨文)에 대한 처리 문제를 논의하는 동시에 철보의 시를 명말 청초 뛰어난 문인이었던 왕사진(王士禛)과 전겸익(錢謙益)에 빗대어 높이 평가하였다.[78] 또한 『혼개도설집전』의 평가와 율력(律曆) 전공자에 대해 이야기를 나누었다.

---

74) 姜世晃, 『豹菴稿』 卷2, 詩, "甲辰拜副使入燕京 和禮部尙書德保三首: 淸宵圓月漸東升 瑞靄微分彩閣層 星走忽連千點火 花開驚見萬枝燈 架頭仙拂飄飄袂 空裏人行裊裊繩 鰲忭千官齊獻壽 太平歡樂儘堪徵"

75) 姜世晃, 『豹菴稿』 卷2, 詩, "甲辰拜副使入燕京 和禮部尙書德保三首: 高閣良宵百喜開 忽驚雲霧走轟雷 仙登彩架衣岐詭 龍舞墀彤鼓笛催 漠漠雲烟迷錦繡 層層燈火幻樓壺 深更宴罷歸靑瑣 醉後相將緩步回"

76) 徐好修, 『燕行記』 정조 14년(1790) 7월 16일.

77) 徐好修, 『燕行記』 정조 14년(1790) 7월 17일.

78) 徐好修, 『燕行記』 정조 14년(1790) 7월 18일.

서호수 일행은 북경으로 이동하는 중 근교에서 건륭제의 어가를 영접하기 위해 나온 각로 계황(稽璜)을 만났으며 이후 원명원에서 다시 보게 된다.[79] 북경 남관(南館)에 도착하여 짐을 푼 후에는 연회에 참석하기 위해 원명원으로 이동하였다.[80] 7월 30일에는 건륭제를 지영(祗迎)하는 자리에서 예부상서 기윤(紀昀)을 만나 『사고전서(四庫全書)』 및 『명사(明史)』의 편찬과정에 대해 듣고 『화담집(花潭集)』이 사고전서에 들어간다는 사실을 알게 되었다.[81] 8월 3일 역시 원명원 연회에 참석했는데, 그곳에서 군기대신(軍機大臣) 왕걸(王杰)과 인사를 나누었고, 이후 왕걸은 편지를 보내 조선 문집의 현황을 묻고는 한백겸(韓百謙)의 「기전고(箕田考)」의 발송을 부탁했다. 서호수는 귀국 후 조정에 보고해 「기전고」 20본을 인쇄하여 연행사 편에 부쳐 왕걸, 기윤, 철보에게 보내주었다.[82]

의례 공간에서 이루어진 만남은 단속적으로 그치는 것이 아니라 지속적인 교류의 계기가 되었다. 서호수가 관소에 머무는 중에 예부상서 기윤에게 예물과 문안 편지를 보내자 바로 답례품을 받았다.[83] 같은 방식으로 예부시랑 철보,[84] 앞서 등장한 김간,[85] 복강안(福康安),[86] 연성공(衍聖公: 공자의 후예) 공헌배(孔憲培)[87] 등과도 연회 및 영송 공간에서의 만남을 계기로 이후에 교류를 지속하였다.

서호수 일행이 형성한 사신과 청 관원의 인적 교류는 다음번 사신에

79) 徐好修, 『燕行記』 정조 14년(1790) 7월 24일.
80) 徐好修, 『燕行記』 정조 14년(1790) 7월 25일.
81) 徐好修, 『燕行記』 정조 14년(1790) 7월 30일.
82) 徐好修, 『燕行記』 정조 14년(1790) 8월 3일.
83) 徐好修, 『燕行記』 정조 14년(1790) 8월 14일.
84) 徐好修, 『燕行記』 정조 14년(1790) 8월 20일 및 8월 27일.
85) 徐好修, 『燕行記』 정조 14년(1790) 8월 24일.
86) 徐好修, 『燕行記』 정조 14년(1790) 8월 23일.
87) 徐好修, 『燕行記』 정조 14년(1790) 8월 9일 및 8월 21일.

게도 이어졌다. 같은 해(1790) 절사(節使) 김기성(金箕性) 등은 도착한 직후 김간으로부터 두 차례의 음식물을 받았다.[88] 다음 달 김간은 필묵과 함께 서적을 보내주기도 했는데,[89] 이는 조선 사신이 요청했을 가능성도 있다. 아울러 귀국일이 늦어지는 조선 사신을 위해 왕 중당(王中堂) 즉 군기대신 왕걸에게 주선을 시도하여 조선 사신을 감동시켰다.[90] 예부시랑 철보와의 인연도 지속되었다. 조선 사신과 철보와의 관계는 이미 밀접하게 유지되었던 것으로 보이는데, 철보는 박제가를 통해 부친의 병에 필요한 약재를 요청하였고 사신 일행은 예물과 함께 약재를 보냈다.[91] 이후 산고수장각 연회 직전 영송 반열에서 철보를 만나 부친의 건강상태에 관해 문답하였다.[92] 하마연 때 출발 일정과 관련해 철보는 모레 출발이 가능하며 회자문(回咨文)이 아직 나오지 않았지만 역관을 남겼다가 받아가도 좋다며 사전에 출발할 수 있도록 배려를 해주었다.[93]

새로운 교류 대상도 등장했다. 예부상서 상청(常靑)은 정조 12년(건륭53, 1788) 상서 직에 임명된 지 얼마 되지 않아 일 처리가 미숙하여 역관에 대한 대우가 전만 못해졌다고 사신으로부터 평가받은 인물이다.[94] 이번 사행에서 상청은 연회 반열에서 김간을 통해 조선 사신들을 소개받고 그와 함께 조선 사신의 귀국일정을 맞춰주기 위해 노력했으며, 이 일을 계기로 사신들은 상청을 긍정적으로 평가하며 적극적으로 교류하고자 했다.[95] 또한 사신일행은 정대광명전 연회에서는 각로

---

88) 金箕性, 『燕行日記』 정조 14년(1790) 12월 27일.
89) 金箕性, 『燕行日記』 정조 15년(1791) 1월 21일.
90) 金箕性, 『燕行日記』 정조 15년(1791) 1월 23일.
91) 金箕性, 『燕行日記』 정조 15년(1791) 1월 17일.
92) 金箕性, 『燕行日記』 정조 15년(1791) 1월 19일.
93) 金箕性, 『燕行日記』 정조 15년(1791) 1월 22일.
94) 『日省錄』 정조 13년(1789) 3월 9일.
95) 李在學, 『燕行日記』 정조 18년(1794) 1월 17일.

(閣老) 아계(阿桂)와도 대화를 나누었다. 아계는 조선에 여러 차례 방문했던 대학사(大學士) 아극돈(阿克敦)의 아들이었다. 정사 김기성은 틈틈이 아계와 대화할 기회를 엿보았는데[96] 1780년대 이전과 달리 조선 사신 측의 적극적인 모습을 확인할 수 있다.

정조 17년(건륭58, 1793) 부사 이재학(李在學)은 기윤을 만나고 온 역관에 대해 분수도 모른다고 비난하면서 신분제적 차별 의식을 드러냈다.[97] 이 탓인지 그의 연행록에는 청 관원과 교류의 흔적이 나타나지 않는지만, 그럼에도 불구하고 김간의 예물 증여와 조선 사신의 회례는 몇 차례나 확인된다.[98]

정조 18년(건륭59, 1794) 두 번째 북경에 온 정사 홍양호(洪良浩)는 귀국 후에도 청 문인들과 지속적으로 연락을 했다는 특징을 갖는다. 제1차 연행 때(1782) 북경에 도착한 즉시 홍양호는 당시 문명이 높던 수찬(修撰) 대구형(戴衢亨)에게 편지와 시문을 보냈다.[99] 대구형은 홍양호의 문장을 높이 평가하고는 서로 시문을 교환했지만,[100] 이 관계는 연속적이지 못했고 2차 사행 때도 대구형과의 만남은 이루어지지 못했다. 그러나 당시 청의 예부상서를 맡고 있던 기윤과의 만남이 성사되었다. 그에 따르면 기윤은 이미 홍양호의 문명을 알고 있었고 두

---

96) 李在學, 『燕行日記』 정조 18년(1794) 1월 19일.

97) 李在學, 『燕行日記』 정조 18년(1794) 1월 22일.

98) 李在學, 『燕行日記』 정조 17년(1793) 12월 26일; 같은 자료, 정조 18년(1794) 1월 10일; 같은 자료, 정조 18년(1794) 1월 24일.

99) 洪良浩, 『耳溪集』 卷11, 序「送從子樂游赴燕序」, "壬寅之行 得戴衢亨翰林 少年魁鼎甲 聲名甚盛 而終未得接見顏色 只以詩篇往復而已"

100) 洪良浩, 『耳溪集』 卷18, 自序「太史氏自序」, "曩時初入燕京 翰林修撰戴衢亨聞名 求見詩筆 乃書示紀行詩二篇 衢亨大加推詡曰 詩則清遒老健 筆則大類李北海 贈以古詩長篇 乃以文房爲贄 是行衢亨適以學政出外 中朝無知面者 及領賞于午門 禮部尚書紀昀 頒賞來 相去稍遠 無以交話 以時注目 及退出 遣象胥致款曰 久仰高名 交臂而失之 殆有數焉 今聞令郎學士隨來 求與相見 乃遣樂浚造門 紀公步出中門而迎之 延置上座曰 夙慕尊大人盛名 今也望見而不得接語可恨 因求見詩文 以宿稿二弓贈之 紀公大賞之 各著詩文序 使其門人蔣詩 書而遺之"

사람의 교류는 연행 이후에도 지속되어 심지어 홍양호의 손자 대까지 이어졌다.101)

홍양호의 교류는 기윤에 그쳤던 것은 아니다. 첫 번째 연행 때, 김간이 보내준 도첩(圖帖)에 제(題)를 써 준 것으로 보아 김간과 조선 사신의 교류가 지속되었다는 것을 알 수 있다.102) 그의 두 번째 연행에서 건륭제는 자광각 연회 후에 예부시랑으로 하여금 조선 사신들을 인솔하여 여러 연희를 관람하게 했다.103) 이와 관련하여 홍양호가 예부시랑 철보에게 시를 받고 화답하기도 했다.104) 앞서 사신들과 마찬가지로 홍양호와 철보의 인연은 연회 혹은 영송 공간을 통해 만들어졌을 가능성이 매우 크다.

18세기의 끝자락에 쓰인 서유문(徐有聞)의 『무오연행록(戊午燕行錄)』에서도 의례 공간에서 다양한 교류들이 확인된다. 정조 23년(가경 4, 1799) 1월 3일에 건륭제가 세상을 떠남에 따라 조선 사신들도 곡반(哭班)에 참여했다. 서유문은 이곳에서 기윤의 아들을 만나 시문을 요청받았고,105) 다음날에는 기윤의 조카를 만나기도 했다.106) 1월 25일에는 곡반에서 예부시랑 철보가 박제가의 안부를 물으며 인사를 건넸다.107) 2월 3일 호부의 왕 낭중(王郎中)이 찾아와 한나절 동안 대화를 나누었다. 그는 조선의 의복에 대해 관심을 보였고, 또 건륭제의 장례 및 화신의 처벌 이후 주요 관직의 인사이동에 대한 상황을 전달해주기

---

101) 진재교, 「18세기 조선조와 청조 學人의 학술교류 -홍양호와 紀昀을 중심으로-」 『고전문학연구』23, 2003.

102) 洪良浩, 『耳溪集』 卷6, 詩 「燕雲紀行」, "戶部侍郎金簡 送示蕉園小像帖 名曰綠天圖 遂作長篇 以題其後"

103) 『日省錄』 정조 19년(1795) 2월 20일.

104) 洪良浩, 『耳溪集』 卷7 詩 「燕雲續詠」, "禮部侍郎鐵保手寫一聯詩見贈 詩以謝之"

105) 徐有聞, 『戊午燕行錄』 정조 23년(1799) 1월 3일.

106) 徐有聞, 『戊午燕行錄』 정조 23년(1799) 1월 4일.

107) 徐有聞, 『戊午燕行錄』 정조 23년(1799) 1월 25일.

도 했다.108) 조선 사신의 관소에서 사신이 호부낭중이 스스럼없이 대화를 나누는 모습은 18세기 중반 청 관원의 방문을 일단 막아섰던 장면과는 현격한 차이를 보인다. 서유문은 당시 조선 사신과 가장 많은 교유를 나누고 있던 기윤과 직접 접촉하지 않는 등 교류에 적극적이지는 않았다. 그럼에도 불구하고 조선 사신과 청 관원은 확대된 공간 속에서 자연스럽게 만남을 가졌고, 더하여 그동안 형성되었던 인적 교류로 인해 본인이 먼저 접근하지 않아도 손쉽게 교류가 이루어졌다.

건륭 47년 이후 조선 사신들은 매년 연말부터 연초에 거행된 수많은 연회에 참석하였다. 황제의 친림으로 인해 해당 연회 시작 전에 어가를 맞이하기 위한 영송 의례가 거행되었고, 여기에는 조선 사신들도 영송 반열에 포함되었다. 사신들은 영송을 기다리는 과정에서 의례를 준비하는 청 관원들과 자연스러운 만남을 가졌다. 특히 문한에 관심이 많은 청 관원은 일부러라도 조선 사신과 교류를 시도했으며, 이와 같은 행동은 다음 사신에게도 이어지며 인적 교류망이 형성되었다. 18세기 내내 사신들은 수행관과 달리 교류에 소극적인 모습을 보여 왔는데, 공식적으로 확대된 외교 의례는 청 고관들과 적극적으로 교류할 수 있는 기반이 되었다.

---

108) 徐有聞, 『戊午燕行錄』 정조 23년(1799) 2월 3일.

5장
19세기 전반 사신 파견의 감소

1. '진하외교'의 지속과 퇴색

정조는 통치 기간 내내 전례에 없던 별사(別使)를 파견함으로써 조선·청 양국의 우호도를 크게 높였다. '진하외교'라고 부를 수 있는 정조의 정책은 양국 관계의 형식적·의례적 틀을 넘어서는 적극적인 행동이었다.[1] 그 결과 정조는 자신의 정치적 목적 즉 왕세자 책봉을 원하는 시기에 받을 수 있는 기반을 마련했다. 물론 건륭제 역시 정조의 '진하외교'를 이용해 본인이 연출하고자 했던 천조(天朝)의 위상을 대외적으로 과시할 수 있었다. 따라서 양자 모두 '진하외교'를 각각 국내 정치에 적극 활용했다고 보아도 무방하다.

일반적으로는 청에서 경사가 생기면 조서(詔書)를 천하에 반포하고, 그 조서가 조선에 도착한 이후 사신을 파견했다. 따라서 관행에 따른 조서의 전달 시간을 고려한다면 조선 사신은 청에서 경사가 발생한 지 최소 3개월이 지나서야 북경에 도착할 수 있었다. 반면 '진하외교'의 핵심은 청의 행사 당일에 맞춰 도착하도록 사신을 파견함으로써, 청이 연출하고 했던 '만국래조(萬國來朝)'의 목적에 호응해주는 것이었다.

19세기에 들어 정조가 시행한 '진하외교' 즉 전례에 없는 별사 파견이라는 수단은 여전히 활용되었다. 19세기 첫 번째 '진하외교'는 가경

---

1) 정조가 특별 사신을 파견한 과정은 구범진, 「조선의 청 황제 성절 축하와 건륭 칠순 '진하 외교'」『한국문화』68, 2014.

제의 오순(五旬) 생일을 축하하는 일이었다. 가경제의 오순 성절(五旬聖節)과 관련해 청 예부에서는 공문을 보내지는 않았지만 조선에서는 이미 가경제의 오순을 염두에 두고 있었다. 사은겸삼절연공행 정사 남공철(南公轍) 등은 순조 8년(가경13, 1808) 2월 북경에서 치계(馳啓)를 보내 이듬해 황제의 오순을 축하하기 위해 특별 과거를 시행할 것이라는 상유를 전하였다.[2] 이에 비변사에서는 건륭제의 칠순과 팔순 때 예부의 통지가 없었음에도 진하했던 사례를 언급하며 순조 8년에 출발할 사행의 명칭을 '삼절연공'에서 '진하사은겸동지'로 변경할 것과 방물 및 진하 표문의 지참을 건의하여 승인받았다.[3] 이에 같은 해 10월에 출발하는 사행에 가경제의 성절을 축하하는 표문[4]과 별도로, 오순을 축하는 표문[5]과 방물을 준비시켰다. 가경 오순 조서가 순조 9년(가경14, 1809) 1월 12일에 반포되었다는 점을 고려하면 조서가 도착하기도 전에 앞으로 있을 축하 행사에 맞춰 미리 출발한 것이다.[6]

가경제는 각 독무(督撫) 등에게 상유를 내려 내년 오순 행사에 일상적인 공물 외의 진헌을 모두 금지시켰다.[7] 그럼에도 불구하고 분명 해당 의례는 건륭제 때 만들어진 관행의 지속 여부를 결정하는 갈림길이 되었다. 조선의 입장에서도 황제 생일과 관련한 조서를 받지 않았음에

---

2) 『日省錄』순조 8년(1808) 2월 21일, "初二日 奉上諭 來年爲朕五旬誕辰 仰賴昊慈眷佑 寶宇謐寧 嘉與海內臣民 同臻仁壽 所有應行施恩各條 俟來歲再行頒詔 而開科取士 應預先辦理 著于本年八月擧行恩科鄕試 來年三月擧行會試 俾多士忭舞觀光 用副朕行慶作人洪敷敎澤至意 臣等在館 所得見公文"

3) 『承政院日記』순조 8년(1808) 9월 5일.

4) 『同文彙考』原編續, 節使4「【戊辰】聖節表【文同丙辰頒式】」12a.

5) 『同文彙考』原編續, 進賀2「【戊辰】賀皇上五旬表」28a~28b.

6) 순조 8년의 진하에는 '진하외교'를 통한 청과의 우호 강화 외에도, 오순 축하 조서를 청 사신이 아닌 조선 사신이 수령[順付] 받으려는 현실적인 목적도 있었던 것으로 보인다(『承政院日記』순조 8년(1808) 10월 22일). 다만 순부 여부는 전적으로 청에서 결정하기 때문에 순부만을 목적으로 사신을 파견했다고 보기는 어렵다.

7) 『淸仁宗實錄』嘉慶 13년(1808) 2월 29일.

도 불구하고 진하사를 파견하여 청의 무언의 요구에 호응할지를 결정
해야 했다. 청의 입장에서는 만일 유구나 안남이 때에 맞춰 도착하지
않는다면 오순 하례에 참석하는 외국은 조선이 유일할 수도 있었다.
따라서 천조(天朝)의 권위를 연출하는 데 있어 조선은 필수적인 구성
원이었고, 동시에 언제나 적극적으로 참석해주는 믿을만한 손님이기
도 했다.

　오순 축하를 위한 심능건(沈能建) 일행은 순조 8년 12월 19일에 북
경에 도착했다. 일반적으로 12월 25일 내외에 이르렀던 것에 비해 약
일주일 정도 빠른 시기였다. 예부에서는 평소보다 일찍 도착한 이유를
물었고 조선 사신들은 황제의 오순 성절 방물을 미리 납부하기 위해서
라고 답하였다. 예부 만상서(滿尙書) 공아납(恭阿拉)은 매우 훌륭한 일
이라고 칭찬을 하며 다음날 주문을 올려 조선에서 미리 성절을 진하한
다는 내용을 황제에게 아뢰었다.[8] 순조 9년(가경14, 1809) 1월 1일 조
선 사신은 정조 조하례 및 오순 성절 조서 반포 의례에 참석하였다.
이외에도 12월 연말에는 빙희(冰戲)를 관람했고 세종연(歲終宴)을 비
롯하여 1월 4일 자광각(紫光閣), 13일~16일·19일 원명원(圓明園)에
서 열리는 연회에 참석한 후 1월 21일에 비로소 상마연(上馬宴)을 치
르고 황제의 오순칭경(五旬稱慶) 조서를 받고 1월 29일 조선으로 출발
했다.[9] 순조는 진하사 일행을 소견한 자리에서 황제의 오순 조서를 순
부(順付) 받은 과정을 물으며 청 사신이 오지 않은 결과에 대해 매우
흡족해했다.[10]

---

8) 『日省錄』 순조 9년(1809) 2월 14일, "十二月十九日到北京 直詣禮部則諸郎官招致
　任譯問 今年進京差早之由 故答以明年卽皇上五旬之年 小邦不勝歡忭之忱 另具方
　物 欲於立春日進表 故比前來早 因呈表咨文 則漢侍郎戴聯奎與諸郎官祗受 臣等仍
　爲退歸住接於南小館 聞通官輩傳言則 滿尙書恭阿拉 因事到部 聞有進賀表文以爲
　今此朝鮮預賀 極爲得體 二十日 禮部卽以朝鮮使臣到京之意奏聞 以知道批下 而尙
　書恭阿拉 因晩朝登筵 更以朝鮮進表預賀之意面稟"
9) 『日省錄』 순조 9년(1809) 2월 14일.

가경제의 생일은 10월 6일이었다. 따라서 심능건 일행이 준비한 오순 축하 표문과 방물은 가경 14년의 생일을 미리 축하하는 것이었지 생일 당일을 위한 것은 아니었다. 앞서 살펴본 것처럼 정조의 경우 건륭제의 칠순과 팔순 생일 당일에 맞춰 별도의 진하사를 파견했었다. 조선에서는 정조 당시의 조치를 그대로 재현하였다. 가경 14년 10월 6일의 생일에 맞춰 도착하기 위해 순조 9년 7월 한용귀(韓用龜)를 정사로 삼아 진하사를 파견하였다.[11] 한용귀 일행은 9월 24일에 북경에 도착, 표문 등을 바로 예부에 올렸다. 북경에서 준비된 오순 성절에는 안남 사신들도 참석했다.[12] 당시 안남의 공기(貢期)는 3년 1공이었지만 실제 조공 간격이 불규칙했다는 점을 고려하면, 가경 오순에 정확히 맞춰 북경에 왔다는 것은 청에서 요구한 결과일 것이다.[13]

가경제의 오순 성절 행사는 건륭제 당시만큼 아니지만 조선 사신들에게는 상당히 성대하게 인식되었다. 조선 사신들은 10월 1일에는 영수궁(寧壽宮)에서 종친(宗親)들과 같이 연극을 관람하고 10월 4일에는 연회 자리에서 가경제로부터 조선에서 보기 어려운 진귀한 물품들을 받았다. 10월 6일에는 성절 축하 의례에 참석한 후 황제의 명령으로 시를 지어 올리고 하사품을 수령했다. 10월 7일과 8일에는 원명원을 들렀다가 곤명호(昆明湖)에서 배를 타고 금오옥동교(金鰲玉蝀橋) 등을 거쳐 동락원(同樂園)에서 종친들과 연극을 관람했다. 또한 국왕과 사신에게 별도로 상품(賞品)이 하사되었다. 10월 9일에는 만수연(萬壽宴)

---

10) 『承政院日記』 순조 9년(1809) 3월 13일.

11) 『承政院日記』 순조 9년(1809) 7월 24일.

12) 이때 파견된 안남의 사신은 阮有愼, 黎得泰 등이었다. 응우엔 왕조[阮朝]의 대청(對淸) 사신 파견 현황은 孫宏年, 『淸代中越宗藩關系硏究』, 哈爾濱 : 黑龍江敎育出版社, 2006, 80~81쪽.

13) 건륭제 칠순과 팔순 생일에 정기적 조공을 행하지 않았던 외국들을 불러 성대한 의례를 연출하려고 한 내용은 夫馬進, 「1609년 일본의 유구 합병이후 중국, 조선의 대유구 외교 -동아시아4국의 책봉, 통신, 그리고 두절」 『이화사학연구』37, 2008.

에 참석했는데 가경제가 친히 술을 하사했고 또 별도의 상품을 받았다. 10월 10일에는 예부로부터 극식(飯食)을 전달받았다. 여러 차례의 연회 끝에 10월 22일에 조공에 대한 회사품(回賜品)을 받고 10월 24일에 비로소 출발했다.14)

귀국 후 복명(復命)하는 자리에서 한용귀 등은 궁궐이 너무 사치스럽고 순행이 잦아 재정 소비가 많다고 지적하였다. 아울러 이번 생일 연회가 연일 이어졌는데 비록 구례(舊禮)라고 하더라도 문제라며 비판적 시각을 드러냈다. 그러나 사신의 접대와 관련하여 다른 나라와 비교해 차이가 있으며 정대광명전(正大光明殿) 연회에서 가경제가 조선 사신들을 직접 불러 친히 술을 따라주었던 일을 보고하며 매우 큰 은혜[異數]라고 강조했다.15) 수역 윤득운(尹得運)은 가경제가 검소함을 실천함에도 불구하고 누각들을 아름답게 단장했으며 특히 원명원의 일부 전각을 이번 오순 행사를 위해 정비했다고 서술하였다.16)

공기가 불규칙한 안남 사신이 가경제의 오순에 맞춰 북경에 도착한 점, 오순 의례와 관련된 전각들을 정비한 점 등을 고려하면 가경제가 생일 의례를 최대한 축소하라고 한 명령에도 불구하고 분명 오순 축하 의례는 천조의 권위를 연출하기 위한 장치로써 활용되었다.

10년 후인 순조 19년(가경24, 1819)은 가경제의 육순(六旬)이 되는 해였다. 조선에서는 가경 오순 때와 마찬가지로 청에서 조서를 발송하

---

14) 『日省錄』 순조 9년(1809) 11월 16일.

15) 『承政院日記』 순조 9년(1809) 12월 15일, "且宮室服飾之美 無非糜賫之端 而烟雨樓 聽戲閣 雄偉眩耀 比前倍加 其遊衍之方 太無節限 及夫聖節之月 自初一至初九 而 連日設戲 必皆臨觀 此雖舊例云 而萬幾之委屬 從可知也 凡此數事 俱非久安之策 而閭里之間 姑無愁怨之聲 或其風俗 狃習而然也 此外則俱載於書狀聞見錄矣 用龜 日 自前接待之道 稍異他國使臣 而今番皇帝 親行袷禮 使臣等進參 (중략) 又於圓明 園之正大光明殿 大設宴饋 使中官導臣等至御榻 故臣等遂巡不敢進 則皇帝連促登 坐 而手自錫爵 此皆異數云 而前後進見 未接一語 此則似以言語之難通故也"

16) 『日省錄』 순조 9년(1809) 12월 15일, "一 皇帝尙儉惜費 而至於樓臺遊觀 則不無致美 之意 圓明園同樂園東方建煙雨樓 爲今番慶宴 寧壽宮丹碧甍瓦奐然一新 比前輝煌"

지 않았음에도 순조 18년(가경23, 1818) 10월에 출발하는 절사에 육순 성절을 진하(進賀)하는 표문을 지참시켰다.[17] 또한 같은 해 7월 가경 제가 심양(瀋陽)에 순행했을 때 황제를 문안하기 위해 파견되었던 조선 사신들에게 어필을 비롯한 하사품을 주었는데, 조선에서는 이에 대해 같은 해 10월 별도의 사은사를 보냈다. 따라서 순조 18년 10월에는 육순을 축하하는 진하겸삼절연공사와 어필 하사에 감사하는 사은사가 같은 달에 출발하였다.[18] 순조 19년 1월 조하례는 황제의 육순 성절 축하 의례를 겸했는데, 당시 참여한 외국은 조선 이외에는 유구가 유일했던 것으로 보인다. 조선의 기록에는 다른 외국이 전혀 등장하지 않으며,[19] 청 측 기록에도 축하 의례에 외번(外藩)이 참가했다고 되어 있지만 구체적으로 명기된 나라는 조선과 유구뿐이었다.[20]

순조 19년 10월에는 가경제의 생일에 대한 별도의 축하 의례를 거행하였다. 이번에도 조선에서는 이노익(李魯益)을 정사로 하는 축하 사절단을 파견하였다. 육순 행사 역시 청의 권위를 과시하기 위한 무대로 활용되었으며 안남, 섬라(暹羅), 남장(南掌)에서 사신을 파견해서 표문과 공물을 올렸다.[21] 앞서 같은 해 1월 1일에 거행된 성절 의례는 생각보다 규모가 화려하지 않았지만, 생일 당일에 치러진 육순 축하 행사에는 조선을 포함한 많은 외국을 불러 건륭제에 버금가는 모습을

---

17) 당시 사신은 가경제의 육순 축하 표문과 성절 표문을 각각 지참했다. 『同文彙考』原編續, 進賀3「【戊寅】賀皇上六旬表」1a~1b 및 같은 자료, 原編續, 節使6「【戊寅】聖節表」9b.

18) 사은사는 10월 13일, 진하겸동지사은사는 10월 25일에 각각 출발했다, 『純祖實錄』순조 18년(1818) 해당 월일,

19) 『日省錄』순조 19년(1819) 2월 11일, "本年正月初一日 五鼓臣等與書狀官詣崇宗門外 伺候通官等來傳 寅刻皇帝幸堂子少頃還內云 臣等至太和殿庭 平明皇帝出御殿 內臣就班次行三拜九叩頭禮 仍詣天安門外 同文武百官 跪聽宣詔 此是皇帝六旬稱慶之詔 而午刻又入參太保殿宴 此亦六旬稱慶之宴 而皇帝五旬有此設宴云 而其張樂設戲不甚張大"

20) 『清仁宗實錄』嘉慶 24년(1819) 1월 26일.

21) 『清史稿』嘉慶 24년(1819) 10월 1일.

연출하고자 했다. 섬라와 남장의 공기가 각각 3년 1공과 5년 1공이었지만[22] 조공의 간격이 일정하지 않았다는 점을 고려하면 역시 청 측의 사전 공지가 있었다고 추측할 수 있다.

한편 19세기 들어 청의 국력은 약화되었다. 19세기 이후 지방에서 반란들이 연이어 발생했지만 진압은 쉽사리 이루어지지 않았다.[23] 백련교(白蓮敎)의 난, 묘족의 반란, 동남방 해안의 해적 등은 특히 청 남쪽 지역의 원활한 조공을 방해했고 이에 따라 청 황제가 연출하고 싶어 했던 천조의 권위는 제대로 보여주기 어려웠다. 신강(新疆)에서 발생한 장격이(張格爾, Jahanghir Khoja)의 반란은 초기에 적절한 대응을 잘못한 결과였다. 가경 25년(순조20, 1820) 9월 수 백인의 규모였던 반란군은 청 진압군의 연이은 실패로 호한(浩罕) 칸과 연합하면서 점차 그 세력을 확장하였다. 결국 도광제는 도광 7년(순조27, 1827) 섬감총독(陝甘總督) 양우춘(楊遇春) 및 고원제독(固原提督) 양방(楊芳) 등으로 하여금 진압하게 했고 수개월의 작전 끝에 장격이를 사로잡았다.[24]

도광제는 이상의 성과를 성세(盛世)의 치적으로 기억하고자 했다. 이에 옹정제 및 건륭제가 시행했던 헌부례(獻俘禮)를 재현하였다.[25] 헌부례는 전쟁에서 사로잡은 포로를 궁궐 또는 종묘 등에 봉헌함으로써 정벌의 성공과 천명(天命)의 정당성을 구현하는 의례이며, 청대에

---

22) 『大淸會典』에 기반한 외국의 공기(貢期) 및 조공 횟수에 대해서는 李云泉, 『朝貢制度史論』, 北京: 新華出版社, 2004, 143~146쪽.

23) 임계순, 『淸史 - 만주족이 통치한 중국』, 신서원, 2004, 317~338쪽; 수잔 만 존스, 필립 A. 쿤, 「왕조의 쇠퇴와 동란의 근원」(존 K. 페어뱅크 편집, 김한식·김종건 외 번역, 『캠브리지 중국사 -1800~1911』10 상, 새물결, 2007).

24) 張玉芬, 「道光帝旻宁」(白壽彝 總主編, 『中國通史』18, 上海: 上海人民出版社, 1996), 899~901쪽.

25) 『淸宣宗實錄』 道光 8년(1828) 5월 12일, "上禦午門樓受俘 都統哈哴阿等率解俘囚將校 以俘囚張格爾 豫俟於午門外之西 大樂鼓吹金鼓全作 上升座 解俘囚將校行禮 畢 令俘囚張格爾北向跪伏 兵部尙書跪奏 平定回疆 生獲俘囚張格爾 謹獻闕下請旨 命王大臣會同刑部嚴訊 刑部尙書跪領旨 兵部司官 以俘囚張格爾交刑部司官 自天安門出 王公百官行慶賀禮"

는 옹정 연간에 1차례, 건륭 연간에는 3차례나 시행되었다.[26] 도광제
는 전쟁의 승리를 알리는 조서를 천하에 반포하였고, 순조 28년(도광8,
1828) 삼절연공겸사은행 부사 송면재(宋冕載) 등은 북경에서 장계를
보내 반란의 진압 과정과 함께, 황제가 이를 매우 기뻐하여 중외에 선
포하였으며 예부에서는 조선 사신이 이미 황제에게 하직인사[辭陛]를
했지만 경사를 맞이하여 특별히 황제를 지영(祗迎)하도록 조치했다는
내용을 알렸다.[27]

순조 28년 4월, 반란 평정을 축하하기 위해 파견된 남연군(南延君)
이구(李球) 등의 장계에 따르면, 황제는 조선의 진하사 파견을 매우 흡
족하게 생각하여 장군 장령(長齡)의 개선연연(凱旋筵宴)에 조선 사신
들을 참석하도록 했으며, 특히 조선에서 때에 맞추어 축하했다는 점을
높이 샀다.[28] 연회 자리에서 도광제는 조선 사신들에게 조선국왕의 공
순함을 높게 평가한다는 말을 전하도록 하였다. 통관들에 따르면 이번
연회는 오직 조선 사신 때문에 개최된 것이었다. 도광제는 자신이 그
토록 과시하고 싶어 했던 개선 의례에 적극적으로 호응해준 조선을
어여삐 보지 않을 수 없었을 것이다.

그러나 이와 같은 청의 의례를 통한 과시와 조선의 호응은 1840년
대 이후 점차 사그라들었다. 헌종 7년(도광21, 1841)은 도광제의 육순
이 되는 해였다. 『청실록』에서는 도광제의 육순 생일을 준비하는 언급
을 확인할 수 없다. 따라서 가경제가 오순 생일을 축소하라는 유지를
몇 차례 내림으로써 사실상 오순을 강조한 것과는 분명 차이를 보인
다. 이러한 상황에도 불구하고 조선에서는 생일 전년도인 헌종 6년(도
광20, 1840) 10월 절사를 파견할 때 육순 생일을 축하하는 표문과 방물
을 지참시켰다.[29] 이에 대한 청의 반응은 확인되지 않는다. 도광제는

---

26) 黃韶海, 「淸代獻俘受俘礼初探」『淸史硏究』3, 2020.
27) 『純祖實錄』 순조 28년(1828) 2월 26일.
28) 『純祖實錄』 순조 28년(1828) 8월 12일.

도광 7년(1827) 2월에 코르친 탁리극도친왕(卓哩克圖親王) 파도(巴圖) 등이 8월 전에 북경으로 와서 황제의 생일을 축하하겠다고 청한 것을 거절했다.[30] 같은 해 7월에는 생일 당일 고제(告祭) 의례 및 연회를 하지 말도록 명령했으며,[31] 퇴직 관리 및 기민(耆民)의 축하도 모두 금지시켰다. 이러한 모습은 해당 시기에 제1차 아편전쟁이 발발했기 때문으로 보인다.[32] 이 때문에 같은 해 1월에 도광제의 육순과 관련한 조서도 반포되지 않았고, 따라서 조선에서도 생일 당일 행사에 참석할 진하사를 보내지 않았다.[33]

철종 11년(함풍10, 1860) 3월 함풍제의 삼순(三旬) 성절에 관한 조서가 도착했다. 전년도에 황제 삼순에 관한 어떠한 자문도 조선에 전달되지 않았기 때문에 철종 10년의 삼절연공행에는 일반적인 성절 표문만 지참했을 뿐 삼순 축하 표문은 가지고 가지 않았다. 절사를 파견할 때까지 함풍제의 삼순에 관한 조선·청 양측 모두 입장을 확인할 수 없다. 철종 11년 1월 황제의 삼순을 축하하는 조서가 반포되었고,[34] 같은 해 2월 절사의 언서(諺書) 장계를 통해 해당 사실이 전달되자 조정에서는 바로 진하사의 파견을 결정하였다.[35] 조선에서도 삼순 칭경 행사가 처음 있는 일이라는 것을 명확히 인지하고 있었다.[36] 전례가

---

29) 『同文彙考』 原編續, 進賀4 「【同年】賀皇上六旬表」 37a~38b.

30) 『清宣宗實錄』 道光 21년(1841) 2월 15일.

31) 『清宣宗實錄』 道光 21년(1841) 7월 8일.

32) 당시 조선에서 제1차 아편전쟁에 관해 확보한 정보들에 대해서는 민두기, 「十九世紀後半 朝鮮王朝의 對外危機意識: 第一次·二次 中英戰爭과 異樣船 出沒에의 對應」 『동방학지』52, 1986.

33) 도광제의 육순 당일 도광제는 정대광명전에서 황자(皇子) 및 문무대신, 몽골왕공, 그리고 월남 사신 등으로부터 하례를 받았다. 이후 동락원에서 왕자 및 내정대신, 몽골왕공 등에게 어식(御食)을 하사했다. 이 자리에 조선 사신은 참석하지 않았다. 『清宣宗實錄』 道光 21년(1841) 8월 10일.

34) 『清文宗實錄』 咸豐 10년(1860) 1월 1일; 『同文彙考』 原編續, 進賀5 「【庚申】頒皇上三旬詔」 6a~6b.

35) 『承政院日記』 철종 11년(1860) 2월 9일.

없음에도 조선에서는 삼순 칭경 조서를 중요하게 판단하여 함풍제의 생일(6월 9일)에 도착할 수 있도록 윤3월에 사신을 파견하였다.[37]

건륭제 및 가경제 때와 달리 함풍제의 삼순은 급작스럽게 준비되었다.[38] 당시는 제2차 아편전쟁이 진행 중인 상황이었다. 더하여 전쟁 이전부터 청의 재정 위기로 말미암아 건륭제 때 조선 등의 외국도 참여시킨 궁정연회[外藩宴]는 점차 축소되고 있었다. 당시 진하행 정사 임백경(任百經)과 부사 박제인(朴齊仁)은 함풍제의 생일 전날과 당일에는 동락원(同樂園)에서 개최된 '소식(小食)'에 참여하였으며, 생일 당일에는 정대광명전의 하례에 참석했다. 연회에 온 외국은 조선이 유일했다.

'진하외교'는 청의 주요 행사 당일에 참석하도록 사신을 미리 파견하여, 청의 긍정적 호응을 끌어냄으로써 조선·청 양국 관계의 우호를 높이는 외교 방식이다. 정조는 '진하외교'의 시행을 통해 조선·청 관계의 안정, 세자 책봉의 원활한 승인, 건륭제의 강력한 지지라는 성과를 거두었다. 순조 연간에도 청의 간접적 요청에 조선이 적극 호응함으로써 '진하외교'는 지속되었다. 그러나 1840년대 이후, 아편전쟁과 함께 청의 혼란한 상황으로 인해 '진하외교'에 대한 요구는 사라지고, 조선의 대응도 형식적으로 바뀌어 갔다.

2. 진주사의 파견과 활동

18세기 후반 빈번히 시행되었던 '진하외교'는 19세기에 들어 점차

---

36) 『承政院日記』 철종 11년(1860) 3월 5일, "晦壽日 皇帝三旬稱慶頒詔順付出來矣 使臣入京日迎接儀節 照例擧行之意 分付禮曹何如 上曰依爲之 出擧條 仍敎曰 皇帝三十稱慶 前亦所無之事 而今此稱慶 何也 晦壽日 溯考承文院謄錄 則乾隆六旬 始爲稱慶 嘉慶四十稱慶 而三十稱慶 卽初有之事也"

37) 『日省錄』 철종 11년(1860) 윤3월 30일.

38) 함풍 11년 삼순 하례와 관련된 사신 파견 및 연회 개최 현황에 대해서는 손성욱, 앞의 글, 2018b, 303~306쪽.

퇴색되었다. 그렇다면 다른 사행들의 파견 양상은 어떻게 되었을까? 이번 절에서는 19세기 사신 파견의 특징을 진주사(陳奏使)를 통해 확인하도록 한다. 조선 측의 요구 또는 해명을 목적으로 한 진주사는 정기사행과 달리 특정 사안만을 다루고 있는 만큼 양국 관계의 주요 현안을 파악할 수 있다.

다음의 〈표 5〉는 『동문휘고』「사행록(使行錄)」을 기준으로 파견시기를 정리하고, 사안의 내용은 『동문휘고』「봉전(封典)」・「진주(陳奏)」 항목을 참조하여 작성하였다. 분석의 하한은 병인양요(1866)로 설정하고, 관행적으로 파견되는 책봉 사안은 제외하였다.

〈표 5〉 18~19세기 진주사의 파견 현황

순번	파견시기	정사	사안
1	영조 2년 2월 8일	李橈	『明史』 수정 요청
2	영조 4년 1월 10일	沈壽賢	조선 상인의 채무 해명
3	영조 4년 8월 10일	李橈	이인좌의 반란 보고
4	영조 10년 7월 2일	徐命均	犯越 보고
5	영조 11년 7월 11일	李橚	犯越人 擬律
6	영조 14년 7월 25일	金在魯	『明史』 반포 요청
7	영조 22년 4월 19일	李烓	柵門 이전 취소 요청
8	영조 26년 11월 7일	李梾	犯越人 擬律
9	영조 34년 11월 7일	李棅	犯越人 擬律
10	영조 40년 11월 2일	李墩	犯越 보고
11	영조 47년 5월 27일	金尙喆	『明紀緝略』『皇明通紀』 수정 요청
12	정조 1년 10월 26일	李垙	洪麟漢, 鄭厚謙 처벌 보고
13	정조 2년 3월 17일	蔡濟恭	奏文 違式 해명
14	순조 1년 10월 27일	曹允大	천주교도 처형 보고 및 잔당 체포 요청
15	순조 21년 10월 11일	李好敏	『皇朝文獻通考』 수정 요청
16	철종 2년 1월 25일	金景善	恩彦君의 역모죄 해명
17	철종 13년 2월 13일	尹致秀	『二十一史約編』 수정 요청

〈표 5〉에 따르면 18세기에는 13회의 진주사를, 19세기에는 4회의 진주사를 파견했다. 비록 분석의 시기가 각각 70여 년에 이르는 장기간이지만, 진주사의 파견이 줄어들었다는 것이 명확히 나타나며, 이는 양국 관계에서 사신을 통해 교섭해야 하는 사안들이 감소했다는 것을 의미한다.

조선·청 양국 관계의 안정이 지속되면서 청은 조선의 요구를 별다른 이의 없이 수락했고, 그 결과 교섭의 필요성이 감소하자 외교비용은 급감했다. 국왕 및 세자 책봉에 배정되었던 외교비용 중 불우비(不虞備)를 확인해 보자. 조선 사신이 지참하는 외교비는 불우비와 공용은(公用銀)으로 나눌 수 있는데, 전자는 외교 사안과 관련해 비용을 사용할 수 있고, 후자는 해당 비용으로 무역을 통해 이득을 얻은 후 이익분의 일부를 외교비용으로 사용하고 원금은 갚아야 하는 비용이다. 따라서 특정 사안에 불우비가 많이 책정되었다는 것은 조정에서 그만큼 해당 사안을 중요하게 판단했다는 근거가 된다.

불우비의 경우, 은(銀)으로 경종 1년(강희60, 1721) 세제(世弟) 책봉 요청 때 10,000냥, 영조 1년(옹정3, 1725) 세자 책봉에 10,000냥, 18세기 후반 정조 즉위년(건륭41, 1776) 국왕 책봉에 30,000냥, 정조 8년(건륭49, 1784) 세자 책봉에 20,000냥을 배정했던 것에 비해, 19세기에 들어서면 순조 즉위년(가경5, 1800) 국왕 책봉 요청에 5,000냥, 헌종 즉위년(도광14, 1834) 국왕 책봉 요청에 6,000냥, 고종 1년(동치3, 1864) 국왕 책봉 요청에 6,000냥으로 크게 감소하였다.[39] 책봉 관련 외교비용의 감소는 조선에서 가장 중요하게 여겼던 사안에 대한 교섭의 필요성과 긴장감이 떨어졌다는 것을 의미한다. 이에 따라 18세기 세자 책봉 과정에서 청 고위 관원과 비공식적으로 교섭했던 일은, 점차 사라져

---

[39] 당시 외교비용에 쓰인 것은 丁銀이었다. 시기별 비용은 張存武, 「朝鮮對淸外交的秘密經費研究」『中央研究院近代史研究所集刊』5, 1976, 411~414쪽 및 424~425쪽.

갔다고 할 수 있다.

조선·청 양국의 관계가 안정적으로 되었다고 해서 외교 사안이 없어진 것은 아니었다. 순조 1년(가경6, 1801) 조선에서는 '신유박해'를 단행한 후, 중국인 주문모(周文謨)를 처형한 일이 외교 문제로 확대되는 것을 막기 위해 진주사를 파견했다.[40] 그 과정에서 예부상서 기윤(紀昀)을 통한 정보 획득 및 교섭이 확인된다. 북경으로부터 천주교가 전파되었다는 조선의 주장을 가경제가 부정하자 황제의 의중을 파악할 필요가 생겼다. 또한 상사(賞賜)의 횟수의 문제로 인해 청 측 서반(西班)이 농간을 부리는 일이 발생했다. 조선 사신은 예부상서 기윤에게 도움을 요청하여 문제를 해결하였다.[41] 이외에도 『주자어류(朱子語類)』를 예부를 통해 확보했는데, 이는 기윤이 주선한 결과로 보인다.[42]

가경 11년(순조6, 1806) 가경제는 아직 자문을 수령하지 않은 조선 사신 일행에게 귀국을 명령했고, 예부에서는 개인(開印), 즉 관아가 업무를 시작하기 전이므로 자문을 추후에 보내주겠다고 전달했다. 그러나 조선 사신들의 입장에서는 자문을 수령하지 않고 북경을 떠나는 것은 임무를 완료하는 것이 아니기에 자문을 받기 전에는 떠날 수 없다는 뜻으로 예부에 정문하였다. 예부에서는 정문을 수령하면 황제에게 전달[轉奏]해야 하기에 이를 거부하려고 했지만, 조선 사신들은 역관의 노력으로 결국 자신들의 요청을 황제에게 전달하였고, 자문을 받은 후 출발하게 되었다. 이에 정사 이시수(李時秀)는 귀국 후 역관 김재수

---

40) 신유박해의 진주 사안과 관련해서는 남호현, 「진주(陳奏)와 탐문(探問) -신유년 (1801) 동지겸진주사(冬至兼陳奏使)의 활동과 정보수집-」『역사와현실』118, 2020, 591~600쪽.

41) 李基憲, 『燕行日記』 上·下, 순조 2년(1802) 1월 24일.

42) 『承政院日記』 순조 2년(1802) 4월 10일, "今番臣等入去時 禮部得送朱子語類曰 此 冊於燕肆 亦絶罕 求諸江南 今始得來 其時所求 非止此冊 而所得只此 故先爲付送 副使旣是同姓 傳致爲好云"

(金在洙) 등에게 포상할 것을 건의하여 순조로부터 허락을 받았다.[43]

순조 21년(도광1, 1821)에 시행된 변무 주청은 쉽게 승인되지 않았다. 해당 사행은 『황조문헌통고(皇朝文獻通考)』에서 임인옥사(壬寅獄事)의 오류를 바로잡는 것이 목적이었다.[44] 임인옥사는 경종을 제거하려고 했다는 혐의로 김창집(金昌集)·이이명(李頤命)·이건명(李健命)·조태채(趙泰采) 등 다수의 노론 인사가 처벌된 사건을 말한다. 조선에서는 이미 해당 사건을 무고로 판정했으나, 『황조문헌통고』에서 역모 사건으로 기록하였기 때문이다. 조선의 기대와는 달리 예부에서는 금서에 들어가는 『황조문헌통고』를 어떻게 입수했는지를 문제 삼았다. 조선 사신들은 정문을 통해 이를 해결하려고 했고, 예부상서 등은 처음에는 조선의 요청을 거절했으나 사신들의 노력 끝에 정문의 내용을 도광제에게 올림으로써 소기의 목적을 달성할 수 있었다.[45]

철종 1년(도광30, 1850) 사은사 조학년(趙鶴年) 일행은 전년도 철종 책봉에 대한 사은을 목적으로 파견되었다. 문제는 이들의 출발 직전에 가경제의 계후인 효화예황후(孝和睿皇后)와 도광제가 사망했다는 것이다. 공식적으로는 황태후 및 황제의 유고(遺誥)는 이듬해 3월에 도착했다.[46] 조학년 등은 유고를 뒤늦게 확인하였고 황태후 및 황제에 대한 방물을 그대로 납부했다. 그러나 예부에서는 두 기(起)의 방물에 대

43) 『承政院日記』 순조 6년(1806) 4월 1일.

44) 해당 사행의 전말은 구사회, 「새자료 이원묵(李元默)의 『행대만록(行臺漫錄)』과 순조21년(1821) 신사연행(辛巳燕行)」 『열상고전연구』37, 2013, 123~127쪽.

45) 『日省錄』 순조 22년(1822) 11월 4일, "初十日 (중략) 獻通考刊正編印頒事 禮部尙書文字 則去六月移拜吏部尙書 郎官等亦多新差者 而滿尙書汪廷珍初無出力 幹辦底意 滿尙書'穆克登額'反多疑惑 且郎中輩以新差之故 未詳本事 或以請頒史冊有難遽奏云爾 則該部尙書眩於諸議 看其意向 似難卽爲奏決 使任譯輩曉諭其始末 又引雍正年間明史印頒之已例 多般周旋始得歸一 本月初五日 禮部以頒給之意 具由議奏 當日奉旨依議"

46) 황태후의 사망을 알리는 유고(遺誥)는 철종 1년(1850) 3월 27일 삼절연공사를 통해, 도광제의 유조(遺詔)는 철종 1년 3월 29일에 청 사신 刑部左侍郎 全慶을 통해 서울에 도착하였다. 각각 『同文彙考』 補編 卷9, 「詔勅錄」 45a 및 45b.

154

해 각각 작년과 가경 25년의 전례를 가지고 방물을 돌려주도록 상주하였고, 이를 황제가 승인하였다. 방물을 다시 가져가는 일은 많은 물력이 드는 일이라 조선 사신들은 정문을 올리는 동시에 역관들로 하여금 주선하도록 했고, 결국 예부에서 다시 상주하여 다음번 정공(正貢)으로 대체하기로 하였다.[47)

철종 14년(동치2, 1863)에 행해진 변무(辨誣) 교섭은 순조롭게 처리되었다. 같은 해 4월 9일에 예부에 주문을 제출했고, 열흘 뒤인 4월 19일에 조선의 요청을 수락하는 황제의 유지가 내려왔다. 해당 사안에서는 당시 수역(首譯) 이상적(李尙迪)의 역할이 컸던 것으로 보인다. 이상적은 주문을 제출한 뒤 내각시독(內閣侍讀) 공헌이(孔憲彝)에게 표문을 초록하여 보내고 그와 별도로 만남을 가졌다. 이러한 노력의 결과 변무는 생각보다 수월하게 완료될 수 있었다.[48)

19세기 진주사 파견에서 나타나는 특징은 무엇보다 범월(犯越) 및 토역(討逆) 등 18세기 중반까지 빈번했던 사안이 진주 항목에서 사라지면서, 변무 등 조선 왕실의 정통성에 관한 특수한 사안만 남게 되었다는 점이다. 이로 인해 진주사의 파견 빈도는 크게 감소하였다. 또 다른 특징은 진주를 관철시키는 과정에서 들어가는 경제적 비용 즉 불우비가 감소하였다. 더하여 변무의 과정에서 알 수 있듯이 진주 사안이 비교적 수월하게 승인되었다. 과거 숙종대 청에서 간행된 사서(史書)에 조선국왕의 정통성을 훼손하는 내용이 있다는 것으로 변무를 요청했다가 해당 사서의 구입을 문제 삼아 국왕이 벌금을 받을 뻔했던 사례,[49) 영조대 변무에 상당한 비용과 비공식 교섭이 이루어졌던 것[50)

---

47) 『日省錄』 철종 1년(1850) 5월 29일.

48) 정후수는 공헌이의 『顧廬紀事』의 분석을 통해 이상적이 주문의 내용을 내각시독 공헌이에게 알리고, 공헌이가 이것을 대학사 기준조(祁寯藻)에 전달하여 변무가 원활하게 된 것으로 분석하였다. 정후수, 「1863년 辨誣解決過程으로 본 李尙迪의 눈물」 『동양고전학연구』52, 2013, 210~213쪽.

49) 『同文彙考』 原編 卷33, 陳奏1 「禮部知會寬免罰銀咨」 33b~34a.

과 비교하면, 19세기 조선·청 양국의 긴장도는 18세기에 비해 훨씬 완화되었을 뿐만 아니라, 경제적 비용도 또한 크게 감소했다.

3. 별재자관의 파견과 활동

　19세기 들어서 진주 사신의 파견은 이전 시기에 비해 크게 줄어드었다. 한편 18세기까지 범월과 토역은 진주사의 주요한 파견 목적이었다. 그런데 앞서 살펴보았듯이 19세기 진주사의 임무에서 범월은 사라지고 토역 관련 사안은 한 건만 나타났다. 그렇다면 범월과 토역 사건은 발생하지 않은 것일까? 이 문제는 사행이 아닌 재자관의 파견을 분석해야만 파악할 수 있다.[51]

　재자관은 사신과 함께 조선·청 관계를 유지하는 또 다른 축으로서 역관(譯官)이 책임자가 되었다. 지금까지 역관들에 관한 연구들은 상당 부분 진척되었는데, 역관들의 생애 및 가계는 물론 일부 역관이 갖고 있던 대외인식의 근대성 및 근대 지식인으로 변모해 나가는 과정까지 이루어졌다.[52] 이하에서는 역관의 활동을 개인의 능력 혹은 신분사적 접근이 아닌 조선·청 관계의 구조 속에서 살펴보도록 한다.

　재자관은 첫째, 역관이 파견의 책임을 맡음으로써 실무적인 교섭을

---

50) 이성규 「明·淸史書의 朝鮮 '曲筆'과 朝鮮의 '辨誣'」『오송이공범교수정년기념동양사논총』, 지식산업사, 1993.

51) 조선후기 재자관의 파견 현황 및 목적에 대해서는 신세완, 「조선후기 齎咨官의 사행 활동과 변화 양상」『지역과 역사』50, 2022.

52) 송만오, 「한국의 근대화에 있어서 중인층의 활동에 관한 연구」, 전남대학교 사학과 박사학위논문, 1999; 김양수, 「朝鮮開港前後 中人의 政治外交 -譯官 卞元圭 등의 東北亞 및 美國과의 활동을 중심으로-」『역사와실학』12, 1999; 김양수, 「서울 中人의 19세기 생활: 川寧玄氏 譯官 鐸의 일기를 중심으로」『인문과학논집』26, 2003; 백옥경, 「개항기 역관 김경수의 대외인식 -'공보초략'을 중심으로-」『한국사상사학』41, 2012.

목적으로 하였다. 둘째, 10명 내외의 소규모의 인원으로 구성되며 방물을 지참하지 않기 때문에 경제적 부담이 적었다. 이상 두 가지 특징에 기반하여 재자관은 후금과 국교를 맺기 이전부터 파견되었으며, 이와 같은 관행은 정묘호란을 거쳐 병자호란, 입관(入關) 이후까지 지속되었다. 『통문관지』에 따르면 재자관은 가) 사신을 파견하기에는 상대적으로 덜 중요한 사안, 나) 표류민의 송환, 다) 역서의 수령 등을 담당한다고 규정되었다.[53)]

그런데, 가)의 경우 '상대적으로 덜 중요한 사안'으로 정의되었지만, 이것만으로는 재자관이 담당한 파견 목적을 알기 어렵다. 파견된 사례를 통해 살펴보면, 영토 문제[疆界] / 불법적 월경[犯越] / 금지물품의 적발[犯禁] / 경제 관련 사안[交易] / 청 사신의 파견 및 절일(節日)의 합병 여부 등에 대한 탐문 / 세자의 죽음 보고[告訃] 등의 사안들을 전달하거나 교섭하였다.

해당 사안들은 사신 파견의 대상은 아니지만 조선의 군신(君臣)이 촉각을 곤두세우고 관심을 가졌던 문제들이었다. 18세기 직후까지 범월 및 범금이 발생할 경우 청 사신이 파견되어 조사를 진행했고, 그 범위에 조선 지방관까지 포함되었기 때문이다. 이는 조선국왕의 사법권에 직접 개입하는 행위로써 국왕의 권위에 상당한 균열을 줄 수 있었다.[54)] 영토 문제도 마찬가지였다. 18세기 초 『황여전람도(皇輿全覽圖)』를 편찬하기 위해 청이 조선에 길 안내를 요구했을 때 조선에서는 청이 영토확장을 위해서 답사하는 것이라고 추측하여 길 안내를 최대한 회피하고자 했다.[55)]

이상의 현안들이 발생할 때마다 조선은 사신 또는 재자관을 파견하

---

53) 『通文館志』 事大上, 齎咨官
54) 범월 문제로 인한 청의 사문(査問) 사신 파견 등에 대해서는 이화자, 『조청국경문제 연구』, 집문당, 2008.
55) 이화자, 앞의 책, 2008, 140~148쪽.

여 조선의 의사를 전달하고 또 물밑에서 교섭을 시도하였다. 특정사안을 전담하기 위해 파견한 재자관 즉 별재자관의 파견 현황을 시기별로 살펴보자. 병자호란(1637)부터 청의 입관(1644)까지는 양국 관계의 특수한 상황을 감안하여 분석에서 제외하고, 입관 이후부터 정리하였다. 아울러 별재자관과 유사한 성격의 재주관도 포함하였다. 비고의 표민은 단독 표민 송환만 기입했으며 다른 사안과 겸행한 경우는 제외하였다.[56]

〈표 6〉 인조 23년(1645)~고종 31년(1894) 별재자·재주관 파견 현황

왕대	파견빈도	재위기간(연)	연평균	비고(표민)
인조	2	6	0.30	0
효종	11	10	1.10	1
현종	14	15	0.93	1
숙종	41	46	0.91	14
경종	5	4	1.25	2
영조	47	52	0.90	14
정조	11	24	0.46	6
순조	22	34	0.65	12
헌종	4	15	0.26	2
철종	5	14	0.36	4
고종	21	31	0.67	1
합계	183	251	0.72	57

별재재관의 연평균 파견 빈도는 청의 입관(1644) 이후부터 18세기 중반 즉 건륭 전반까지는 연평균 약 1회였는데, 18세기 후반부터 19세기 중반까지 약 0.5회 미만으로 떨어지는 것을 알 수 있다. 더구나 해당 기간 별재자관의 절반 이상이 표류민 송환 등의 관행적인 파견임을

---

56) 파견시기 및 목적 등은 〈부록: 별재자관 및 재주관 파견 현황〉 참고.

고려한다면 18세기 후반부터 별재자관의 파견이 필요한 외교 현안은 현격히 줄어들었다는 것을 알 수 있다.

다음으로 19세기 전반기 별재자관의 파견 사안을 구체적으로 살펴보자. 시기의 하한은 병인양요(1866)을 기준으로 하였다.[57]

⟨표 7⟩ 순조 1년(1801)~고종 2년(1865) 별재자·재주관 파견 현황

순번	파견시기	재자관	사안
1	순조 3년 9월 19일	金在洙	獐子島에 숨어든 犯越人 체포 현황 및 담당 지방관 처벌 보고
2	순조 7년 2월 28일	李榮載	貢物 운반을 위한 수레 대여 감사
3	순조 7년 9월 24일	金在洙	獐子島 潛商 체포 보고
4	순조 8년 1월 6일	李時升	조선국왕에 대해 상을 내린 것에 謝恩 예정[3번 사안 관련]
5	순조 9년 5월 29일	李時亨	청 측 표류선에 남은 鐵物 발송
6	순조 12년 5월 2일	趙台錫 金在洙	홍경래의 난 경과【齎奏】
7	순조 20년 11월 11일	金相淳	三節合併 탐문
8	순조 30년 5월 29일	李應信 李文養	孝明世子 고부
9	순조 33년 1월 18일	卞光韻	영국 선박의 교역 요청 거부에 대해 비단을 하사한 것에 사은 예정
10	헌종 8년 3월 27일	李文養	표류민 송환 / 국경 근방의 불법 가옥 철거 요청
11	헌종 13년 7월 14일	金學勉	국경 근방의 불법 가옥 철거 감사
12	철종 1년 4월 9일	李闓益	三節合併 탐문

순조 1년(1801)~고종 2년(1865) 동안 파견된 별재자행은 32회이다. 이중 표류민 송환을 목적으로 하는 경우는 20회로 외교적 의미가 적다

---

57) 해당 기간 별재자·재주관의 전체 파견 현황은 ⟨부록: 별재자관 및 재주관 파견 현황⟩ 참조.

고 판단하여 분석 대상에 넣지 않았다. 따라서 19세기 전반 66년 동안 표류민 송환을 제외한 별자재행은 12건에 불과하다. 이중 탐문 및 고부와 같이 관행적으로 파견되는 3건을 빼고 나머지 9건에 대한 내용을 살펴보면 아래와 같다.

순조 3년(가경8, 1803)과 순조 7년(가경12, 1807)의 사안은 모두 조선 용천부(龍川府) 소속의 장자도(獐子島)에 불법적으로 잠입한 청나라 사람들로 인해 생긴 사건이다. 헌종 8년(도광22, 1842)과 헌종 13년(도광27, 1847)의 사안은 봉금 지역에서 청인들의 불법적 개간과 거주로 인해 생긴 사건이다. 이상의 4건은 범월 및 강계(疆界)에 해당한다. 범월에 대한 보고 주체는 18세기 중반부터 사신에서 재자관으로 이전하였는데, 19세기에 들어서도 이와 같은 관행이 유지되고 있다는 점을 알 수 있다. 강계는 이른 시기부터 재자관이 담당하였고,[58] 헌종 연간의 불법 개간 사안도 재자관을 파견해서 처리했다는 것을 알 수 있다.

순조 9년(가경14, 1809)에 발생한 철물(鐵物) 사건은 청 측 표류선의 처리 과정에서 발생한 문제였다. 순조 8년(가경13, 1808) 11월 강남 소주부(蘇州府) 출신의 공봉래(龔鳳來) 등이 제주도에 표류하였다. 이들의 선박은 파손되어 해로를 이용할 수 없었기에 육로로 송환하기로 결정했고, 관행에 따라 운반하기 어려운 물건과 배에 사용된 철물을 돈으로 바꾸어 지급하였다.[59] 그런데 공봉래 등이 청으로 돌아간 이후 가경제는 보고문서에 기록된 철물 4,300근의 출처가 명확하지 않으므로 이를 조사하라는 유지를 내렸다. 이에 성경장군은 조선에 자문을

---

58) 『同文彙考』「疆界」항목에서 처음 재자관이 등장하는 것은 숙종 17년(강희30, 1691) 청에서 『一統志』 찬수를 위해 토문강 일대의 길 안내를 지시한 사안이다. 이와 관련해서 조선에서는 안내가 어렵다는 내용의 자문을 역관 金翊漢을 통해 발송했다. 이후 불법 개간 등의 사안에 대해서 모두 역관을 파견했다. 관련 내용은 『同文彙考』 原編 卷48, 疆界「【辛未】禮部知會土門江巡審時令本國指路咨」 1a~2a 및 같은 자료, 「沿江一帶道險難通咨」 2a~3a.

59) 『同文彙考』 原編續 漂民4 「【己巳】報大靜縣漂人押解咨」 17b~18b.

보내 해당 사건의 자세한 진상을 요구하였다.[60] 이후 조선에서는 표류 당시의 물건 등에 대해 상세히 보고하였고 남아 있던 철물 1,760근을 성경으로 납부하면서 사건은 일단락되었다.[61]

순조 12년(가경17, 1812) 사안은 홍경래의 난을 진압한 이후 반란의 발생부터 진압까지의 경과를 보고하고, 청에서 도움을 준 것에 대해 별재자관을 통해 감사를 전달한 것이다. 『同文彙考』에서는 이를 토역 으로 분류했는데, 이에 관한 보고는 원래 사신을 통해 이루어졌다. 병 자호란 이후 최초의 토역 보고는 인조 22년(순치1, 1644) 심기원(沈器 遠)의 처벌에 대한 것이었다. 심기원은 인조 정권의 친청(親淸) 행보에 불만을 품고 반란을 결의하였으나 거사 하루 전에 체포되었다.[62] 이 소식은 청으로 들어갔고,[63] 역당(逆黨)을 엄밀히 조사하라는 칙서(勅 書)가 조선으로 발송되었다.[64] 조선에서는 칙서에 대한 감사와 처벌 과정을 알리기 위한 사신을 파견하였다.[65] 강빈(姜嬪)에 대한 처벌도 사신(正使 李景奭)을 통해 청으로 전달하였다.[66]

예외적으로 효종 3년(순치9, 1652) 친청(親淸) 행보를 보인 김자점 (金自點)에 대한 처벌은 재주관을 통해 그 결과를 보고했다.[67] 이를 제 외한다면 이후 약 100여 년 동안 토역 보고는 사신을 통해 이루어졌다. 숙종 6년(강희19, 1680) 경신환국(庚申換局)으로 인한 허적(許積) 등의 처벌,[68] 영조 4년(옹정6, 1728) 이인좌(李麟佐)의 난에 대한 진압,[69] 정

---

60) 『同文彙考』 原編續 漂民4 「盛京將軍衙門知會粧船鐵物開單入送咨」 18b~19b.

61) 『同文彙考』 原編續 漂民4 「報鐵物查明入送咨」 20a~20b.

62) 김용흠, 『조선후기정치사연구』Ⅰ, 혜안, 2006, 389~392쪽.

63) 『承政院日記』 인조 22년(1644) 4월 10일.

64) 『同文彙考』 原編 卷33, 陳奏1 「諭免刷逃口及嚴查逆黨勅【於思介博氏來】」 3a.

65) 『同文彙考』 原編 卷33, 陳奏1 「謝降勅表」 3a~4a; 같은 자료, 「陳討逆奏」 5a~7b.

66) 『同文彙考』 原編 卷33, 陳奏1 「【丙戌】陳討逆奏」 9b~10b.

67) 『同文彙考』 原編 卷33, 陳奏1 「【壬辰】陳討逆奏」 13a~17b.

68) 『同文彙考』 原編 卷33, 陳奏1 「【庚申】陳討逆奏」 40a~45b.

조 1년(건륭42, 1777) 홍인한(洪麟漢) 등의 처벌,[70] 순조 1년(가경6, 1801) 신유사옥(辛酉邪獄)의 결과를 모두 진주(陳奏) 사행을 통해 청에 알렸다.[71] 그러나 순조 12년(가경17, 1812) 홍경래의 난을 진압한 후 진주 사행이 아닌 재주관을 통해 그 결과를 보고했다.[72] 이후 19세기 전반기 동안은 조선 국내 역모 또는 반란을 청에 보고하는 일은 나타나지 않는다.

순조 33년(도광13, 1833)의 별재자행(⑨)은 양박(洋舶)과 관련된 것이었다. 순조 32년(도광12, 1832) 6월 동인도 회사 소속의 로드 엠허스트(Lord Amhest)호가 황해도 장연현 몽금포 앞바다에서 나타났다가 홍주에서 교역을 요청하였다.[73] 조선에서는 '신하는 외교할 수 없다(人臣無外交)'라는 원칙을 내세워 거절하고, 이 사건을 같은 해 8월에 출발하는 시헌재자관 홍의철(洪誼喆)에게 순부하였다. 이것은 19세기 이양선 즉 양박(洋舶)에 관한 최초의 외교문서이다. 도광제는 조선의 처리에 대해 "번봉(藩封)을 성실히 지키고 대의(大義)를 깊이 밝혔다."라고 칭찬하면서 '망단(蟒緞) 2필, 섬단(閃緞) 2필, 금단(錦緞) 2필, 소단(素緞) 4필과 함께 수자(壽字)가 들어간 비단[壽字緞] 24필'을 내렸다.[74] 조선에서는 순조 33년 재자관 변광운(卞光韻)을 파견해 비단 하사에 감사를 전하고 곧 있을 절사(節使)를 통해 표문을 올릴 것이라는 것을 알렸다.[75]

---

69) 『同文彙考』 原編 卷34, 陳奏2 「陳討逆奏」 18a~20a.

70) 『同文彙考』 原編 卷34, 陳奏2 「【丁酉】陳討逆奏」 44a~48a.

71) 『同文彙考』 原編續, 陳奏1「辛酉」陳邪黨懲討奏【順付冬至使】」 1a~4b.

72) 『同文彙考』 原編續, 陳奏1 「【壬申】陳討逆奏」 7b~9a.

73) 민두기, 「十九世紀後半 朝鮮王朝의 對外危機意識: 第一次, 第二次 中英戰爭과 異樣船 出沒에의 對應」『동방학지』52, 1986, 271~272쪽.

74) 『同文彙考』 原編續, 錫賚4 「【同年】禮部知會斥送[口＋英]咭唎商船奉上諭賜緞咨」 35b~36a.

75) 『同文彙考』 原編續, 錫賚4 「謝賜緞咨【癸巳】」 36b~37b.

순조 33년 별재자행을 통해 몇 가지 사실을 확인할 수 있다. 이양선의 출현이 조선 조정에 일정한 충격을 준 것은 사실이다. 그러나 당시 조선에서는 청에 보낸 자문에서 엠허스트호의 무역 요청을 단호히 거부한 것을 강조했지만 이와 관련해서 청에 사태의 중재나 서양 세력의 확인 등 별도의 요청을 하지는 않았다. 때문에 재자관을 단독으로 파견하지 않고 시헌재자관에게 순부했던 것으로 보인다. 당시 시헌재자관 홍의철은 『동문휘고』「사행록(使行錄)」에 따르면 순조 32년 외에는 확인되지 않는 인물이다. 아울러 홍의철이 제출한 수본에는 '영국 상선이 6월에 절강(浙江)에 도착해서 화물의 매매를 요구하다가 거부당하자 바로 퇴거'했다는 간단한 내용만이 서술되어 있다.[76] 따라서 당시 조선이 이 사안을 중대하게 다루었다고 보기 어렵다.

병자호란 호란부터 청이 입관하기 이전까지(1637~1644)의 특수한 기간을 제외한다면, 17세기 중반~18세기 중반 동안 별재자행의 연평균 파견 빈도는 대략 1회에 달했다. 또한 표민 등의 비정치적 파견의 비중은 19세기로 갈수록 점점 높아졌다. 19세 전반(1800~1865) 66년 동안 교섭 사안을 다룬 재자행은 12건에 불과했는데, 이는 외교 사안 자체가 줄었거나 또는 재자관을 통한 교섭의 필요성이 감소했다고 볼 수 있다.

19세기 이후 정조대 시행된 '진하외교'는 1870년대까지 지속적으로 이루어졌다. 청 황제의 순경(旬慶) 또는 황태후의 존호 행사 당일에 맞추어 사신을 파견함으로써 양국의 우호는 유지될 수 있었다. 반면 외교 교섭과 관련된 진주 사신의 파견은 변무와 같이 왕실의 정통성에 관한 문제로 국한되었고, 별재자관의 파견도 이전 시기에 비해 큰 폭으로 감소하였다. 이는 19세기 전반기 동안 조선·청 양국의 외교 현안은 현저히 줄어들었다는 것을 뜻한다. 적어도 사신과 재자관의 파견으

---

76) 『日省錄』 순조 32년(1832) 11월 30일, 「齎咨官洪誼喆以手本報備局」

로 본다면, 19세기 전반은 거의 '아무 일도 일어나지 않았던 시기'였다. 이와 같은 상황은 이양선 출현과 같이 조선이 파악하기 어려운 문제에 서조차 청과의 공조를 시도하지 않았다는 점에서 이후 19세기 후반과 다른 특징을 보인다고 할 수 있다.

6장
19세기 사신교류의 확대

1. 한인(漢人) 문인과의 교류

　조선과 중국은 사신의 사적 교류를 제한했음에도 불구하고 조선 전기 조선 사신과 명 문인들 사이에도 간접적 혹은 직접적으로 교류가 이루어졌다. 명 태조에게 칭찬을 받은 권근(權近)의 응제시(應製詩),[1] 임진왜란 때 조선에 파병된 오명제(吳明濟)와 허균이 공동으로 편찬한 『조선시선(朝鮮詩選)』,[2] 명 사신과 조선 영접사들 사이에서 수창한 시를 모은 『황화집(皇華集)』 등은 한문 문화의 공유를 통해 이루어진 결과물들이다. 문한(文翰) 교류 이외에도 뛰어난 문학적 능력을 통해 명 문인들의 주목을 받고 그들과의 교류를 지속한 사례도 있었다. 대표적으로 이정귀(李廷龜)는 조선을 방문한 명 사신을 접대하며 인연을 맺었다. 이후 북경에 파견되어 외교 업무를 수행하는 와중에 명 문인들과 시문을 교류하고, 그것을 중국에서 간행하기도 하였다.[3] 김상헌 역시 사행에서 명 문인들에게 자신의 문학적 능력을 크게 인정받아, 일부 명 문인들은 그의 시문에 서문을 짓고 중국에서 간행하기도 하였다.[4]

---

1) 『東文選』 卷92, 序, 「御製刊行序」; 관련 연구는 石琪. 「陽村 權近의 對明 外交詩 研究」 충북대학교 국어국문학과 석사학위논문, 2021.
2) 『조선시선(朝鮮詩選)』의 판본 및 편찬과정에 대해서는 祁慶富, 「《朝鮮詩選》 校注 前言」 『아세아문화연구』3, 1999; 허경진, 「『조선시선(朝鮮詩選)』이 편집되고 조선에 소개된 과정」 『아세아문화연구』6, 2002.
3) 17세기 조선 사신과 명 문인 교류에 대해서는 노경희, 『17세기 전반기 한중 문학교류』, 태학사, 2015.

그렇지만 조선 전기 사신의 교류 활동은 지속적으로 이루어지지는 않았다. 사헌부에서는 이정귀가 북경에서 시문을 발행한 일에 대해 전례에 없던 비정상적인 일이라고 비판하는 동시에 양국 외교의 분란의 씨가 될 수 있을 것이라며 국문(鞫問)을 요청하였다.[5] 광해군의 배려로 처벌까지는 이루어지지 않았지만, 당시 조선 사신의 사적 교류가 '인신무외교'의 틀에서 벗어나기 어려웠던 시대적 배경을 엿볼 수 있다.

17세기 초, 청은 조선과 전쟁을 통해 새롭게 관계를 맺었다. 그러나 청의 건국 주체인 여진족을 야만인으로 간주해왔던 관념과 자신들이 중화로 인정한 명을 멸망시켰다고 생각했기 때문에 조선 사신과 청 문인들과의 교류는 결코 이루어질 수 없었다. 시문 수창은 둘째치고 형식적으로 문한을 주고받는 일도 거의 행해지지 않았다. 사신들은 종종 청의 유생들과 만남을 가졌지만, 대체로 반청의식을 표현하는 이들로 제한되었다.

조선 지식인들은 '오랑캐는 백 년을 가지 못한다'라는 문구처럼 이와 같은 상황이 오래가지 않을 것이라 기대했다. 그러나 기대와는 달리 청은 산해관을 넘어 북경을 점령하였고, 이후 명의 후계를 자처하는 정권들을 차례로 무너뜨리기 시작했다. 17세기 후반에는 '삼번의 난'이 일어나 잠시나마 청의 지배권이 흔들렸으나, 강희제의 신속한 대처로 인해 반란은 채 10년을 넘기지 못하고 모두 진압되었다.[6] 숙종 30년 (강희43, 1704) 조선에서 명의 황제를 기리기 위한 제단을 설치한 것은 사실상 명의 부활을 더는 바랄 수 없게 된 현실을 반영한 것이다.

18세기 이후 조선을 정치적으로 압박하는 수단이었던 사문사(査問

---

4) 유정, 『19~20세기 초 청대문인 편찬 조선한시문헌 연구』, 보고사, 2013, 31~33쪽.
5) 『光海君日記』[正草本], 광해군 12년(1618) 11월 10일.
6) 강희제의 적절한 대응과 관련해서는 Jonathan D. Spence, The K'ang-hsi Reign(Willard J. Peterson (ed.), *The Cambridge History of China, vol. 9: The Ch'ing Empire to 1800, Part 1*), Cambridge University Press, 2002, pp.140~141; 임계순, 『淸史-만주족이 통치한 중국』, 신서원, 2004, 75~83쪽.

使)의 파견이 급속도로 줄어들었다.[7] 조선·청 양국의 긴장 관계가 완화되고 조선 사신들이 청의 성세를 지속적으로 확인하는 상황 속에서, 청에 남아 있는 문물을 중화의 유산으로 간주하고 이를 수용해야 한다는 움직임이 시작되었다.[8] '북학파'로 불리는 이들 지식인 그룹은 청 문인들과 적극적으로 교류를 행하면서 문한을 주고받았고, 이와 같은 분위기를 조선 국내에 점차 확산시켰다. 아울러 교류의 대상이 유생과 같은 관료예비군에서 점차 관원으로 확대되어 갔다.[9]

다만 문인 교류의 핵심적 역할을 담당한 홍대용(洪大容), 유금(柳琴), 박지원(朴趾源), 유득공(柳得恭), 이덕무(李德懋), 박제가(朴齊家), 김정희(金正喜) 등은 모두 사신의 수행관 신분으로 사행에 참여했다. 이들은 상대적으로 청을 이적(夷狄)으로만 보지 않는 사고방식을 가졌고, 동시에 공적 책임과 이동의 제한이라는 굴레에서도 자유로웠다. 반면 앞서 이정귀의 사례와 같이 사신은 '인신무외교'라는 정통적 관념이 적용되는 일차적 대상이었고, 18세기 후반까지도 숙소의 출입이 제한되었다.[10] 이러한 공적인 책임과 물리적 이동의 제약으로 인해 사신의 교류는 수행원과 같이 활발하게 이루어질 수 없었다.

18세기 후반에 이르면 사신들의 일부도 청 관원과의 문한 교류에 간접적으로 참여하였다. 정조 즉위(건륭41, 1776) 진하겸사은행 부사로서 파견된 서호수(徐浩修)는 수행관 유금(柳琴)의 소개로 칩거 중이었던 이조원(李調元)의 시문집을 받아 보았고,[11] 정조 14년(건륭55,

---

7) 청 사신의 파견 현황은 전해종, 『한중관계사 연구』, 일조각, 1979(重版), 75쪽.

8) 유봉학, 『燕巖一派 北學思想研究』, 일지사, 1995.

9) 홍대용이 교류한 엄성과 반정균은 모두 과거를 준비하는 이들이었던 반면, 柳琴은 당시 驗封淸吏司 員外郎을 맡고 있던 李調元을 직접 찾아 갔다. 박현규, 「조선 柳琴, 徐浩修와 청 李調元과의 교류 시문」『한국한시연구』7, 1999, 377쪽.

10) 이 책의 4장 1절 참조.

11) 박현규, 「조선 柳琴, 徐浩修와 청 李調元과의 교류 시문」『한국한시연구』7, 1999, 378~387쪽.

1790)에 또다시 부사로 선발되어 옹방강(翁方綱)에게 자신의 글을 보내 평가를 부탁하고 발문을 받았다.[12] 정조 8년(건륭49, 1784) 진하사 은겸삼절연공행 부사 강세황(姜世晃)은 호부상서 유용(劉鏞)과 공부상서 김간(金簡),[13] 그리고 옹방강과 서화 및 시문 교류를 행했다.[14] 정조 18년(건륭59, 1794) 정사 홍양호(洪良浩)는 자신의 두 번째 사행에서 예부상서이자 문명이 높았던 기윤(紀昀)과 교류한 후, 아들 홍희준(洪羲俊) 및 손자 홍석모(洪錫謨)·홍경모(洪敬謨)까지 3대에 걸쳐 그 인연을 이어갔다.[15] 다만 서호수는 외교 의례가 시행되는 공적 공간에서만 청 관원과 만났고, 홍양호는 수행관을 통해 간접적으로 청 문인과 교류했을 뿐 직접적인 만남은 확인되지 않는다.[16]

18세기 후반 사신들의 교류가 시작되는 배경에는 앞서 분석했듯이 확장된 외교 의례 공간이 중요한 역할을 수행했다. 건륭제 스스로가 궁정연회에서 시를 지어 하사하거나 외국, 특히 조선 사신들의 시를 요구하기도 하는 등 궁정연회는 문한 교류가 공식적으로 인정되는 공간이었다. 황제가 교류의 주체가 되는 상황 속에서 궁정연회에 참석하는 청의 고위 관료들도 외국 사신과의 문한 교류를 크게 문제시하지 않았다. 위에서 언급한 서호수, 강세황, 홍양호 등은 바로 위와 같은 분위기 속에서 교류에 대한 부담을 덜 수 있었을 것이다.

19세기에 들어서면 조선 사신이 청 문인들을 직접 만나는 모습이

---

12) 徐好修, 『燕行記』 정조 14년(1790) 8월 25일 및 9월 2일.

13) 당시 劉鏞과 金簡의 직위는 錢實甫, 『淸代職官年表』, 北京: 中華書局, 1980, 241~242쪽. 김간의 출자 및 조선 사신과의 관계는 우경섭, 『조선중화주의의 성립과 동아시아』, 유니스토리, 2013, 227~232쪽.

14) 정은진, 「표암 강세황의 연행체험과 문예활동」『한문학보』21, 2011, 364~366쪽.

15) 진재교, 「18세기 조선조와 청 學人의 학술교류 -홍양호와 기윤을 중심으로-」『고전문학연구』23, 2003.

16) 김창수, 「19세기 조선·청 관계와 사신외교」, 서울시립대학교 국사학과 박사학위논문, 2016, 79~82쪽.

나타나기 시작한다.[17] 순조 1년(가경6, 1801) 사행의 서장관 이기헌(李基憲)은 태자우서자(太子右庶子, 정5품) 진희증(陳希曾)의 자택을 방문하여 그의 가족 및 지인들과 교류했고,[18] 이후 진희증 등이 조선 관소를 방문하기도 했다.[19] 다만 진희증 등이 조선 관소로 왔을 때 통관들이 진희증 일행의 출입을 막아서는 등 여전히 사신과 청 인사의 교류에 제한이 남아 있었다. 사신들이 본격적으로 교류 활동에 참여하는 모습은 1800년대를 전후해서 나타난다.

우선 옹방강 및 그의 문인들과 신위(申緯)의 교류가 이루어졌다. 옹방강과 조선 지식인의 인연은 박제가로부터 비롯된다. 『호저집(縞紵集)』에는 박제가가 옹방강에게 보내는 시를 비롯하여, 그가 옹방강을 여러 차례 방문했다는 것을 드러내는 서신도 수록되어 있다.[20] 이와 같은 관계는 김정희로 이어졌다. 김정희는 순조 9년(가경14, 1809) 삼절연공겸사은행 부사로 선발된 친부 김노경(金魯敬)을 따라 연행에 참여했고, 옹방강으로부터 학문적 능력을 크게 인정받아 귀국한 이후에도 옹방강 및 그의 문인들과 지속적인 교류를 행했다. 김정희와 옹방강 문인과의 관계는 조선 내로 파급되었다.

순조 12년(가경17, 1812) 진주행 서장관에 선발된 신위는 김정희로부터 옹방강 부자를 만날 것을 권유받았다. 그는 북경에 도착해 옹방강을 직접 찾아가 소식(蘇軾)의 문한 진본을 볼 정도로 친분을 쌓을 수 있었다.[21] 신위 이후 순조 12년 삼절연공겸사은행 정사 심상규(沈

---

17) 19세기 전반 사신과 수행원이 교류한 청 문인에 대해서는 임영길, 「19세기 前半 燕行錄의 특성과 朝·淸 文化 交流의 양상」, 성균관대학교 동아시아학과 박사학위 논문, 2017, 36~39쪽 표.

18) 李基憲, 『燕行日記』 순조 2년(1802) 1월 2일.

19) 李基憲, 『燕行日記』 순조 2년(1802) 1월 8일.

20) 祝嘉雯, 「朴齊家의 中國文人 交流 樣相과 特徵」, 한국학중앙연구원 한국학대학원 석사학위논문, 2021, 52~54쪽.

21) 금지아, 「朝鮮 申緯의 『奏請行卷』研究: 燕行과 翁方綱과의 文墨緣을 중심으로」

象奎)는 옹방강 부자를 비롯하여 이정원(李鼎元), 주학년(朱鶴年) 등과 교유하였고,[22] 순조 16년(가경21, 1816) 삼절연공겸사은행 정사 이조원(李肇源)은 옹방강 그룹에 속하는 섭지선(葉志詵)과 교유하였다.[23]

선남시사(宣南詩社)의 핵심 인물이자 경세치용적 학문관을 지향했던 도주(陶澍)와의 교류도 이루어졌다. 순조 17년(가경22, 1817) 서장관 홍희근(洪羲瑾)과 도주가 우연한 기회에 인연을 맺은 이후 조선에까지 도주의 문명이 알려졌고 이듬해 순조 18년(가경23, 1818) 진하겸삼절연공사은행 정사 정만석(鄭晩錫), 서장관 이로(李潞) 등과도 교류가 이어졌다. 그러나 순조 19년(가경24, 1819) 4월 도주가 천동병비도(川東兵備道)로 부임하면서 만남을 지속할 수 없게 되었다.[24]

1830년대에는 강정(江亭: 陶然亭의 별칭)에서 이루어졌던 아회(雅會)인 강정전계(江亭展禊) 문인들과의 교류가 활발했다. 강정전계에는 옹방강의 제자로 알려진 섭지선과 동성파(桐城派) 문인인 매증량(梅曾亮)·오가빈(吳嘉賓) 등 당대의 이름난 중국 인사들을 비롯하여 조무견(曹楙堅)·장제량(張際亮)·부조륜(符兆綸) 등이 대거 속해 있었다.[25] 강전전계는 황작자(黃爵滋)가 주도했는데 순조 31년(도광11, 1831) 정사 홍석주(洪奭周)가 황작자와 교류를 행한 이후 조선 사신들이 해마다라고 할 정도로 강정전계 동인들과 만남을 가졌다. 헌종 1년(도광15, 1835) 삼절연공행 부사 조두순(趙斗淳), 헌종 2년(도광16, 1836) 진하

『열상고전연구』21, 2005; 박철상, 「紫霞 申緯의 燕行과 翁方綱의 영향」『한국한문학연구』75, 2019.

22) 임영길, 「紫霞 申緯와 청 문단의 교유 양상 -1812년 연행 이후를 중심으로-」『대동문화연구』116, 2021.

23) 임영길, 「玉壺 李肇源의 燕薊 風煙과 한중문인교유」『한문학논집』54, 2019, 235~242쪽.

24) 손성욱, 「19세기 조청문인 교류의 전개 양상 -북경 내 학풍과 교류 네트워크의 변화를 중심으로-」『역사학보』216, 2012, 286~287쪽.

25) 임영길, 「19세기 조선 문인과 청 강정전계 문인의 교류에 관한 소고」『한문학보』29, 2013, 326쪽.

겸사은행 정사 권돈인(權敦仁), 부사 안광직(安光直), 서장관 송응룡(宋應龍), 같은 해 삼절연공행의 정사 신재식(申在植), 헌종 3년(도광17, 1837) 주청겸사은행 부사 조병현(趙秉鉉), 삼절연공겸사은행 부사 김흥근(金興根), 헌종 4년(도광18, 1838) 삼절연공겸사은행 서장관 이시재(李時在), 헌종 5년(도광19, 1839) 삼절연공겸사은행 서장관 이정리(李正履) 등이 황작자와의 교류에 참여하였으며, 황작자와의 인연은 철종 1년(도광30, 1850) 진하사은겸세폐행 정사 권대긍(權大肯)까지 이어질 정도로 지속되었다.26)

이 당시 조선 문인들과 적극적 교류를 시도한 인물로 한림원 편수 및 경기도감찰어사를 지낸 수방울(帥方蔚)도 주목된다. 그는 조선 문인과 주고받은 시문을 책으로 편찬할 정도로 광범위한 교류를 행했다. 수방울과의 교류는 대부분 서신을 통해 이루어졌지만, 순조 31년(도광11, 1831) 정사 정원용(鄭元容)과 순조 34년(도광14, 1834) 정사 홍경모(洪敬謨)는 조선에서 수방울의 문명을 듣고 북경에서 직접 만나 인연을 맺었다.27)

1850년대에는 고사수계(顧祠修契)와 조선 사신들이 연결되었다. 고사수계는 고염무(顧炎武)를 기리기 위한 제사를 지내기 위한 모임으로 1840~50년대에는 하소기(何紹基)·장목(張穆) 등이, 1860년대에는 동문환(董文煥)·심병성(沈秉成) 등이 모임을 주도했다. 특히 동문환은 조선 전시기에 걸쳐 뛰어난 시들을 모아 시집을 발간하려고 할 정도로 조선의 문한에 관심이 많았고, 조선 지식인들과 광범위한 교류를 행했다.28) 철종 9년(함풍8, 1858) 사은겸삼절연공행 부사 김영작(金永爵),

---

26) 임영길, 앞의 글, 2013, 336~346쪽; 임영길, 「淸 문인 黃爵滋와 朝鮮 문인의 교유 -『仙屛書屋初集年記』를 중심으로-」『한국한문학연구』64, 2016.

27) 수방울과 교류한 조선 지식인들에 대해서는 유정, 앞의 책, 2013, 62~87쪽.

28) 이들 문인 집단과 조선 사신의 교류에 대해서는 김명호, 「董文煥의 『韓客詩存』과 韓中文學交流」『한국한문학연구』26, 2000; 김명호, 「金永爵의 燕行과 『燕臺瓊瓜錄』」『한문학보』19, 2008; 김명호, 「海藏 申錫愚의 入燕記에 대한 고찰」『고전문학

서장관 김직연(金直淵), 철종 11년(함풍10, 1860) 삼절연공겸사은행 정사 신석우(申錫愚), 부사 서형순(徐衡淳), 서장관 조운주(趙雲周), 철종 12년(함풍11, 1861) 열하 문안행 정사 조휘림(趙徽林), 부사 박규수, 철종 13년(동치1, 1862) 진하사은겸세폐행 부사 박영보(朴永輔) 등이 밀접한 교류를 행했다.[29]

1880~90년대에는 북경에 거주하는 호남 출신 문인들이 만든 용희시사(龍喜詩社)와의 교류가 연속적으로 행해졌다. 교류에 참여한 인물 중 문한을 남긴 사신만도 10여 명에 이르렀는데[30] 이는 개항기에 들어서도 조선·청 문인 교류가 활발하게 이루어졌다는 점을 방증한다.

19세기 사신교류의 특징은 도주와 수방울 등의 문명이 높은 개인과의 교류에서 점차 강정전계, 고사수계, 용희시사 등 문인 집단으로 확대되고 있다는 점이다. 김정희가 옹방강과 사승 관계를 맺은 인연을 통해 새로운 교류망이 형성되었고, 이를 계승하여 가교 역할을 한 것은 역관 이상적(李尙迪)이었다. 이상적은 강정전계의 핵심 인사인 황작자를 조선 문인들에게 소개했으며 고사수계 문인들과의 만남을 주선하기도 했다. 그리고 이상적의 교류망은 오경석(吳慶錫), 김석준(金奭準), 이용숙(李容肅) 등의 역관 그룹으로 연결되었다.[31]

한편 문인 교류가 지속되면서 김정희, 이상적 등 이전에 연결고리 역할을 했던 이들과는 별도로 사신이 독자적인 교류망을 형성하기도 하였다. 고사수계를 소개한 것은 이상적이었지만 철종 10년(함풍9, 1859)의 모임은 이상적이 아닌 김영작이 주도했고, 이후 김영작과 국내에서 친분이 있는 신석우, 박규수가 연이어 사신으로 선발되면서 김

연구』32, 2007; 손성욱, 앞의 글, 2012.

29) 손성욱, 앞의 글, 2012.

30) 許敬震·劉靖, 「晚淸時期의 朝中文人詩社 龍喜社 小攷」『동아인문학』14, 2008; 허방, 「晚淸 北京詩社 龍喜社와 한중 문학 교류」『국문학연구』28, 2013.

31) 손성욱, 앞의 글, 2012, 293~295쪽.

영작의 역할을 대신했다. 신석우는 동문환을 중심으로 한 문인 집단과 밀접한 친분을 쌓게 되는데 이는 우연히 만난 심병성을 통해 만들어진 교류망으로 역관과는 관계가 없었다.[32] 또한 신석우는 귀국길에서 북경을 향하던 박규수를 심병성에게 소개하는 편지를 써주었다.[33]

위와 같이 사신이 독자적으로 교류망을 만드는 모습은 개항 이후의 조선·청 교류에서도 나타난다. 고종 24년(광서13, 1887) 진하행 정사 이승오(李承五)는 용희시사의 인물들과 활발한 교류를 행했다. 이는 고종 23년(광서12, 1886) 사행의 정사 서상우(徐相雨)에게서 시작된 용희시사와의 인맥이 이승오를 비롯한 이후 사신들에게 이어진 것이었다.

공식 임무를 띤 사신들이 이처럼 청 문인과의 교류를 공개적으로 할 수 있었던 배경에는 무엇보다 사신에게 적용되었던 문금(門禁)이 19세기에 들어서 약화되었기 때문이다. 18세기 중반 무렵 사신 수행관들에 대한 문금은 유명무실해졌지만 사신들은 18세기 후반까지도 문금을 의식하는 형편이었다.[34] 사신의 자유로운 활동은 19세기에야 비로소 이루어졌다. 아울러 북학파들이 주장했던 청의 문명을 인정하자는 주장이, 수행관으로 상징되는 비공식적 영역에서 사신으로 대표되는 공식적 영역까지 확장되었다는 것을 반영한다. 그렇다고 청과 명을 동일한 중화국가로 보았다고 할 수는 없다. 그러나 적어도 경화 지식인들 사이에서 청과 조선을 공동운명체로 보거나 심지어 중화의 영역에 청을 포함시키는 분위기가 확산되는 추세가 문인 교류에서 나타나고 있었고,[35] 이러한 흐름은 19세기 후반까지 지속되었다.

---

32) 김명호, 『환재 박규수 연구』, 창비, 2008, 375~376쪽.
33) 김명호, 앞의 책, 2008, 397쪽.
34) 18세기 후반까지 사신에게 문금이 적용되었던 내용은 김창수, 앞의 글, 2019b, 222~229쪽.
35) 유봉학, 앞의 책, 1995, 73~78쪽; 조성산, 「18세기 후반~19세기 전반 대청인식의 변화와 새로운 중화 관념의 형성」『한국사연구』145, 2009.

2. 만인(滿人) 관료와의 교류

인조 15년(1637) 조선은 삼전도(三田渡)에서 청 태종에게 항복했다. 그렇지만 조선은 청을 인정하지 않았고, 그 핵심에는 바로 만주인에 대한 멸시가 있었다. 조선 지식인들은 청의 건국 세력을 과거 조선에 복속되었던 여진(女眞)인들의 후손이자, 문명을 소유하지 못한 야만인이라고 보았다. 때문에 그들이 만든 국가는 중국이 될 수 없었다. '오랑캐는 백 년을 못간다.'라는 경서의 구절은 당시 조선 지식인들에게 기대이자 동시에 당연히 실현되어야 할 미래였다. 조선 군신들은 청 황제를 '오랑캐 황제[胡皇]' 또는 '오랑캐의 군주[胡主]' 등으로 부르며 결코 황제의 권위를 인정하지 않았다. 일부 강경한 지식인들은 청의 연호가 아니라 명의 마지막 연호인 숭정(崇禎)을 지속적으로 사용했고, 조정에서도 공문서에서 연호 없이 간지만을 쓰기도 했다. 현종 14년(강희12, 1673) '삼번(三藩)'의 난으로 인해 청에 위기가 닥치자, 조선 조정에서는 개성의 대흥산성(大興山城)을 쌓고, 강화도의 방어시설을 강화하였으며, 남한산성을 정비하는 등의 대외위기에 대비하는 조치를 취했다.[36]

그러나, 조선의 군신의 기대는 이루어지지 않았다. 청은 삼번의 난을 무사히 진압한 이후 더욱 성세를 구가했고, 조선 지식인들은 기대와 현실의 모순을 어떻게 해석해야 할지 혼란에 빠졌다. 북학파들은 이러한 모순을 해결하기 위해 청의 지배층과 중국을 분리하는 방식을 택했고, 이조차 조선에서 쉽게 수용되지 않아 지난한 논쟁을 거쳐야 했다. 주목할 부분은 북학파마저 북학의 대상으로 만주인을 포용한 것은 아니었다는 점이다. 홍대용의 경우 특이하게도 만인들과 일정한 교류를 행했지만,[37] 이러한 흐름은 이후 사신은 물론 수행원에게조차 이

---

36) 17세기 후반 대외위기 의식과 이에 대한 방어정책에 대해서는 김우진, 『숙종의 대청인식과 수도권 방어정책』, 민속원, 2022.

어진 것으로 보이지는 않는다.[38] 앞서 기윤과 지속적으로 교류했던 홍양호는, 연행을 통해 조선 중심적 사고에서 벗어나서 중심의 상대성을 인식해야 한다고 강조했지만, 결코 만주인 관원들과 사적으로 교류하지는 않았다. 박지원이 열하를 방문한지 3년이 지난 정조 7년(건륭48, 1783), 심양 문안사를 수행한 이만수(李晚秀) 등은 뛰어난 청 문인들과 교류하기 위해서 여러 차례 탐문을 하면서도,[39] 그 대상에 만인은 전혀 염두에 두고 있지 않았다.

문학적 교류와는 별개로 만주인과 정치적 문제로 만나는 경우는 종종 있었다. 이러한 경우는 대부분 주문을 통해 조선의 요구를 관철시키거나 청으로부터의 압박을 피하기 위한 외교적 노력을 기울일 때 발생하였다.[40] 숙종 6년(강희19, 1680) 이후 약 10여 년간 표·전문(表箋文) 위식(違式) 사건이 발생했을 때, 되풀이되는 벌금을 면제받기 위해 청 측 역관을 통해 당시 예부시랑이었던 액성격(額星格)에게 뇌물을 보내는 모습이 나타났다.[41] 영조의 세제 책봉을 요청했을 때 원활한 승인을 위해 전년도에 조선을 방문했던 예부시랑 나첨(羅瞻)을 포섭하려는 시도도 있었다.[42] 영조대에는 조선 출신으로서 난의위 시위(鑾儀衛侍衛)를 역임한 김상명(金常明)과 지속적인 교류를 통해 조선

---

37) 홍대용은 만주종실 兩渾, 瀋陽府學의 조교 등과 일시적인 만남을 가졌다. 특히 이친왕(怡親王)의 자손으로 추정되는 양혼과 직접 만났을 뿐 아니라 빈번히 서신을 교환하고 시계를 빌리기도 하였다. 김명호, 『홍대용과 항주의 세 선비』, 돌베개, 2020, 308~347쪽.

38) 김명호, 앞의 책, 2020, 305쪽.

39) 한영규·한메이, 『18~19세기 한중문인 교류』, 이매진, 2013, 48~49쪽.

40) 김창수, 이 책 2장; 손성욱, 「王世子 冊封으로 본 淸·朝 관계(康熙 36년~乾隆 2년)」 『동양사학연구』146, 2019; 張存武, 「朝鮮對淸外交的秘密經費研究」 『中央研究院近代史研究所集刊』5, 1976.

41) 夫馬進, 「明淸中國の對朝鮮外交における'禮'と'問罪'」 (夫馬進 編, 『中國東アジアの外交交流史の研究』, 京都大學學術出版會, 2007).

42) 김일환, 「李健命의 奏請 사행(1721~1722)과 '寒圃齋使行日記'」 『동아시아문화연구』 58, 2014.

과 청 사이에서 발생하는 외교 문제의 중재를 부탁하였다.[43] 정조 연간에는 세자 책봉을 위해 조선에 파견되었던 청 사신과 사전에 접촉하는 정황도 확인할 수 있다.[44] 이러한 모습들은 큰 틀에서 보면, 만인과의 교류망이 전혀 없었던 상황에서 양국의 정치적 안정을 바탕으로 점차 소통의 범위를 넓혀가는 흐름 위에 있다고 할 수 있을 것이다.

정치적 교섭과 함께 청 사신의 요청으로 문한 교류도 이루어졌다.[45] 다만 18세기 후반까지 조선에서는 청 사신의 문한 능력을 매우 부정적으로 보았다.[46] 숙종 29년(강희42, 1703) 인원왕후(仁元王后)를 책봉하기 위해 청 사신이 조선에 파견되었다. 당시 상사는 한림원장원학사(翰林院掌院學士) 규서(揆叙)였는데, 『실록』에 따르면 영접사에게 자신의 시를 자주 보이고 또 조선의 재상에게 시를 구하였다.[47] 그러나 이건명(李健命) 등의 조선 고관들은 시를 지으라는 국왕에 명령에 응하지 않았다.[48] 숙종 35년(강희48, 1709) 황태자 복위 조서를 반포하러 청 사신이 왔을 때, 원접사 강현(姜鋧)은 내각학사(內閣學士) 연갱요(年羹堯)에 대해 "그의 시구를 보건대 겨우 압운(押韻)할 줄 알 뿐"이라며 연갱요의 문한 능력을 낮춰 평가하였다.[49] 경종 3년(옹정1, 1723) 청 사신들은 조선에서 으레 주는 예물을 거절하고 대신 부채에 시를 적어 줄 것을 요청했다.[50] 당시 상당수 청 사신이 다양한 물품을 요구

43) 연갑수, 「영조대 대청사행의 운영과 대청관계에 대한 인식」『한국문화』51, 2010; 손성욱, 「王世子 冊封으로 본 淸·朝 관계(康熙 36년~乾隆 2년)」『동양사학연구』146, 2019a.
44) 『同文彙考』補編續, 使臣別單1 「謝恩兼冬至行正使黃仁點副使尹尙東別單」 1a~3a.
45) 17~19세기 중반까지 청 사신의 시문 요청에 대해서는 김성은, 『조선과 청나라 사신 간의 시문 교류』『중국학논총』35, 2012.
46) 이하의 내용은 김성은, 앞의 글, 2012, 60~63쪽.
47) 『肅宗實錄』 숙종 29년(1703) 6월 11일.
48) 『肅宗實錄』 숙종 29년(1703) 6월 17일.
49) 『肅宗實錄』 숙종 35년(1709) 5월 11일.
50) 『景宗實錄』 경종 3년(1723) 7월 11일.

했던 것에 비하면 긍정적으로 평가받을 만한 일이었지만 『실록』에서
는 자신들의 청렴함을 자랑하기 위해서라며 폄하하였다.[51]

청 사신의 문한 교류 요청과 조선의 거절 혹은 부정적 평가는 영조대
에도 지속되었다.[52] 청 사신들은 평양, 황주 등 주요 사행로에 위치한
정자에 자신들의 시를 현판으로 걸고자 했다.[53] 일부 청 사신들의 문한
능력에 대해 긍정적인 평가도 있었지만,[54] 조선에서는 청 사신과 시를
수창하는 것을 매우 번거로운 일로 여겼다.[55] 청을 이적(夷狄)으로 보
는 반청감정이 조야에 광범위하게 공유되었던 상황에서 청 사신의 작
시나 문한 요청은 자연히 부정적으로 보일 수밖에 없었을 것이다.

위와 같은 흐름이 바뀐 것은 18세기 후반 정조 연간에 들어서이다.
정조 즉위년(건륭41, 1776) 국왕을 책봉하기 위해 조선에 온 청 사신들
이 지은 시에 대해 정조는 잘 짓지는 못했지만 필법은 볼만하다며 평
가했으며[56] 시를 지은 부사 숭귀(嵩貴)를 직접 만난 자리에서는 그의
시를 칭찬하며 남겨두고 종종 보겠다는 말을 건넸다.[57] 이듬해(정조1,
1777) 황태후의 붕서 조서를 전하기 위해 온 청 사신들이 귀국할 때는
시전지(詩箋紙)를 선물하여 사신들의 문한에 대한 갈망에 호응해 주었
다.[58] 정조 8년(1784) 12월 세자 책봉을 위해 조선에 파견된 청 사신들

---

51) 『景宗實錄』 경종 3년(1723) 7월 11일.

52) 『英祖實錄』 영조 11년(1735) 11월 15일.

53) 『承政院日記』 영조 25년(1749) 6월 15일; 같은 자료, 영조 26년(1750) 10월 11일;
같은 자료, 영조 36년(1760) 1월 27일.

54) 『承政院日記』 영조 24년(1748) 4월 25일, "上覽訖笑曰 彼人之詩 亦能善作矣 周鎭
曰 書山之於詩 能善作矣"

55) 『承政院日記』 영조 28년(1752) 1월 26일, "上曰 雖惡奚爲 儺曰 好作詩 可悶矣"

56) 『承政院日記』 정조 즉위년(1776) 11월 1일, "上曰 副勑所製詩律 則雖未善作 而至
於筆法 頗有可觀處矣"

57) 『承政院日記』 정조 즉위년(1776) 11월 2일.

58) 『承政院日記』 정조 1년(1777) 3월 9일, "上傳于副勑曰 盛作華翰 當爲別後留玩之資
珍謝無已"

과의 접견 자리에서, 정조는 사신들에게 시와 글씨를 요청하는 한편 전년도(정조7, 1783) 심양 문안사가 건륭제로부터 받은 시를 모각해 놓았다며 그 인본(印本)을 선물로 주었다.[59] 다음날 부사 시독학사(侍讀學士) 아숙(阿肅)이 시를 지어 보내자 정조는 곧바로 이복원(李福源)과 홍양호(洪良浩)에게 각각 화답시를 작성하도록 했다.[60] 아숙은 귀국 길에서도 황주와 평안도에서 시를 짓고는 이를 기록해서 남겨둘 것을 요청했다.[61]

청 사신들이 조선의 연로를 오가며 시를 짓고 이를 기록하는 일들은 관행이 되었던 것으로 보이지만, 국왕 또는 신하들이 전면에 나서 청 사신과 시를 수창하는 모습은 이후 확인되지 않는다. 대신 영접사로 파견된 신료들과의 시문 수창이 19세기 중반 이후부터 확인된다. 헌종 9년(도광23, 1843) 8월 효현왕후(孝顯王后) 김씨(헌종비)가 사망하자 조선에서는 고부사(告訃使)를 통해 왕후의 죽음을 알렸다. 청에서는 전례에 따라 백준(柏葰) 등을 유제사로 파견했다.[62] 이듬해인 헌종 11년(도광25, 1845) 조선에서는 새로운 왕비의 책봉을 요청했고, 청은 책봉사로서 화사납(花沙納)을 조선에 파견했다.

그런데 사행 임무를 마치고 귀국하는 길에 오른 백준은 너무나도 많은 글씨 청탁에 사람들을 응접하느라 전혀 여가가 없었다. 심지어 국왕마저도 종이 두 권을 보내 글을 청했다. 더욱 주목할 사실은 영접하러 온 조선 관원들과 시를 창화하고 이를 시집으로 남겼다는 점이다. 시창에는 원접사 조병현(趙秉鉉)과 차비관(差備官) 이상적이 주로

---

59)『日省錄』정조 8년(1784) 12월 4일. 건륭제의 어제시는 "迎鑾祝壽陪臣价 按轡蹉途 賜謁溫 問悉國中逢稔歲 夙知海外得賢藩 習經史地心無貳 遵禮義邦教有源 愼守封疆撫黎庶 萬斯年求受朝恩"이다,『通文館志』紀年續, 정조 7년(1783).

60) 김성은, 앞의 글, 2012, 63~65쪽.

61)『正祖實錄』정조 8년(1784) 12월 14일; 같은 자료, 12월 16일.

62) 청에서는 조공국 가운데 오직 조선에만 왕비와 세자를 책봉했으며, 동시에 이들이 사망할 경우 유제사를 파견했다.『欽定禮部則例』卷168, 賜外國國王恤典.

참여하였다.[63] 이와 같은 모습은 화사납 역시 마찬가지였다. 그 또한 글씨 요청에 시달렸고, 한편에 불과하지만 차비관 변종운(卞種運)과 시문을 창화했다.[64]

청 사신과의 교류가 귀국 후에 지속된 사례도 나타났다. 이유원(李裕元)은 철종 즉위년(도광29, 1849) 헌종의 죽음을 유제하기 위해 온 서상(瑞常) 및 화색본(和色本)과 교류했을 뿐 아니라 그들이 귀국한 이후에도 지속적으로 연락을 취했으며, 이들 사신이 남비(南非)를 토벌하다 죽었다는 소식을 듣고 슬픈 마음을 기록으로 남겼다. 이상적 역시 당시 서상 등에게 송별시를 받고 화답시를 보냈는데, 이유원과 달리 역관으로서 빈번히 북경을 왕래했기 때문에 이들과 연속적인 만남을 이어갔을 가능성도 있었다.[65]

단편적인 사례지만 청 사신에게 글씨를 요청하거나, 그리고 영접관원들과의 시문 창화는 조선 전기 명 사신들의 그것과 거의 흡사한 모습을 보이고 있다. 시문으로 대표되는 문학적 소양이 한중 문인 교류의 매우 중요한 매개체였다는 점을 고려한다면 1840년대에 만인 관료의 일부는 조선 지식인들의 문한 교류 범위에 있었다.

19세기 전반에서 벗어나지만, 앞서 만인과의 교류는 19세기 후반에 더욱 활발해졌다. 특히 조선 사신과 적극적으로 교류하려고 하는 만인 관원들이 등장했다. 먼저 수기(壽耆: 자 子年)를 들 수 있다.[66] 수기는 정람기(正藍旗) 소속으로 순치제의 5자 화석공친왕(和碩恭親王) 상령(常寧)의 7대손으로 만주 종실의 후예였다. 또한 진사 출신이기도 했는데, 고종 24년(광서13, 1887) 한림 시독학사였고, 1900년 이후에는 이

---

63) 김한규 역주, 『사조선록 역주』5, 소명출판, 2012, 215~245쪽.
64) 구범진, 「19세기 전반 청인의 조선사행 -柏葰과 花沙納의 경우-」『사림』22, 2004, 129~130쪽.
65) 김성은, 앞의 글, 2012, 66~70쪽.
66) 李承五「燕槎日記」고종 24년(1887) 6월 4일.

번원(理藩院) 좌시랑, 형주장관에까지 이르는 인물이다.[67] 아버지 송상(松桑 또는 嵩森, 호 吟濤)은 북경에서 예부시랑을 담당했고[68] 성경(盛京)에서도 6년 동안 시랑 직을 맡으면서 조선과는 비교적 접촉할 기회가 많았던 인물이었다.[69]

고종 25년(광서14, 1888) 북경을 방문한 조병세(趙秉世)는 공식행사를 마치고 송상을 찾아가 10년 만의 회포를 풀고는[70] 이후 두 차례의 만남을 더 가졌는데,[71] 이에 따르면 이미 고종 15년(광서4, 1878)에 송상과 조선 사신과의 교류가 이루어졌고, 그러한 인연이 송상의 아들인 수기에게도 이어졌던 것으로 보인다.[72] 고종 24년에는 광서제의 친정(親政) 축하를 위해 방문한 이승오(李承五)를 먼저 방문하고 이승오를 초대하였다.[73] 이후 수기와의 만남은 두 차례 더 이루어졌다.

또 다른 인물은 수창(壽昌)이다.[74] 수창은 한군(漢軍) 정백기(正白旗) 소속의 기인으로 상서 숭륜(崇倫 또는 崇綸)의 아들이다. 숭륜은 함풍 8년(1858) 제2차 아편전쟁에서 천진 전투에 참여해 공적을 올렸으며 이번원 및 공부상서에 오른 고관이다.[75] 조선 사신과 수창의 만

---

67) 『淸史稿』 卷25 宣統皇帝本紀; 錢實甫, 『淸代職官年表』, 北京: 中華書局, 1980, 878
～879쪽.

68) 錢實甫, 앞의 책, 1980, 510쪽.

69) 錢實甫, 앞의 책, 1980, 868～871쪽.

70) 趙秉世, 『丁戌燕行日記』 고종 25년(1888) 2월 13일.

71) 趙秉世, 『丁戌燕行日記』 고종 25년(1888) 2월 14일; 같은 자료, 2월 16일.

72) 松桑은 광서 6년(1880)부터 광서 12년(1886)까지 성경 예부시랑을 역임했는데, 성경은 조선 사신이 반드시 거치는 사행 거점이었기 때문에 송상과 공식적인 만남이 지속되었을 것으로 보인다. 송상의 성경 예부시랑 관력은 錢實甫, 앞의 책, 1980, 868～871쪽.

73) 李承五 「燕槎日記」 고종 24년(1887) 6월 4일.

74) 「燕槎日記」에는 수창의 관직을 시랑이라고 했지만 이는 일부러 높여 쓴 것으로 보인다. 수창은 광서 23년(1897)에 이르러서야 병부우시랑에 임명되었다, 錢實甫, 앞의 책, 1980, 719쪽.

75) 『淸史列傳』, 卷52, 崇綸.

남은 고종 16년(광서5, 1879) 부사로 파견된 남일우(南一祐)에게서 확인된다. 수창은 남일우 일행에게 전년도(고종15, 광서4)에 북경을 방문한 심순택(沈舜澤) 일행과의 인연을 언급하며 자신의 집으로 초청하는 편지를 보냈고,[76] 이후 남일우 등이 수창을 방문했다. [77] 며칠 후 수창의 아들인 내무부 낭중 석린(錫麟)이 관소로 찾아와 안부를 전했고, 이후 수창도 다시 방문하는 등 빈번히 교류하였다.[78] 이듬해인 고종 17년(광서6, 1880)에 북경을 방문한 임응준(林應準) 역시 수창과 교류하였다.[79] 고종 24년(광서13, 1887) 12월 조병세가 북경의 회동관에 도착한 지 불과 이틀 만에 수창이 음식을 가지고 관소를 방문했는데,[80] 이들은 이미 고종 15년(광서4, 1878)에 만난 적이 있었다. 고종 24년 진하 정사 이승오도 수창을 만났고, 수창은 이승오와의 대화에서 남일우가 자신의 집에서 만취했던 일을 언급하며 자연스러운 분위기를 만들었다.[81]

과이민(果爾敏: 자 性臣, 호 杏岑)은 만인으로서 조선 사신과 밀도 있는 문한 교류를 하였다. 과이민은 과륵민(果勒敏)으로도 표기되며, 예친왕부(豫親王府)의 부마이자 산질대신(散秩大臣)으로 고종 13년(광서2, 1876)부터 항주 주방대신에 임명되어 고종 15년(광서4, 1878) 7월까지 담당하였다.[82] 과이민은 이승오 일행에게 식사를 대접했을 뿐만 아니라[83] 적극적으로 문한 교류를 시도했다. 회동관으로 찾아와 이승

---

76) 南一祐, 『燕記』 고종 17년(1880) 1월 4일.

77) 南一祐, 『燕記』 고종 17년(1880) 1월 12일.

78) 南一祐, 『燕記』 고종 17년(1880) 1월 4일; 같은 자료, 1월 12일.

79) 林應準, 『未信錄』 고종 18년(1881) 1월 18일; 같은 자료, 1월 20일; 같은 자료, 2월 8일.

80) 趙秉世, 『丁戌燕行日記』 고종 24년(1887) 12월 29일; 같은 자료, 고종 25년(1888) 1월 14일.

81) 李承五, 「燕槎日記」 고종 24년(1887) 7월 7일.

82) 錢實甫, 앞의 책, 1980, 2394～2396쪽.

83) 李承五, 「燕槎日記」 고종 24년(1887) 7월 20일.

오 일행을 자신의 집으로 초청했다. 과이민에 대해 이승오는 시문에도 능하다고 평가했는데, 이로 인해 시창(詩唱)도 이루어졌다. 7월 22일 이승오는 부사·서장관과 함께 발합시(鵓鴿市)에 있는 과이민의 집에 찾아가 호서(湖西)의 경치를 그린 그림을 감상했다.[84] 7월 24일에는 과이민이 연회 물품을 보내와 삼사신이 함께 맛보기를 청했고,[85] 이에 대한 답례였는지 8월 2일 이승오는 과이민의 화첩에 제문(題文)을 보냈다.[86]

만인 관료들과 조선 사신의 교류는 일회적인 것이 아니라 연속적인 흐름 위에 있었다. 만인 관료들은 조선 사신이 북경에 도착하자 한족 문인들과 마찬가지로 자연스럽게 안부를 전하면서 교류를 청해왔다. 또한 이러한 만남은 한 번에 그치지 않았고, 앞서 수창의 사례를 아울러 살펴보면 적어도 1870년대 이전부터 만인 관료들과의 교류가 연속적으로 자연스럽게 이루어지고 있었던 것으로 보인다. 또 다른 특징적인 부분은 한족 문인들과 마찬가지로 역관을 통하지 않고 한문을 이용한 필담이 주요한 교류 방식이었다는 점이다. 이는 한문 소양을 갖춘 만인이 상당수 존재했음을 의미한다. 마지막으로 한인의 경우에는 과거 준비생 같은 비관료와의 교류도 상당 부분 존재했고, 또 연속적인 성격을 지니는 경우도 있었다. 그렇지만 만인의 경우는 모두 만인들이 먼저 조선 사신에게 연락을 취했으며 그들은 모두 비교적 고위 관료 또는 고위 가문과 연관된 인물들이었다는 점이다.

19세기 사신 파견이 감소하는 것과는 반비례하여 조선 사신과 청 문인과의 교류는 연속적으로 그리고 점차 확대되었다. 양국 관계의 지

---

84) 李承五, 「燕槎日記」 고종 24년(1887) 7월 22일.

85) 李承五, 「燕槎日記」 고종 24년(1887) 7월 24일.

86) 李承五, 「燕槎日記」 고종 24년(1887) 8월 2일; 李承五, 『觀華志』「詩抄」 題岑岑圖帖 "朶將軍之燕頷 班定遠兮 異代同心 挦將軍之虎鬚 張桓侯兮 易地並驅 吁嗟呼二公之不可群兮 將軍能武而又能文 繪西湖十景 以顒仰兮 旹一開卷而神逞 邂逅我東溍之行人兮 款款呼天涯而若比隣"

속된 안정이 한쪽으로는 사신 파견의 감소로 나타났다면, 다른 한쪽에서는 사신교류가 확대되는 흐름으로 드러났다. 안정된 국제관계 속에서 사신의 교류에 부담으로 작용했던 '인신무외교'의 원칙은 훨씬 약화될 수밖에 없었고, 다양한 사적 교류는 정치적 교섭의 기반을 만들어갔다.

7장
병인양요(1866)와 '인신외교'의 시도

1. 병인양요 시기 사신의 교섭 활동*

철종 11년(함풍10, 1860) 영국·프랑스 연합군의 북경점령을 소식을 들은 조선 조정은 우려와 긴장에 빠졌다. 조선에서 느낀 당혹감은 북경으로 급히 문안사를 파견한 것에서 단적으로 드러난다.[1] 조선·청 관계 속에서 북경에 문안사를 파견한 일은 단 한 번도 없었기 때문이다. 그러나 철종 12년(함풍11, 1861) 전후로 귀국한 사신들은 서양이 결코 중국을 멸망시킬 수 없으며 조선에 대한 침공도 지나친 우려라는 내용을 보고했다.[2] 아울러 같은 해 12월 함풍제의 죽음과 새 황제의 등극을 알리기 위해 조선에 온 청 사신도 중국의 상황을 낙관적으로

---

* 고종 3년(1866) 북경에서 조선 사신(주청행, 정사 柳厚祚)의 활동에 관해서 필자(2016a)는 신용하의 연구(1985) 및 『양요기록(洋擾紀錄)』의 편찬자를 근거로 오경석(吳慶錫)이 당시 교섭을 수행한 것으로 판단했다. 그러나 오경석은 해당 사행에 참여하지 않았으므로 오경석의 활동에 관한 서술은 오류임을 밝힌다. 이에 관한 지적은 손성욱의 연구(2018a) 참조(각각 신용하, 「吳慶錫의 개화사상과 개화활동」『역사학보』107, 1985; 김창수, 「19세기 후반 대외위기와 조선 사신의 교섭 양상」『한국사학보』65, 2016a; 손성욱, 「'外交'의 균열과 모색: 1860~70년대 清·朝 관계」『역사학보』240, 2018a, 535쪽 각주34).

1) 철종 12년 문안사 파견 과정은 김명호, 『환재 박규수 연구』, 창비, 2008, 364~368쪽.

2) 이때 열하 문안행에 부사로 참여한 박규수의 보고가 연구자들에게 주요한 내용을 다루어졌다. 박규수의 대외인식에 대해 사행을 계기로 서양을 우호적으로 보는 인식의 전환을 이루었다는 입장과 '유교와 중화문명의 우월성에 대한 확신을 견지'했다는 입장으로 나뉜다. 각각의 대표적인 연구는 손형부, 『박규수의 대외사상 연구』, 일조각, 1997, 116~126쪽; 김명호, 앞의 책, 2008, 421~437쪽.

전하였다.[3]

그러나 서양의 압박은 청에 그치지 않고 곧이어 조선으로 향하였다. 병인양요(丙寅洋擾)로 상징되는 서양의 조선 침략은 개항 이전까지 조선의 대(對)서양 정책을 결정짓는 계기가 되었을 뿐 아니라 조선 사신의 교섭 방식에도 결정적 영향을 미쳤다.[4] 고종 3년(동치5, 1866) 4월 왕비의 책봉을 요청하기 위해 서울을 떠난 유후조(柳厚祚) 일행은 6월 6일 북경에 도착, 다음날 표문(表文)과 자문(咨文)을 예부에 올렸다. 이 때 공식적인 자리에서 예부상서 만청려(萬靑藜)를 만나고, 7월 11일 공식 임무를 모두 마치고 북경을 출발하여 8월 23일 서울에 도착하여 소견 자리에 나아갔다.[5]

유후조 일행의 출발 전, 조선에서는 국내 천주교 신자들에 대해 대대적인 탄압을 가했다. 병인박해로 불리는 이 사건으로 인해 수천의 조선인 천주교 신자와 함께 프랑스 선교사 9명이 처형되었다. 흥선대원군은 조선 내 사교(邪敎)의 확산 및 프랑스 선교사들과 신정왕후 세력과의 결합 등을 우려한 끝에 천주교에 대한 체포와 처벌을 결정했다. 외국인 선교사에 대해 헌종 5년(도광19, 1839) 때와 달리 배교(背敎)를 강요하지 않고 단지 본국송환을 제안했지만, 프랑스 선교사들은 이를 거부하고 결국 순교를 택했다.[6]

그런데 같은 해 5월 조선에 구금되어 있던 신부 중 한 명인 리델(F. C. Ridel)이 탈출에 성공하여 병인박해의 전모를 천진에 주둔하던 프랑스 극동함대 사령관 로즈(P. G. Roze)에게 알렸다. 로즈는 주청 프랑스 공사에게 이를 전달하면서 보복을 주장하였다. 주청 프랑스 공사 벨로

3) 하정식,『태평천국과 조선왕조』, 지식산업사, 2008, 104쪽.
4) 병인양요 이후 조선·청의 교섭 방식의 변화는 손성욱, 앞의 글, 2018a.
5)『日省錄』고종 3년(1866) 7월 28일; 같은 자료, 고종 3년(1866) 7월 29일; 같은 자료, 고종 3년(1866) 8월 23일.
6) 연갑수,『대원군집권기 부국강병정책 연구』, 서울대학교출판부, 2001, 75~96쪽.

네(H. de Bellonet)는 본국에 조선에 대한 공격 계획을 먼저 알린 후, 고종 3년(동치5, 1866) 6월 3일 청의 총리각국사무아문(이하 '총리아문')에 조선과의 전쟁 선포와 청의 중재를 받아들이지 않겠다는 내용의 공문을 전달하였다.[7]

총리아문에서는 프랑스 공사의 문서를 접하고 나서야 병인박해 사건을 알게 되었고, 이에 당시 북경에 머물고 있던 유후조 일행에게 해당 사건의 유무를 물었다. 조선 사신들은 논란 끝에 일단 숨기기로 하고 해당 사건을 부정했다.[8] 그런데 상황 파악을 위해 탐문하던 중 프랑스의 조선 침공설을 듣게 되었다. 6월 26일 부사와 서장관이 당시 병부낭중 황운곡(黃雲鵠)을 통해 프랑스 공사가 총리아문에 보낸 공문과 함께 프랑스의 침공에 대비하라고 예부에서 조선에 보낸 자문을 확인하였다.[9]

유후조 등은 이러한 상황을 조선에 알리기 위해 선래군관(先來軍官)을 보내고자 했는데, 이를 위해서는 예부를 통한 허가가 필요했다.[10] 때문에 조선 사신들은 예부 당상관을 만나 이 문제를 부탁하고자 했지만 예부 관원은 일부러 회피한 듯 공무를 이유로 접견을 미루었다. 그러나 예부의 일정을 탐문한 끝에 곧장 찾아가 프랑스 침공 문제에 대해 자문을 구하며 필담을 진행했다.[11] 당시 필담의 주체는 예부상서 만청려이며[12] 그가 유후조에게 써준 글에는 중국의 입장과 '인신무외교'의

---

7) 김용구, 『세계관의 충돌과 한말 외교사, 1866-1882』, 문학과지성사, 2001, 85~87쪽.
8) 吳慶錫, 『洋擾記錄』, 38~39쪽.
9) 吳慶錫, 『洋擾記錄』, 43~44쪽, "二十六日 與副使書狀 往見黃 則黃乃誦示某國致書於捴理衙門 要出公文 東去行敎 故回示以東國士民不願行敎 則不可强抑云云 又以前言回示 而咨文於貴國以爲萬全之計云云"
10) 吳慶錫, 『洋擾記錄』, 44쪽.
11) 吳慶錫, 『洋擾記錄』, 44쪽.
12) 당시 필담대상을 만청려로 특정한 근거는 손성욱, 앞의 글, 2018a, 535쪽 각주 33번 참조.

상황 등을 잘 보여주고 있다. 우선 만청려는 유후조에게 조선이 다음과 같은 행동을 취할 것을 요청했다.

첫째, 프랑스의 조선 침공설에 대해서는 이미 병부를 통해 긴급 자문[飛咨]을 보냈으니 조선에 곧 도착할 것이다.

둘째, 프랑스의 군대는 하루 만에도 조선에 도착할 수 있는 상황이다. 절대로 전쟁을 벌여서는 안 되며, 반드시 강화해야 한다.

셋째, 강화하지 못한다고 해서 청에게 군사지원을 요청해서는 결코 안 되며 단지 프랑스와 조선 간의 중재를 요구하도록 해야 한다.

넷째, 프랑스와 협상할 때 앞으로 외국 선교사는 해당 국가로 보내고 조선에서는 처벌하지 않도록 하겠다고 해야 한다. 아울러 종교 전파에 관해서도 따르기 어렵다고 해야 하지 결코 불가론을 내세워서는 안 된다.[13]

만청려의 요지는 프랑스와 싸우지 말 것과 청을 통해 평화조약을 맺으라는 것이었다. 1870년대 말에 나타난 이홍장 등이 주장한 입약권 도책(立約勸導策)의 초기적 형태가 이미 병인양요 직후 청 예부상서에게 나타나고 있다는 점을 알 수 있다.[14] 만청려는 보다 구체적으로 프

---

13) 韓應弼, 『禦洋隨錄』, "(1) 貴國事 僕稍知之 前日曾奏准由本部行知矣 其中委曲不能以口舌相傳 而尤不敢形諸筆墨 惟强場之事 不比尋常 當求其萬全 庶不爲人所乘耳 法國現已調兵 君等知否 現在僕嚴催本部 明貢昒賞件 早爲催辦 以便閣下早故也 於二十一日行文 馬上飛遞去矣 由禮部封交兵部 沿途飛遞 盛京兵部轉行貴國 (중략) (2) 計此時伊之兵 不日當抵貴境矣 功不可冒昧與之爭戰 止宜固守與之講理 (3) 若不得講 功不可來中國請兵 旣遠不能濟事 且亦無可調發 徒托空言 必至誤事 欲於中國止求將道理與之講說排鮮大意雲 (중략) (4) 國之所恃者戰守而已 今貴國小弛 急於講求 恐有不逮 愚意此事當先以理折之 朝鮮之法向來如此 不自今始 今所殺者洋人少 而本地之人多 且知止爲莠民 不知其爲隣國之教士也 自今以後如有外人入我本境傳教者 本國之法 但加於本國之民 隣國之人則以禮遣之 截不殺害 (중략) 但知可言 各國所習不同 朝鮮民人願從者少 不便相强 功不可言彼教之不可行 則立言得體矣" (번호는 필자)

14) 다만 만청려는 서양에 대해 강경한 입장을 취하는 청류파에 가까웠던 만큼 그의 주장은 이홍장과 달리 현재의 위기를 넘기는 데 목적이 있었다고 판단한다. 손성욱,

랑스와 "조약을 체결[成約]하면 즉시 표문을 갖추어 (청에) 주문을 올려 장정(章程)을 정하는 것"이 좋겠다고 권고하였다. 조선과 프랑스와의 조약체결 및 장정은 조선과 청의 기존 관계 벗어나는 새로운 형태의 국제관계였다. 당시 조선 사신 일행의 자문에 응한 청의 장병염(張丙炎) 역시 어쩔 수 없이 통상(通商)할 가능성을 염두에 두고 있는 것으로 보아[15] 만청려가 언급한 조선과 프랑스의 입약이 만청려 개인의 돌출된 견해가 아니라는 것을 알 수 있다. 만청려가 유후조를 통해 자신의 견해를 어떻게 전달했는지를 살펴보도록 한다.

우리는 수백 년 동안 교류한 나라로 정교(政敎)는 다르지만 예의를 모두 준수할 줄 아니, 다른 나라들이 힘을 가지고 밀어붙이는 경우와는 다릅니다. 이 일(프랑스 침략)이 이미 진행되었기 때문에 저는 귀국을 위해 근심합니다만, 예부를 맡고 있어 군무(軍務)에는 간여하지 않으므로 헛되이 근심만 할 뿐 어찌할 줄 모르겠습니다. 지난번에 예부에서 귀국으로 긴급 자문[飛咨]을 보냈으니 조금이라도 방비하여 프랑스에게 눌리지 않길 바랄 뿐입니다.

그 나라는 못된 성품을 지녀 병력(兵力)을 믿고 이기지 않으면 그치지 않아 중국도 여러 차례 피해를 받았습니다. 현재 중원이 안정되지 않아 여러 곳에 병력을 쓰느라 힘이 실로 미치지 못합니다. 그래서 단지 방법을 강구해 기미할 뿐이나 그 마음은 정말 알 수 없습니다. 합하(閤下)께서는 공무를 마치시고 서둘러 귀국하신 후 깊이 생각하여 계획을 짜시되, 결코 가볍게 시험해서는 안 됩니다. 이것이 가장 중요합니다.

한편 합하께서 여러 차례 왕림하려고 했지만 (제가) 감히 청하지 못한 것은, 또한 이러한 마음을 가지고 있으니 말씀을 드려야 했으나 명확히 말하는 것은 또 불가한 상황이기에 지체하다 지금에 이르렀습니다. (중략) 이 말은 이곳에서는 절대 다른 사람에게 얘기하시면 안 됩

앞의 글, 2018a, 537쪽 각주39.

15) 韓應弼, 『禦洋隨錄』, "張丙炎【號午橋今翰林編修】(중략) 如不得已通商 必以物換物 勿以金銀貿易 則渠亦無利而必自退 金銀一入他手不復還 故中國財竭矣"

니다. 여기에서는 이런 일을 언급하는 것을 금지하고 있습니다.

　듣건대 귀국의 대원군께서 매우 예리하고 영명하시다고 하니 이 일을 능히 완료하실 수 있겠지요? 한마디 더 하자면 이곳에서만 누설하면 안 될 뿐 아니라 귀국에서 또한 새서는 안 됩니다16)

　만청려의 행동이 정말 본인의 말처럼 독자적인 것인지, 아니면 청의 입장을 대표하는 것인지는 불분명하다. 또한 조선 사신 일행이 여러 번 만남을 시도했지만 이를 회피했던 점, 자신의 자문 내용을 절대 누설하지 않도록 당부하는 것을 통해 정치적 사안을 신료끼리 다루는 것에 대한 부담도 분명히 느껴진다. 그러나 기존의 '인신무외교'의 관행에서 벗어나 예부상서를 찾은 조선 사신 일행이나 그것에 호응해준 만청려의 행동은 분명 '인신무외교' 원칙의 균열을 상징적으로 보여준다. 또한 만청려는 자신의 조언이 대원군에게 들어갈 것을 명확히 인식하고 있으며 또 그러기를 바라고 있다. 병인양요를 목전에 두고 극도로 높아진 대외위기의 상황 속에서, 조선과 청 관료들은 새로운 교섭 방식을 모색했던 것이다.

　'인신무외교'의 균열은 프랑스가 조선 침공을 공언했을 시기, 이에 대한 대책을 마련하는 과정에서 나타났다. 조선 사신은 예부상서 및 청 지식인들에게 관련 정보를 확보하고 조언을 구했다. 그것은 18세기 후반부터 형성되어 19세기에 확장된 조선·청 문인 간의 교류망을 활용한 것이었다. 『양요기록(洋擾記錄)』 및 『어양수록(禦洋隨錄)』에는

---

16) 韓應弼, 『禦洋隨錄』 上副使在北京時筆談, "我等乃數百年相與之國 政教不相同 而禮義皆知遵守 不比他國之以勢力相傾者 此事已成 故愚甚爲貴國憂 然戢典禮曹 不與軍事 空坊憂慮 無可如何 前因本部飛咨貴國者 恐無一豫備 爲人所乘耳 該國桀鶩性成 恃其兵力 不勝不止 中國受害屢屢 現因中原不靖 各處用兵 力量案有不及 止得設法羈縻 而其心固難之也 閣下禮成之後 趕早俟家 熟爲籌劃 切勿輕於一試 是爲最要 再閣下屢次欲枉顧 而不敢相請者 亦有此心事 不言不可 明言又不可 故遲遲至今 (중략) 此言在此處 切勿洩之於人 本處禁談此事也 聞貴國大院君 當國甚屬精明 能了此事否 愚有一言 不惟此處 不可洩也 卽在貴國 亦不可洩"

당시 북경에서 프랑스의 침공과 관련해 조언을 해준 준 청 측 인사들의 명단이 수록되어 있는데, 그 명단은 아래와 같다.

〈표 8〉 유후조 일행이 접촉한 청 인사

성명	호	관직	출신
陳玉章			瀋陽人
李日乾		候選	雲南人
張丙炎	午橋	翰林編修	
王軒	顧齋	兵部郎中	
吳懋林		候選	
劉培芬		福建通判	江蘇 昆陵人
萬靑藜	藕舫	禮部尙書	江西 德化人

진옥장(陳玉章)과 이일건(李日乾)은 고종 3년 이전 조선 사신과의 접촉이 구체적으로 확인되지 않는데, 각각 심양과 운남 출신이라는 점을 고려하면 북경에 장기간 거주했던 인물들은 아닌 것으로 판단한다.

한림편수 장병염은 병인년(1866) 당시 조선에 자문해준 인물로 "조정의 일에 대해 모르는 것이 없고 변론이 명쾌하여 천하 형세가 손바닥을 가리키는 듯하였다."라는 평가를 받았다.[17] 그는 철종 9년(함풍8, 1858) 사은겸삼절연공행 부사 김영작(金永爵), 서장관 김직연(金直淵)과 교류한 바 있다. 특히 김직연에게는 서화를 선물로 보내기도 하였다.[18] 박규수와는 직접적인 교류는 없었지만, 박규수가 귀국 후 장병염에게 편지를 보내 직접 만나지 못했던 아쉬움을 토로한 것으로 보아,[19] 조선 문인들의 교류 범위 안에 포함되는 인물이라고 할 수 있다.[20]

---

17) 吳慶錫, 『洋擾記錄』, 39~40쪽.
18) 허방, 「철종시대 燕行錄 연구」, 서울대학교 국어국문학과 박사학위논문, 2016, 133쪽.
19) 朴珪壽, 『瓛齋集』 卷10, 書牘 「與張午橋丙炎」
20) 이상적(李尙迪), 변원규(卞元圭) 등 역관과의 교류도 확인된다. 千金梅, 「18~19世

병부낭중 왕헌(王軒)은 1850년대 말부터 조선 문인과의 교유가 확인된다. 철종 8년(함풍7, 1857) 역관 오경석으로부터 그의 회화에 제발(題跋)을 부탁받은 적이 있다.[21] 철종 13년(동치1, 1862) 초, 심병성(沈秉成)이 마련한 주연에서 신석우(申錫愚)를 만났고,[22] 이후 박규수와도 만남을 가졌다. 특히 박규수의 학문에 대해서 "원래 경술에 근본을 두었으며, 말에는 실질적인 내용이 있으니 모두 시행할 만한다."라고 높이 평가했으며, 귀국 후에도 편지를 왕래할 정도로 밀도 있는 교류를 행했다.[23]

당시 조선의 교섭 대상으로서 가장 중요한 역할을 한 만청려는 조선 사신 일행과 병인양요 이전부터 접촉이 확인된다. 역관 오경석도 만청려와 교류한 인물 중 하나이다. 오경석의 저술 중 『중사간독첩(中士簡牘帖)』을 통해 그와 교류한 청 문인들의 면면과 교류의 밀도를 구체적으로 확인할 수 있다. 그중 주목할 부분은 고종 1년(동치3, 1864) 1월 7일 숙산(繡山) 공헌이(孔憲彛)의 집에 모여 숙산각독집동인(繡山閣讀集同人) 모임에 참석한 점이다. 이때 조선 문인으로는 오경석과 이용숙(李容肅)이 참여했으며, 중국 문인 중에는 앞서 유후조 등에게 조언해준 사람 중 한 명인 왕헌, 그리고 만청려가 참석했다.[24] 또한 『중사간독첩』에는 만청려가 오경석에게 보낸 두 통의 편지가 수록되어 있다.[25] 훗날 만청려가 박규수 및 보정부(保定府)에 감금된 흥선대원군과 행했던 교류를 염두에 두면 그의 친조선적 성향은 장기간 지속되었

  紀 朝·淸文人 交流尺牘 研究」 연세대학교 국어국문학과 박사학위논문, 2011, 2011, 79쪽 및 82쪽.
21) 김현권, 「오경석과 淸 문사의 회화교류 및 그 성격」『강좌미술사』37, 2011, 220쪽.
22) 김명호, 앞의 책, 2008, 376쪽.
23) 김명호, 앞의 책, 2008, 417~418쪽.
24) 신용하, 앞의 글, 1985, 139쪽.
25) 이문호, 「吳慶錫의 韓中 交流 研究 -『中士簡牘帖』을 中心으로-」, 한성대학교 한국어문학과 박사학위논문, 2014, 14쪽.

다고 볼 수 있다.[26]

황운곡은 필담목록에는 나오지 않지만, 병부주사로서 조선 사신의 부탁을 받고 주청 프랑스 공사관과 총리아문이 주고받은 공문과 예부의 상황을 전달해주는 등 적극적으로 정보를 제공한 인물이다.[27] 그는 철종 12년(함풍11, 1861) 신석우가 북경에 도착해서 동문환(董文煥)의 서재 연추재(硏秋齋)에서 만나 교분을 맺었다.[28] 철종 13년(동치1, 1862)에는 열하 문안행의 부사 박규수를 만나 산수화를 받고 또 그에게 시를 주는 등 폭넓은 교류를 행했다.[29] 박규수가 귀국한 이후에도 황운곡에게 승진 축하 편지를 보내는 등[30] 조선 사신과의 인연은 상당 기간 지속되었다. 이후에는 철종 13년 진하겸사은행 부사 유치숭(兪致崇)과 교류 후 그를 통해 허전(許傳)에게 태고조모 담 유인(談孺人)의 찬문을 부탁하기도 했다.[31] 고종 1년(동치3, 1864)에는 수행원 이항억(李恒億)과의 교류가 확인되며,[32] 조선 문인들과의 교류는 1880년대까지도 이어질 정도로 광범위했다.[33]

조선 사신들이 접촉한 인물들은 갑자기 등장한 것이 아니라 병인양요 이전부터 조선 사신 및 역관, 수행원들과 교류한 경험을 가졌던 이들이었다. 18세기 후반부터 이루어진 조선·청 문인의 교류는 19세기에 들어 점차 확장되는 추세였다. 이렇게 형성된 비정치적 교류망은

---

26) 천금매, 「대원군 이하응(李昰應)과 청조 문사들의 교류: 《천안척방(天鴈尺芳)》을 중심으로」『동아인문학』37, 2016, 190~194쪽.

27) 吳慶錫, 『洋擾記錄』, 43~44쪽.

28) 김명호, 앞의 책, 2008, 377쪽.

29) 김명호, 앞의 책, 2008, 404쪽.

30) 김명호, 앞의 책, 2008, 447쪽.

31) 허방, 「철종시대 燕行錄 연구」, 서울대학교 국어국문학과 박사학위논문, 2016, 223~224쪽.

32) 허방, 앞의 글, 2016, 216쪽.

33) 김홍매, 「역관 변원규(卞元圭)의 생애와 중국사행 시의 교유」『국문학연구』36, 2017, 247~248쪽.

병인양요라는 초유의 사태로 인해 정치적 교섭망으로 탈바꿈하게 된 것이다.

다른 한편 유후조 일행의 교섭 활동은 기존의 관행에 비추어 연속적인 동시에 새로운 형태였다. 지금까지 조선 사신의 임무는 단순히 외교문서를 전달하는 역할을 넘어서 공적·사적으로 다양한 교섭 활동을 벌여왔다. 예를 들어 책봉 요청의 경우, 책봉을 관철시키기 위한 모든 활동에 전권을 부여하고 이를 위한 외교비용까지 지급했다. 다만 이러한 활동들은 조선의 역관 및 청의 이서(吏胥) 혹은 회동관제독 등을 통한 간접적 방식이었다. 고종 3년 조선에 대한 프랑스의 선전포고를 들은 조선 사신들은 사태 파악을 위해 독자적인 교섭 활동을 전개했다 그 과정에서 역관이 아닌 사신들이 스스로 교섭과 탐문의 장에 직접 나섰으며, 무엇보다 중요한 것은 예부상서라는 청 고위 관원과 접촉했다는 점이다. 이는 분명 '인신무외교'라는 공식적 원칙에 균열을 가하는 변화였다.

2. 사적 교류에서 사적 교섭으로 -이흥민의 사함(私函)사건

프랑스의 조선 침공이라는 초유의 사태는 기존의 교섭 방식에 큰 영향을 주었다. 당시 북경에 있던 유후조 일행은 청의 대(對)조선정책과 관련된 예부상서 만청려를 직접 찾아가 도움과 조언을 구하였다. 예부의 고관을 만나 정치 사안을 논의하는 모습은 이전에 확인하기 어려운 모습이었다. 교섭 방식의 변화를 보여주는 또 다른 사건은 고종 3년(동치5, 1866) 10월 예부상서 만청려 앞으로 도착한 이흥민(李興敏)의 사함, 즉 사적인 편지였다. 이흥민은 전년도인 고종 2년(동치4, 1865) 어필(御筆) 하사에 감사하고 또 삼절(三節) 방물 및 연공(年貢)을 올리기 위한 사행의 정사로 선발되어 북경을 다녀왔다. 공식기록에 따르면 만청려는 예부상서로서 이흥민 일행을 맞이했다. 해당 편지는 병인양요가 발생하기 직전인 고종 3년 9월 13일자로 작성되어 10월 15일경에 도착했는데,[34] 주로 병인박해 및 제너럴셔먼(General Sherman)호 사건의 경과와 조선이 취한 행동의 정당성을 설명하였다. 아울러 마지막에 다음과 같은 내용으로 마무리 편지를 맺었다.

　　합하(閤下)께서는 큰 계획을 도모하는 자리에 계시면서 이웃 나라의 근심을 함께하고 한 집으로 보아주셨습니다. (이에 조선의 사정을) 궐내로 들어가 알려주시고 나와서는 총리대신(總理大臣)들과 논의·확정하신 후 사리 상 당연하지 않다는 것을 (저들에게) 명확히 알려주십시오. 이를 통해 저들로 하여금 다시는 동방의 구석에 대해 관심을 끊고 피차 서로 잊고서 각기 자신의 풍속에 안주하도록 해주십시오. (그렇게 된다면) 이는 실로 합하의 은혜일 것이니 동국(東國)의 사람들은 앞으로 집집마다 (합하의) 초상을 그리고 축원할 것입니다. 그리고 제가 합하께 하루의 지우를 받은 것은 우연이 아닙니다. 이에 사정을 드러내며 장황하게 적었습니다. 매우 황송합니다.[35]

위 편지는 정치적 외교 사안을 사적 방식을 통해 부탁했다는 점에서 매우 큰 의미를 갖는다. 더구나 조선을 포함한 조공국과의 대외관계를 총괄하는 예부상서의 지위를 이용하고자 했다는 부분도 특별하다고

---

34) 권혁수는 『淸代中朝關係檔案史料續編』에 근거하여 李興敏 서한의 발송날짜를 양력 9월 21일, 도착 날짜를 양력 11월 6일로 서술하였다(권혁수, 앞의 책, 2007, 43~44쪽). 그러나 『淸代中朝關係檔案史料續編』에는 이흥민 서한의 발송일이 적혀 있지 않으며, 萬靑藜가 이흥민의 서한을 받고 이를 상주한 때가 음력 10월 15일(양력 11월 21일)이기 때문에 차이가 있다. 반면 『龍湖閒錄』에는 발송일이 음력 9월 13일로 되어 있는데, 이를 따르기로 한다. 『龍湖閒錄』(한국사데이터베이스) 제20책, 1021 李興敏書 丙寅九月十三日.

35) 『淸代中朝關係檔案史料續編』 #285, 356~358쪽, "閤下旣居訏謨之地 與國之憂 同視一家 入告於內 出而與撝理諸大人 爛商講確 以事理之不當然者 明晰開解 期使彼人 更不置東方一隅於胸中 彼此相忘 各安其俗 此寔閤下之賜 東國之人 其將家家繪像而祝之 而僕於閤下一日受知 諒非偶然也 將暴事委 張皇滿紙 不勝主臣"

할 수 있다. 이흥민의 편지를 받은 만청려는 같은 해 10월 15일 동치제(同治帝)에게 다음과 같이 상주문을 올렸다.

> 예부상서 만청려가 삼가 주문(奏聞)합니다.
> 조선의 작년 연공사 이흥민이 북경에 도착하여 예부로 왔기에 (제가) 전례에 따라 접견했고, 이를 통해 일면식이 생겼습니다. 일전에 조선에 시헌서(時憲書)를 반포하는 일이 있었는데 (이흥민이) 사람을 시켜 서찰 한 통을 신의 집으로 보냈습니다. 신이 관서에서 집으로 돌아와 비로소 서찰을 볼 수 있었는데, 그 내용은 양박(洋舶) 정형에 관한 것이었고 조선국왕이 예부로 자문을 보내 대신 상주해달라는 했던 것과 대체로 비슷했습니다. 그러나 신은 감히 군주께 아뢰지 않을 수 없으므로, 원 서찰을 군기처(軍機處)로 보내는 외 도착한 서찰을 원래 양식에 따라 초록하여 올립니다.[36]

동치제는 만청려의 주문에 대해 바로 직전에 도착한 조선국왕 명의의 자문과 함께 총리아문에서 논의하여 결정한 후 예부를 통해서 조선국왕에게 통지할 것을 명령하였다.[37] 당시 조선에서는 이흥민의 편지와 거의 같은 내용을 수록한 자문을 청에 발송했다.[38] 해당 자문은 시헌서 수령을 위해 파견된 재자관(齎咨官) 한문규(韓文奎)를 통해 예부에 전달되었다. 만청려의 주문을 보면 그가 이흥민의 편지를 받은 것도 역시 시헌서를 반포하고 나서였다. 이상의 상황을 고려할 때, 조선정부에서는 제너럴셔먼호 사건을 보고하면서 조선과 서양의 갈등을

---

36) 『清代中朝關係檔案史料續編』 #284, 355쪽, "禮部尙書萬跪奏 爲奏聞事 竊朝鮮國上年年貢正使李興敏來京 適及禮部 例爲接見 因與之有一面之識 前日有該國頒時憲書 使人送信一函於臣宅 臣自署歸來 始得於閱書內 所言 乃近時洋舶情形 極與該國王咨請禮部代奏之語 大略相同 臣不敢壅於上聞 除將原函封送軍機處外 謹照來書原式抄呈"

37) 『同文彙考』 原編續, 勅諭1 「禮部知會本國信函轉奏天聽咨互洋舶情形」 16a~16b.

38) 『同文彙考』 原編, 洋舶情形 「【同年】歷陳洋橄緣由咨」 7b~8a.

청에서 중재해주길 바란다는 내용을, 공식적으로는 예부에 자문으로 전달하고 비공식적으로는 이홍민 명의의 사함을 예부상서 만청려에게 보냈던 것이다.

병인양요가 종결될 때까지 청은 조선의 지속적인 요청에도 불구하고 확실한 대답을 주지 않았다. 조선에서는 제너럴셔먼호 사건 경위에 대한 자문과, 프랑스 선박이 두고 간 격문(檄文) 등을 각각 8월과 9월에 예부로 보냈지만 청으로부터 도움을 주겠다는 답을 받지 못했다. 그럼에도 불구하고 조선에서는 같은 해 10월 24일, 7월에 받았던 예부 자문에 근거하여 전쟁 중재에 감사한다는 표문을 절사 편에 보내기도 했다.[39] 조선에서는 프랑스와의 전쟁이라는 난국을 타개하기 위한 방법의 하나로 청과의 관계를 이용하였다.

이홍민의 편지에 대한 청의 답변은 같은 해 11월 10일 조선에 도착했다. 그리고 예부의 자문에는 이홍민의 편지 전달 과정을 서술한 10월 15일자 만청려의 주문이 수록되어 있었다. 조선에서는 이와 같은 자문을 받고서, 동치제가 총리아문에 대책을 지시한 점에 감사한다는 것과 이홍민이 직분을 어기고 사적인 편지를 보내는 잘못을 저질렀으므로 파직했다는 내용을 첨부하였다.[40]

해당 사건에 대한 기존 연구에서는 만청려로 대표되는 청 조정이 조선 사신의 비공식 외교를 받아들이지 않고 공론화시키는 등 병인양요와 같은 긴급한 상황 속에서도 기존의 '인신무외교'의 틀을 유지하는 보수성을 보여주었다고 평가했다.[41] 병인양요를 전후하여 양국은 여러 차례 사신을 파견하고 자문을 주고받았음에도 서양의 침략에 대한 실질적인 논의가 전혀 없었으므로 전통적 조공책봉관계는 변화된 국제상황에 대응 능력을 상실했다는 것이다.[42]

---

39) 『同文彙考』 原編, 洋舶情形 「謝排解法國構兵表順付節使」 13a~13b.

40) 『同文彙考』 原編, 洋舶情形 「原奏」 22a~24b.

41) 권혁수, 『근대 한중관계사의 재조명』, 혜안, 2007, 44~45쪽.

이러한 주장이 성립하기 위해서는 몇 가지 조건이 충족되어야 한다. 첫째, 만청려 본인이 황제에게 아뢴 주문에서 언급했듯이 이홍민과는 공식적 만남, 즉 '일면식'만 있었으며, 다른 방식의 교섭은 없어야 한다. 둘째, 만청려는 이홍민뿐만 아니라 어떠한 조선 사신과도 외교 사안에 관해서 사적으로 조언을 하거나 도움을 준 적이 없어야 했다. 그렇다면 실상은 어떠했는지, 앞서 19세기 동안 활발하게 이루어졌던 조선과 청의 문인 교류가 이러한 정치적 상황과 연결된다는 점을 구체적으로 드러내도록 한다.

먼저 만청려가 동치제에게 올렸던 이홍민 편지의 일부를 살펴보자. 『청계중조관계사료속편(淸季中朝關係史料續編)』에는 만청려의 주문과 함께 이홍민이 보낸 두 통의 편지가 초록되어 있으며 해당 편지는 모두 『용호한록(龍湖閒錄)』에도 수록되어 있는데 약간의 차이가 있다. 동치제에게 올린 첨부문서에는 "합하(閣下)께 하루의 지우를 받았습니다[僕於閣下一日受知]."라고 되어 있으나, 해당 구절은 『용호한록』에는 "합하께 지우를 받았습니다[僕於閣下受知]."라고 기록되었다.[43] 황제에게 올린 문서에 '하루'라는 말이 덧붙어 있는 것이다. 지우를 받았다[受知]는 것은 상대방과 친밀한 인연을 맺게 되었다는 것을 뜻한다. 이홍민은 만청려와 어떠한 만남을 가지고 지우를 받았다고 표현한 것일까?

예부에서는 외국 사신이 북경에 왔을 때와 떠날 때 각각 하마연과 상마연을 베풀어 사신들의 노정을 위로하는 접대 의례를 시행해 왔다. 따라서 만청려가 말하는 '하루'는 바로 공식 석상에서의 일회적 만남을 뜻한다고 봐도 무리가 없을 것이다. 문제는 『용호한록』에 실려 있는 해당 편지에는 '하루'라는 말이 없다는 점이다. 『용호한록』의 편지

---

42) 권혁수, 앞의 책, 2007, 49쪽.

43) 宋近洙, 『龍湖閒錄』 卷4, 제20책, #1021.

198

가 원본이라면 만청려는 주문에 '하루'라는 말을 추가한 것이고 그것
은 이흥민을 공식적으로만 만났다는 것을 강조하기 위해서였을 가능
성이 매우 크다.

　수록된 두 통의 편지 중 이흥민의 첫 번째 편지 역시 주목할 필요가
있다. 편지의 내용은 철저히 안부를 묻는 것이었다. 그 가운데 "이웃
제공(諸公)께서는 모두 평안하신지요. 당시 주연(酒宴)과 시회(詩會)에
서 '먼 곳의 옛 친구[天涯故人]'라는 말을 언급했었는데 너무나도 그리
운 마음에 때로 꿈속에서도 나타납니다."라고 하였다.[44] 청 예부는 조
선 사신에 대해 예부 공관에서 공식적으로 하마연을 베풀어주게 되었
지만, 편지에 나오는 '제공'이 참석한 '주연과 시회[酒次詩筵]'는 분명
사적 교류의 장을 가리킨다.

　보다 확실한 자료는 같은 해 6월 만청려가 주청사(奏請使) 유후조(柳
厚祚)에게 보낸 편지이다. 편지는『어양수록(禦洋隨錄)』과『양요기록
(洋擾記錄)』에 수록되어 있다. 명확한 날짜는 없지만 해당 편지는 유
후조의 문집인『낙파선생문집(洛坡先生文集)』에 실려 있고,[45] 또 만
청려가 지칭하는 대상이 우의정임을 고려할 때 유후조에게 보낸 편지
가 분명하다. 그 마지막 부분에는 다음과 같은 내용을 서술하였다.

　　　이 군(李君)이 여기에 있을 때 그와 이 문제에 대해 이야기 했었습니
　　다. 떠날 때는 서로 초연(怊然)해져 손을 잡고 아무 말 없이 이별했습
　　니다. 이흥민 군은 당연히 그 일을 기억할 것입니다.[46]

위의 편지로 볼 때 만청려와 이흥민이 별도로 만났다는 것을 명확히

---

44) 『淸代中朝關係檔案史料續編』 #285, 355~356쪽, "鄰比諸公 俱爲平善 時於酒次詩
　　筵 語及天涯故人否 傾嚮之至 時發夢寐"

45) 柳厚祚, 『洛坡先生文集』, 大普社, 1995, 1005~1006쪽.

46) 韓應弼, 『禦洋隨錄』 「上副使在北京時筆談」, "李君在此 與之談及此事 臨別之時 相
　　對怊然 執手無言而別 李興敏君 當猶記之也"

알 수 있다. 둘은 사적인 자리, 아마도 시회에서 만남을 갖고 그곳에서 1860년대 벌어졌던 서양의 동아시아 침략에 관한 문제를 논의하였던 것으로 보인다. 이를 계기로 둘의 사적 교류가 지속되어 이흥민의 개인 문안 편지와 프랑스와의 중재를 부탁하는 편지가 각각 만청려에게 전달되었던 것이다. 만청려가 이흥민과의 사적 교류를 숨긴 채 동치제에게 보고를 해야 했던 분위기가 여전히 존재했고, 이러한 상황 속에서도 교섭 활동이 이루어졌다는 점에 주목할 필요가 있다.

한편 예부의 자문이 도착하자 승문원에서는 사적인 서신을 왕복했다는 것을 이유로 이흥민을 파직할 것을 청했지만, 고종은 이를 받아들이지 않았을 뿐만 아니라 이듬해 3월 이흥민을 함경도 관찰사로 임명했다.47) 그리고 해당 사건이 이흥민의 이후 관력에도 문제가 되는 일은 없었다. 따라서 이흥민의 편지 발송은 당시 정국을 장악하고 있던 대원군의 명령에 의해 실행되었던 것으로 보이며, 이는 조선 측에서 사신의 사적 교류망을 정치적 교섭 통로로 활용하려고 했다는 점을 분명히 말해준다.

지금까지의 논증 과정을 정리하면 다음과 같은 흐름이 만들어진다. 고종 2년(동치4, 1865) 이흥민 일행은 북경에 도착하여 개인적 교류의 장을 통해 예부상서 만청려를 알게 되었고, 그에게 당시 조선이 겪고 있는 외세의 압박을 상담하기도 했다. 둘의 관계는 일회적인 것에 그치지 않고 조선에 귀국 후에도 개인적인 편지를 부칠 정도로 상당히 긴밀해졌다. 고종 3년(동치5, 1866) 6월 북경에 머물던 조선 사신 일행은 프랑스가 조선을 침공한다는 긴급한 소식을 접하자, 정확한 상황을 파악하고 또 대책에 대한 조언을 받기 위해 조선 사신과 청 문인 사이에서 형성되었던 인적 교류망을 활용하였다. 그 과정에서 만청려는 조선 사신과 직접 만나 자문에 응해주었고 또 자신의 제안이 대원군에게

47) 『高宗實錄』 고종 4년(1867) 3월 1일.

전달되기를 희망하였다.

같은 해 9월, 병인양요가 임박한 시점에서 조선은 청의 중재 요청을 공식 자문으로 발송했고, 이홍민은 사적 교류를 통해 맺은 인연을 활용하여 만청려에게 조선 조정의 입장을 개인 편지를 통해 전달했다. 이에 만청려는 이홍민과의 개인적 관계를 숨긴 채 동치제에게 해당 서신을 첨부하여 상주하였다. 만청려가 이홍민의 서신을 올린 것이 사적 외교에 대한 부담 때문인지, 아니면 청의 공식적 도움을 촉구하기 위해서인지는 알 수 없지만 결론적으로 총리아문으로 하여금 논의하게 하라는 황제의 명령을 받을 수 있었다.

이러한 논의가 진행되는 상황 속에서 같은 해 9월 왕비를 책봉하기 위해서 파견된 청 사신 일행이 압록강을 건너 조선에 들어왔다.[48] 당시 프랑스가 조선을 상대로 전쟁을 선포한 일은 이미 예부의 자문을 통해서 조선에 전달되었고 9월 중순에는 프랑스의 강화도 공격이 시작되어 위기감이 극대화하던 시기였다. 조선에서는 상호군(上護軍) 조득림(趙得林)을 원접사로 선발하여 청 사신 일행을 맞이하게 하였다.[49] 당시 정사는 형부시랑(刑部侍郞) 괴령(魁齡), 부사는 산질대신(散秩大臣) 입단(立瑞)이었는데, 원접사 조득림은 강화도가 함락된 이후인 9월 20일경 청 사신을 접대하면서 필담을 통해 현재 조선의 상황을 설명하고 이에 대한 대책을 자문하였다. 괴령 등은 자신들이 이 사건에 대해 조정으로부터 전혀 듣지 못했기 때문에 구체적인 얘기를 할 수 없다고 하면서도 강화에 힘을 실어주는 발언을 하였다. 조득림은 청에 자문을 보내는 일과 별도로 괴령 등이 복명할 때 황제에게 조선의 위급함을 꼭 상주해달라고 부탁하였다.[50] 조선에서는 공식 자

48) 『同文彙考』補編,「詔勅錄」47b.

49) 『承政院日記』고종 3년(1866) 7월 29일.

50) 韓應弼, 『禦洋隨錄』「遠接使與勅使筆談」, 32~34쪽; 장남,「18-19세기 청 사신의 조선파견과 그 활동 -아극돈·화사납·괴령을 중심으로-」, 건국대학교 사학과 석사

문과 이흥민을 통한 비공식 편지뿐만 아니라 마침 조선에 왔던 청 사신에게까지 외교 사안을 부탁하는 등 모든 방법을 동원하고 있었던 것이다.

조선은 당시 프랑스뿐 아니라 제너럴셔먼호 및 오페르트 도굴사건과 같이 서양 제 세력의 압박에 노출되었다. 이러한 위기를 극복하는 수단으로서 기존의 조공책봉관계를 최대한 활용하여, 서양 세력에게 번국은 외교를 할 수 없다는 명분을 내세워 책임의 소재를 청으로 돌렸다. 한편 조선 사신들은 심각한 대외위기 속에서 사적 교류를 통해 형성하였던 인맥을 활용하여 정치적 사안에 대한 비공식적 도움을 요청하였다. 공식문서 속에서 여전히 강고했던 '인신무외교'의 원칙은 사신들의 확장된 교섭 활동으로 인해 현실의 영역에서 점차 와해되고 있었던 것이다.

고종 8년(동치10, 1871) 또다시 양요를 한 차례 겪은 이후 조선 사신들은 예부상서와 같은 정책 담당자에 대한 교섭, 청 관원들로부터의 자문과 대외정보수집 활동을 지속하였다. 고종 10년(동치12, 1873) 삼절연공겸사은행 정사 정건조(鄭健朝) 등이 파견되었다. 서양에 대한 우려가 여전히 남아 있는 상황 속에서 조선 사신들은 이전과 달리 역관에게만 의지하지 않고 직접 정보수집을 활동을 벌였다.[51] 정건조 일행은 당시 형부주사였던 장세준(張世準: 자 叔平)과 가장 빈번히 만났다. 사신이 직접 장세준을 방문한 횟수만 다섯 차례에 이르며, 이외에도 서찰을 통해 필담하거나 수행원이었던 강위(姜瑋)가 대신 찾아가는 일도 있었다.[52] 조선 사신들은 서양의 정세, 중국의 대서양정책, 일본

학위논문, 2015, 32~35쪽.

51) 당시의 활동은 정건조의 「北楂談艸」, 姜瑋의 「北遊日記」, 「北遊談艸」에 수록되어 있다.

52) 사행에서 강위의 활동에 대해서는 노대환, 「1860-70년대 전반 조선 지식인의 대외 인식과 양무 이해」『한국문화』20, 1997, 341쪽; 이헌주, 『姜瑋의 開化思想 硏究』, 선인, 2018, 164~186쪽.

문제, 조선의 대응 등에 대해 상세히 질문하였고, 장세준은 서양에 대한 주전론을 반대하며, 서양과 조약을 통해 우호적 관계를 유지하도록 권유했다.

당시 사신단의 주요 인사인 정사 정건조, 부사 홍원식(洪遠植), 서장관 이호익(李鎬翼), 수행원 강위 중 누구도 사행 이전에 장세준과의 교류가 확인되지는 않는다. 그러나 그가 책론(策論)에 능하다는 것을 조선 사신 일행은 이미 알고 있었는데,[53] 철종 10년(함풍9, 1859) 역관 이상적 및 사신 김영작과 장세준의 교류가 확인되며,[54] 철종 13년(동치1, 1862) 진하사은겸세폐행 부사 박영보(朴永輔)의 연행록에 장세준에게 보내는 편지가 실려 있는 점을 고려할 때,[55] 조선 사신들과의 인적 교류망에 포함되어 있던 인물이었다.

앞서 병인양요를 전후하여 이흥민과 유후조에게 도움을 주었던 예부상서 만청려와의 만남도 있었다. 만청려는 조선이 경계해야 할 나라로 러시아와 일본, 특히 일본의 침략 가능성을 구체적으로 전달했다. 그런데 양국 사신이 만나는 과정을 살펴보면 만청려 쪽에서 상당한 부담을 느끼고 있었다. 정건조는 고종 11년(동치13, 1874) 1월 7일 수역 오경석을 통해 만청려와 만나고 싶다는 뜻을 알렸지만 답을 받지 못하다가 다시 한번 연락을 취한 끝에 2월 2일에 가서야 방문할 수 있었다. 만남을 마쳤을 때 만청려는 사안이 외번에 관계된다며 필담을 모두 처분했다.[56] 필담을 폐기해야 할 정도의 부담이 존재했음에도 불구하고 1870년대 시점에서 조선 사신과 청 고관의 교섭은 은밀하게 지속되었던 것이다.

---

53) 姜瑋, 「北遊談艸」, 799쪽.
54) 손성욱, 「19세기 조청문인 교류의 전개 양상 -북경 내 학풍과 교류 네트워크의 변화를 중심으로-」『역사학보』216, 2012, 295쪽.
55) 천금매, 「18~19世紀 朝·淸文人 交流尺牘 硏究」, 연세대학교 국어국문학과 박사학위논문, 2011, 9쪽.
56) 鄭健朝, 『北槎談艸』, 1~2쪽.

고종 11년(1874) 10월에 파견된 삼절연공겸사은행 사신들도 직접 탐문활동을 벌였다. 당시 일본의 '대만사건'은 조선 조정에 대외위기 의식을 가중시켰고, 대만을 침공한 일본의 의도와 향후 예상되는 행보, 서양 제국들이 일본을 도왔다는 소문의 진위, 그리고 조선의 대응책 등을 알아봐야 하는 상황이었다. 강위의 「북유속담초(北遊續談艸)」에는 서장관 이건창(李建昌) 및 수행관 강위와, 청 측의 황옥(黃鈺), 장세준, 서부(徐郙)와의 필담이 수록되어 있다. 지금까지는 해당 기록의 주체를 강위로 보고 그의 근대사상이 형성되는 계기로 파악해왔지만, 다른 한편으로 서장관이라는 정식 직함을 가진 이건창도 조선의 대외 정책에 관한 자료들을 적극적으로 확보하려고 했음을 알 수 있다.[57]

고종 12년(광서1, 1875)부터 약 5년간 지속되었던 영의정 이유원(李裕元)과 북양대신 이홍장(李鴻章)의 서신 교환은 매우 중요한 의미를 지닌다.[58] 해당 교섭은 이유원의 사적인 명의로 진행되었으며, 그 내용은 조선의 개항 및 국제정세와 관련된 사안들이었다. 고종 18년(광서7, 1881) 이유원은 결국 이 일로 탄핵상소를 받아 처벌을 받게 되었다. 1880년대 초까지 '인신외교'를 공공연히 드러내는 일이 문제가 될 수 있는 상황 속에서 이유원과 이홍장의 사적 서신 왕래가 이루어졌다. 때문에 일부 연구자의 표현대로 이유원과 이홍장 사이에서 근대적 성격의 '비밀 외교 채널'이 만들어졌다고 볼 수도 있다.[59]

그러나 해당 사건에만 초점을 맞추면 이유원의 행위가 한 개인의 돌출적인 행동으로 읽히게 된다. 따라서 이번 장에서는 이유원의 사적 교류가 상징하고 있는 새로운 형태의 교섭 방식을 19세기의 역사적

---

57) 노대환, 앞의 글, 1997.

58) 권혁수, 「한중관계의 근대적 전환과정에서 나타난 비밀 외교채널 -李鴻章-李裕元의 왕복서신을 중심으로-」『근대 한중관계사의 재조명』, 혜안, 2007; 송병기, 「이유원·이홍장의 교류와 이홍장의 서양각국과의 수교권고」『근대한중관계사연구 -19세기말의 연미론과 조청교섭』, 단국대학교출판부, 1985.

59) 권혁수, 앞의 책, 2007, 107쪽.

흐름 속에서 드러내고자 했다. 병인양요(고종3, 1866)는 조선 사신의 교섭 방식이 변화하는 계기가 되었다. 프랑스의 조선 침공이라는 충격적인 사건이 발생했던 만큼 조선 사신 역시 기존의 관행만을 따르기는 어려운 상황이었다. 고종 3년 북경에서 프랑스의 침공 소식을 들은 사신은 역관을 통해 간접적으로 교섭하던 관행을 깨고 예부상서와 직접 교섭하였다. 사행에서 돌아온 이홍민은 프랑스의 침공이 임박한 위기 상황 속에서 예부상서와의 개인적 교류를 이용하여, 사적 통로를 통해 도움을 받고자 했다. 그리고 이 두 종류의 시도는 모두 그간에 진행되었던 문인 교류망을 통해서 이루어졌다.

이를 통해 볼 때, 고종 12년(광서1, 1875)부터 시작된 영의정 이유원과 북양대신 이홍장 사이의 지속적인 서신 교환은 결코 돌출된 행위가 아니라, 19세기 이후 형성된 사신의 문인 교류망을 기반으로, 양요라는 대외위기 속에서 이루어진 조선 사신들의 교섭 활동과 연결되는 행위였다고 할 수 있을 것이다.

8장
1860~70년대 대외위기와 조선·청의 공조

1. 대외위기와 특별한 사신 파견

1860년대에 들어 조선의 대외위기는 심각해졌다. 동아시아 전체의 역사로 볼 때 1840년대 이미 제1차 아편전쟁이 발발했지만, 전쟁의 범위가 일부 지역에 제한되었던 만큼 청에서는 양이(洋夷)들이 무역을 확대해달라는 요구에 황제의 은혜를 베푼 것으로 분식할 여지가 있었다.[1] 조선 또한 1차 아편전쟁을 직접 목도할 수 없었고, 전장으로부터 멀리 떨어진 북경에서 전언을 확인할 따름이었다. 그러나 제2차 아편전쟁과 그 과정에서 나타난 북경함락은 유례없는 충격이었다. 한편 서양의 압박은 청에서 그치지 않고 조선으로 향했고, 두 차례의 양요(洋擾)를 일으켰다. 조선의 입장에서 서양 오랑캐의 난동은 국가의 위기이자 문명의 위기이기도 했다. 이와 같은 상황에서 양국의 유대는 더욱 강화될 필요가 있었고, 그것은 사신을 매개로 하는 관계에서도 나타났다.

철종 11년(함풍10, 1860) 겨울부터 철종 12년(함풍11, 1861)까지 청에서 심각한 사건이 연이어 발생하였다. 철종 11년 12월 재자관의 수본(手本)을 통해 북경함락과 원명원(圓明園)의 약탈, 함풍제의 피난 등 충격적인 소식이 조선에 전달되었다.[2] 이로 인해 서울에서는 시골로

---

1) 아편전쟁이 중국에 준 충격이 과장되었다는 논의는 폴 A. 코헨 지음, 이남희 옮김, 『학문의 제국주의』, 산해, 2003.

피난하는 사태가 벌어지고 지방에까지 위기감이 확산되었다. 조정에
서는 긴급히 문안사 파견을 결정하고, 정사에 조휘림(趙徽林), 부사에
박규수(朴珪壽)를 선발했다. 해당 사행은 당시 북경함락이라는 초유의
사태와 박규수의 풍부한 저술로 인해 자세한 연구가 이루어졌다.[3]

다른 한편 외교사적인 측면에서 볼 때 이번 사행은 매우 독특한 성
격을 가지고 있었다. 우선 해당 사행의 명칭은 문안사(問安使)였는데,
목적지가 북경이 아닌 열하로 지정된 것[4]은 당시 함풍제가 북경함락
직전 열하로 이동하여 머무르고 있었기 때문이었다. 그런데 이전까지
조선에서 파견했던 문안사는 모두 심양을 목적지로 하였으며, 열하가
그 대상이 되었던 적은 없었다. 열하는 청의 유목적 전통과 연관되는
장소로서 주로 번부(藩部)의 왕공들과 청 황제가 만나는 공간이었다.
과거 박지원이 열하를 방문할 수 있었던 것은 건륭제의 칠순이라는
매우 특별한 행사로 인해 황제가 직접 열하로의 이동을 명령했기 때문
이었다.[5]

조선에서 과거 전례가 없는 사신을 파견했던 것은 정조 연간 이후
처음 나타난 일이었다. 앞서 건륭제의 칠순과 팔순, 가경제의 오순과
육순 즉 순경(旬慶)에 사신을 보냈던 전례가 있었다. 청에서 조선으로
문안사를 요청한 바가 없었기 때문에 오히려 조선에서 문안사를 출발
시킬 것이라는 내용의 자문을 먼저 발송했다.[6] 이러한 파격적인 결정

2) 『日省錄』 철종 11년(1860) 12월 9일.

3) 하정식, 『태평천국과 조선왕조』, 지식산업사, 2008, 100쪽; 김명호, 『환재 박규수
연구』, 창비, 2008, 366~367쪽.

4) 『哲宗實錄』 철종 11년(1860) 12월 9일.

5) 차혜원, 「열하사절단이 체험한 18세기 말의 국제질서」『역사비평』93, 2010; 구범진,
「1780년 열하의 칠순 만수절과 건륭의 '제국'」『명청사연구』40, 2013.

6) 『承政院日記』 철종 11년(1860) 12월 12일, "承文院官員 以都提調意啓曰 熱河問安
使 纔已差出矣 皇帝移蹕之擧 咨官雖有詳報 而禮部初無知照 則今於專价之際 宜有
先通之節 緣由咨文 趁速撰出 定禁軍騎撥下送于灣府 使之傳給鳳城將處 以爲轉致
盛京禮部及北京禮部之地 何如 傳曰 允"

의 배경에는 첫째 중국의 현 상황을 명확히 파악하기 위한 것과, 둘째 황제의 위기에 번국(藩國)이 문안함으로써 양국의 유대를 공고히 하려는 목적이 자리 잡고 있었다. 더구나 중국의 수도를 함락시킨 세력이 다름 아닌 양이(洋夷)인 상황에서는 청과의 유대가 무엇보다도 필요한 상황이었다. 조선 사신의 방문을 알게 된 함풍제는 열하 행재소까지 오는 일을 면제해줌과 동시에 조선의 공순함을 칭찬하며 예부로 하여금 규례에 따라 연회를 베풀고 가상(加賞)하도록 함으로써 조선의 행동에 긍정적으로 호응해주었다.[7] 철종 12년의 문안사는 진하사와 파견 목적이 달랐지만, 전례가 없음에도 조선이 선제적으로 파견했다는 점에서 '진하외교'의 성격을 띠고 있었다.

고종 9년(동치11, 1872) 7월 박규수가 이끄는 진하겸사은사 일행이 출발했다.[8] 사행의 목적은 황후의 책립(冊立)과 자안태후(慈安太后)와 자희태후(慈禧太后)의 존호 가상(加上)을 축하하기 위한 것이었다. 해당 행사는 각각 고종 9년 9월과 10월에 예정되어 있었는데, 진하사가 7월에 출발한 것은 당일 행사에 참석하기 위해서였다. 박규수 일행은 두 행사에 모두 참석했고,[9] 같은 해 12월에 귀국하였다.[10] 해당 사행 역시 행사 당일에 참석했다는 점에서 '진하외교'라고 할 수 있다.

고종 9년 이전 마지막의 '진하외교'는 헌종 6년(도광20, 1840) 도광제의 육순을 축하하기 위한 것이었다. 다만 해당 사신은 단독 파견이 아닌 삼절연공행에 겸부된 것이며, 이듬해 도광제의 육순 당일(8월 10일)에는 진하사를 보내지 않았다는 점에서 엄밀한 의미의 '진하외교'라고 평가하기에는 모호한 구석이 있다. 철종 12년(함풍11, 1861) 함풍제의 생일 행사(6월 9일)에 참석하기 위해 진하사를 파견했지만, 해당

---

7) 『通文館志』 紀年續, 철종 12년(1861).
8) 『承政院日記』 고종 9년(1872) 7월 2일.
9) 『淸穆宗實錄』 同治 11년(1872) 9월 18일 및 10월 9일.
10) 『承政院日記』 고종 9년(1872) 12월 24일.

행사는 급작스럽게 준비되었으며, 실제 행사와 관련된 연회도 건륭제 때와는 비교하지 못할 정도로 소략했다. 따라서 고종 9년 이전 황제의 생일 당일에 참석한 사행은 순조 19년(가경24, 1819) 가경제의 육순을 축하하기 위한 진하사가 마지막이었다. 순조 19년을 기준으로 한다면 무려 60여 년 만의 '진하외교'가 시행된 것이다. 과거 정조가 시작한 '진하외교'는 건륭제로부터 매우 긍정적인 호응을 끌어내면서 조선과 청의 우호도를 높이는 역할을 하였다.[11] 따라서 고종 9년의 진하행은 '진하외교'의 재개라는 의미를 부여할 수 있다.

청의 경사와 관련해서 황제에게 올릴 표문 양식 즉 표식(表式)은 행사 이후 반포되는 것이 일반적이었다. 조선에서는 해당 표식 및 조서 등을 수령한 이후 표식에 맞추어 표문을 작성하고 진하사를 꾸려 출발시켰다. 따라서 조선의 진하사는 행사 당일을 기준으로 짧아도 3~4개월, 길면 반년 이후에나 파견되었다.[12] 황태후의 존호 축하 행사 역시 마찬가지였다. 청에서는 황태후의 존호 가상을 축하하는 표문 양식을 조선에 전달하였다. 조선에 전달하는 표식은 황태후와 황제에 대한 두 종류였는데, 조선에서는 황태후에 대한 표문을 발송한 적이 없다는 전례를 근거로[13] 매번 황제에게 올리는 표문만 작성하였다. 고종 9년을 전후하여 황태후 존호 가상에 대한 행사일자, 관련 표식 발송일, 조선 사신의 출발일을 살펴보도록 하자. 존호가상 행사일자는 『청실록(淸實錄)』, 사신 출발일자는 『동문휘고(同文彙考)』의 「사행록(使行錄)」 및 『승정원일기』를 기준으로 하였다.

---

11) 구범진, 「조선의 청 황제 성절 축하와 건륭 칠순 '진하 외교'」『한국문화』68, 2014.

12) 철종 13년(동치1, 1862) 10월에 파견된 진하사는 양궁황태후의 존호 가상에 대한 진하 표문을 전달하였는데, 존호 가상 행사는 6개월 전인 동치 1년 4월에 시행되었다.

13) 청에서 황태후를 수신자로 하는 표문을 요구했을 때도 조선에서는 전례를 근거로 거부하였고 이것은 모두 받아들여졌다. 대표적으로 『同文彙考』原編 卷35 「報皇太后前例無進表咨」 9a~10b 및 같은 자료, 「禮部回咨」 10b.

〈표 9〉 청 황태후 존호 가상 행사에 따른 문서발송 및 사신 출발일자

존호가상 행사일자	表式자문 발송일자	사신 출발일자
가경25년(순조20) 12월 2일	가경25년(순조20) 12월[14]	도광 1년(순조21) 10월 11일
도광 2년(순조22) 11월 27일	도광 2년(순조22) 12월[15]	도광 3년(순조22) 7월 20일
도광 8년(순조28) 11월 8일	도광 8년(순조28) 12월[16]	도광 9년(순조29) 4월 16일
도광14년(순조34) 10월 21일	도광14년(순조34) 12월[17]	도광15년(헌종 1) 4월 3일
도광15년(헌종 1) 10월 9일	도광15년(헌종 1) 12월[18]	도광16년(헌종 2) 2월 9일
도광25년(헌종11) 10월 6일	도광25년(헌종11) 11월[19]	도광26년(헌종12) 3월 12일
동치 1년(철종13) 4월 25일	미확인	동치 1년(철종13) 10월 21일
동치11년(고종 9) 10월 8일	동치11년(고종 9) 6월[20]	동치11년(고종 9) 7월 2일
동치12년(고종10) 2월 9일	동치11년(고종 9) 12월[21]	동치12년(고종10) 3월 11일
광서 2년(고종13) 7월 3일	광서 2년(고종13) 2월[22]	광서 2년(고종13) 5월 16일
광서15년(고종26) 2월 16일	광서14년(고종25) 12월[23]	광서14년(고종25) 11월 13일
광서15년(고종26) 3월 15일	광서15년(고종26) 1월 이전[24]	상동
광서20년(고종31) 8월 15일	미확인	광서20년(고종31) 6월 10일

　〈표 9〉를 살펴보면 고종 9년(동치11, 1872) 이전까지 황태후의 존호
축하 표문 양식은 행사를 마친 이후에 발송하였다. 그런데 이와 같은

---

14) 『同文彙考』 原編續, 表箋式1 「【庚辰】禮部頒皇太后尊號後表式咨」 5b~6a.
15) 『同文彙考』 原編續, 表箋式1 「【壬午】禮部頒皇太后加上尊號後表式咨」 6a~6b.
16) 『同文彙考』 原編續, 表箋式1 「【戊子】禮部頒皇太后加上尊號後表式咨」 8a~8b.
17) 『同文彙考』 原編續, 表箋式1 「【甲午】禮部頒冊立皇后時加上皇太后尊號後表式咨」 8b~9a.
18) 『同文彙考』 原編續, 表箋式1 「【乙未】禮部頒皇太后六旬加上尊號後表式咨」 9a~9b.
19) 『同文彙考』 原編續, 表箋式1 「【丙午】禮部頒皇太后加上尊號後表式咨互進賀」 6b.
20) 『同文彙考』 原編續, 表箋式1 「【壬申】禮部頒兩宮皇太后加上尊號後表式三通咨」 17a.
21) 『同文彙考』 原編續, 表箋式1 「【癸酉】禮部頒兩宮皇太后加上尊號後表式三通咨」 18a.
22) 『同文彙考』 原編續, 表箋式1 「【丙子】禮部頒兩宮皇太后加上尊號後表式咨」 20a.
23) 국립중앙도서관 편, 『고문서해제Ⅹ』, 2013, #14-26.
24) 고종 26년(1889) 1월 26일 경에 해당 표식 자문을 수령했다. 『承政院日記』 고종 26년(1889) 해당 일자.

관행은 고종 9년 이후 변화하였다. 존호 가상(加上) 행사보다 빠른 경우 5개월 이전, 늦어도 3개월 이전에 표문 양식을 보내는 일이 반복적으로 나타났다. 해당 자문에는 행사 당일에 맞춰 참여하라는 내용은 없었다. 아마도 전례에 따라 행사가 끝나고 관련 조서가 조선에 전달된 후, 조선에서 진하사를 준비하여 발송해도 청에서 이를 문제 삼지 않았을 것이다. 실제로 고종 10년(동치12, 1873) 2월에 예정된 황태후 존호 행사의 경우 행사 전에 표식이 발송되었지만, 고종 10년 1월에야 수령했기 때문에 행사 당일에 맞춰 진하사를 파견하기는 어려웠다.[25] 또한 청에서 황태후를 수신자로 하는 표문 작성을 요구했을 때도 조선에서는 관행적으로 황태후에게는 방물만 납부했다는 것을 근거로 거부하였고 청에서는 이를 수용하였다.[26] 이러한 방식은 양국 200여 년 동안 지속된 관행이었다.

동치 11년(고종9, 1872) 황후책립에 대한 자안·자희태후의 존호 가상은 동치 11년 10월 8일에 시행되었다. 해당 표문 양식은 동치 11년 6월 21일에 작성되어 같은 해 7월 13일에 조선에 접수되었다.[27] 행사 당일보다 무려 3개월 이상 일찍 도착한 것이다. 청에서는 직접적으로 사신 파견을 요구하지는 않았다. 그러나 조선에서는 청의 의도를 정확하게 파악하고 있었다. 영의정 김병학(金炳學)은 다음과 같이 판단했다.

무릇 상국(上國)에서 경사를 축하하는 일이 있을 경우, 우리나라에 대해서는 각국의 의례대로 축하 행사가 끝난 후에 칙사를 파견하여 조

---

25) 조선에서는 해당 표식을 고종 10년(1873) 1월 8일경에 수령했다.『承政院日記』해당 일자.

26) 관련 사례는 매우 많지만 왕대별로 표기하면『同文彙考』原編, 表箋式「報皇太后前例無進表咨」9b~10a(옹정 1년 2월 9일); 같은 자료, 14b~15a(건륭 1년 3월 6일);『同文彙考』原編續, 表箋式1「報皇太后前例無進表咨」4b~5a(가경 25년 11월 11일); 같은 자료, 7a~7b(도광 3년 4월 2일); 같은 자료, 7a~7b(도광 3년 4월 2일); 같은 자료, 15b(동치1); 같은 자료, 20a(광서1).

27)『承政院日記』고종 9년(1872) 7월 13일.

서를 반포했었습니다. 그러므로 축하하는 사절을 이때 이르러서야 차출합니다. 이번의 황후의 가례 일자와 하례하는 표식(表式)에 대해서, 모두 기일에 앞서 알려왔으며 심지어 황제의 뜻을 받든 문서가 있으므로, 사신이 진하 표문을 받들고 가되 축하하는 날짜에 맞춰 진하해야 할 것입니다.[28]

김병학은 조서를 받은 다음에야 사신을 파견했던 이전의 관행을 명확히 인식하고 있었다. 또한 예부의 자문에는 행사 당일에 맞춰 조선 사신을 파견하라는 내용은 없었다. 따라서 사신 파견 시기는 전적으로 조선의 결정에 달려 있는 문제였지만, 김병학은 청의 행사에 적극적으로 호응해야 한다고 판단했고 이에 대해 철종도 동의하였다.

그런데 해당 사행의 시기는 매우 미묘했다. 조선은 바로 전년도(고종8, 1871)에 신미양요를 겪었던 터라 미국을 비롯한 서양 세력의 현재 상황에 대한 정보와 혹시라도 있을지 모르는 추가적인 침략에 대해 청의 중재가 절실한 상황이었다. 고종 8년 5월에 재자관 이응준(李應俊)을 통해 미국과 전쟁을 벌인 경과를 보고했지만[29] 청에서는 구체적인 조치를 알려오지 않았기 때문이었다.[30] 사신의 인선도 흥미로운데, 제너럴셔먼(General Sherman)호 사건과 신미양요의 수습을 지휘했던 박규수가 부사에 선발되었다.

박규수는 고종 3년(동치5, 1866) 제너럴셔먼호가 평안도 연안에 나타나 대동강까지 거슬러 올라왔을 때 평안감사로서 이를 격침한 장본

---

28) 『承政院日記』 고종 9년(1872) 4월 30일, "炳學曰 凡於上國慶賀之事 我國依各國例 事過後 派勅頒詔 故賀使迨此差出矣 今番皇后嘉禮日子 與賀禮表式 竝先期知會 至 有奉旨文字 則專价賀表 當稱慶賀之日進賀"

29) 『同文彙考』 原編, 洋舶情形 「歷陳美國兵船滋擾情形咨」 48b~52a.

30) 당시 이응준은 북경에서 미국공사관의 서기관 겸 통역인 사무엘 웰스 윌리엄스 (Samuel Wells Williams, 1812~1884)와도 접촉했다. 이에 대해서는 손성욱, 「변화된 '皇都'에서 서양과 조선의 접촉 -1860~70년대 조선 赴京使臣團의 사진을 중심으로-」 『동양사학연구』198, 2019b, 269~271쪽.

인이다. 같은 해 12월 미국 아시아함대 소속의 와츄세트(Wachusett)호가 황해도에 나타나 같은 해 3년 5월에 평안도 철산(鐵山)에 난파한 미국 상선 서프라이즈(Surprise)호의 선원을 조선에서 구조하여 청으로 송환한 것에 감사를 전하고 셔먼호의 생존자를 요청했다. 이때 박규수는 와츄세트호가 내항한 지역이 자신의 관할은 아니었지만, 훗날을 대비하여 황해감사 명의로 된 답서를 작성해두었다.[31]

고종 5년(동치7, 1868) 미국 군함 셰난도어(Shenandoah)호가 내항하여 또다시 제너럴셔먼호 생존자의 송환을 요청하다가 철수했다. 이 당시에도 박규수는 청에 이양선의 내항을 알리고 청을 통해 미국 측의 의혹을 풀기 위한 외교문서를 작성했다. 그리고 해당 문서는 같은 해 윤4월에 청에 보내는 자문 내용의 일부로 통합되었다.[32] 또한 신미양요 직전인 고종 8년(동치10, 1871) 2월 미국공사 로우(F. F. Low)의 편지를 첨부한 청의 자문이 도착하자 이에 대한 회답자문을 기초했다.[33] 신미양요 직후 해당 사건을 청에 알리기 위한 외교문서 작성도 박규수가 맡았다.[34] 따라서 박규수는 당시 조선 고관 중 미국을 포함한 서양과의 교섭 경험이 가장 풍부했을 뿐 아니라 외교 사안에 대해서도 해박한 인물이었다. 고종 9년의 박규수가 사행의 책임자가 된 것은 위와 같은 필요성이 합쳐진 결과로 판단할 수 있다.

고종 13년(광서2, 1876)에 또 한 차례의 진하외교가 시행되었다. 고종 11년(동치13, 1874) 동치제(同治帝)가 친정(親政)을 시행한 지 1년여 만에 사망한 이후 겨우 4세인 광서제(光緒帝)가 즉위하자 태후의 수렴청정이 다시 시작되었고, 특히 서태후의 권력은 공고해져 갔다.[35]

---

31) 이에 대한 분석은 김명호, 『초기 한미관계의 재조명』, 역사비평사, 2005, 120~133쪽.

32) 김명호, 앞의 책, 2005, 246~250쪽; 해당 자문은 『同文彙考』 原編, 洋舶情形 「報洋夷情形咨」 36a~39a.

33) 朴珪壽, 『瓛齋集』 卷7, 咨文 「美國封函轉遞咨」; 『同文彙考』 原編, 洋舶情形 「回咨」 46a~48b; 김명호, 앞의 책, 2005, 283~290쪽.

34) 김명호, 앞의 책, 2005, 356~391쪽.

이러한 상황 속에서 광서제는 자안·자희 태후의 수렴청정에 감사한다는 의미로 휘호(徽號)를 올리기로 하였고, 청은 태후들의 존호가상과 관련된 사항들을 순차적으로 조선에 전달하였다. 고종 12년(광서1, 1875) 3월 존호 가상을 시행할 예정이라는 자문을 예부에서 조선에 발송하였고,[36] 같은 해 11월에는 존호 가상 행사 일자를,[37] 이듬해(고종 13, 광서2) 2월에는 존호 가상에 대한 표문 양식을 자문으로 조선에 보냈다.[38] 행사는 고종 13년 7월 3일이었다.[39] 조선에서는 청의 요구 아닌 요구에 호응하여 행사 당일에 참석하기 위해 같은 해 5월 진하사를 출발시킴으로써 양국의 유대를 공고히 하였다.

그런데 고종 12년부터 고종 13년 상반기까지 조선에서는 매우 복잡한 사건이 펼쳐졌다. 바로 운요호 사건이 발생한 것이다. 당시 일본 정부는 국내 정치의 복잡한 상황을 타개하기 위해 이전부터 지속된 정한론(征韓論)의 분위기를 활용하여 고종 12년 9월 강화도에서 무력시위를 벌였다.[40] 운요호 사건이 발생한 고종 12년 5월 이후부터 최종적으로 조일수호조규(朝日修好條規)가 체결되는 고종 13년 1월 말 사이에 조선·청 사이에서도 다양한 현안이 발생했다. 우선 고종 12년 7월 세자의 책봉을 요청하는 진주사 이유원(李裕元)이 출발하였다.[41]

35) 김형종, 「近代中國의 皇帝權力 : 光緒帝와 西太后」 『역사학보』208, 2010, 47~48쪽.

36) 『同文彙考』 原編續, 進賀5 「禮部知會抄錄垂簾後兩宮皇太后尊號典禮敬謹詳議勅諭咨」 87a~87b.

37) 『同文彙考』 原編續, 進賀5 「禮部知會兩宮皇太后加上尊號吉期咨」 87b~88a.

38) 『同文彙考』 原編續, 表箋式1 「【丙子】禮部頒兩宮皇太后加上尊號後表式咨」 20a~20b.

39) 『淸德宗實錄』 光緒 2년(1876) 7월 3일.

40) 김종학은 운요호 사건이 오쿠보 도시미치 등의 내각 주도권 장악 및 조선과의 국교 재개 과정에서 교섭을 유리하게 이끌기 위한 목적으로 단행되었다고 판단한다. 아울러 조약의 결과가 일본이 거둔 실제적 성과(불평등)보다 과장되었다고 본다. 김종학, 「조일수호조규는 포함외교의 산물이었는가」 『역사비평』114, 2016.

41) 『高宗實錄』 고종 12년(1875) 7월 30일.

당시 세자(훗날 '순종')는 고종 11년 2월 8일에 태어나서 고종 12년 2월에 국내 책봉을 받았는데, 이로부터 불과 5개월 만에 청에 세자 책봉을 요청한 것이다. 전근대 시기 높은 유아 사망률을 고려할 때 세자의 책봉 요청은 안전하지 않은 선택일 수 있었다.

세자 책봉 요청을 무사히 승인받은 이유원은 귀국 도중 영평부(永平府)에서 북양대신(北洋大臣) 이홍장(李鴻章)의 측근인 유지개(游智開)를 만났고 이를 통해 이홍장과의 외교채널을 만들었다.[42] 이유원은 고종 12년 12월 16일에 귀국하였는데, 당시는 강화도에서 일본과 조약을 둘러싼 협상이 진행되기 시작한 직후였다. 그리고 약 한 달 뒤인 고종 13년 1월 22일에는 세자 책봉을 위해 내각학사 길화(吉和)와 희숭아(喜崇阿)가 서울에 도착했다. 조선에서는 청 사신들에게 일본과의 교섭 문제를 문의하였고, 이들 또한 이 문제에 관심을 갖고 답변하였다. 더하여 청 사신들은 조선 문제에 대해 이홍장과 교감이 있었다.[43] 그리고 조선은 같은 해 2월 3일 일본과 수호조규를 체결하였다.

여기에서 강조하고자 하는 부분은 운요호 사건으로 인해 조선의 위기감이 높아진 상황에서 세자 책봉의 요청과 책봉 승인에 관해 전통적 방식의 사신이 왕래하였고, 그 과정에서 새로운 외교 주체인 북양대신이 일정 정도 개입하였다는 점이다. 조일수호조규가 체결된 지 약 3달 후 황태후의 존호 가상을 축하하는 진하사가 출발하였고, 이들은 행사 당일에 맞춰 북경에 도착하여 청의 튼실한 손님의 역할을 다하였다. 고종 13년 진하외교는 청의 간접적 요청에 적극적으로 호응해준 결과이지만, 운요호 사건으로 상징되는 국제정세의 급격한 변화 속에서 조

---

42) 권혁수, 「한중관계의 근대적 전환과정에서 나타난 비밀 외교채널 -李鴻章과 李裕元의 往復書信을 중심으로-」『근대 한중관계사의 재조명』, 혜안, 2007.

43) 기존 연구에 따르면 세자 책봉을 승인하도록 요청하는 상주문의 작성에 이홍장도 참여하였다. 각각 권혁수, 『19세기말 한중 관계사 연구』, 백산자료원, 2000, 32쪽; 권혁수, 앞의 책, 2007, 86~87쪽.

선과 청 모두 전통적 관계를 활용해 공조를 강화하려는 의도도 포함되었다고 판단한다. 즉 전통적 관행과 근대적 외교의 문제가 맞물리기 시작한 것이다.

2. 별재자행의 재개

1) 별재자관의 파견

조선에서는 사신 이외에 외교 사안을 전달 및 교섭하기 위해 별재자관을 파견하였다. 별재자관은 사신과 달리 특정 사안을 전담하여 신속히 파견되었다는 점에서 조선·청 관계 속에서 실무적인 역할을 맡고 있었다. 별재자관의 파견 빈도는 연 약 0.9회로 거의 해마다 파견되었지만, 앞서 5장에서 살펴본 것처럼 19세기 전반기(1800~1865)까지의 별재자관 중 외교 사안을 목적으로 한 경우는 9건에 불과했다.[44] 그런데 1860년대 이후 북경함락에서 개항에 이르는 시기까지 서양의 침략과 새로운 국제질서는 청뿐 아니라 조선에까지 영향을 끼쳤다. 이와 같은 국제정세의 변화는 자연스럽게 교섭, 즉 별재자관의 필요성을 높였다. 고종 3년(1866) 병인양요 전후부터 고종 16년(1879)까지 별재자관의 파견 목적을 구체적으로 파악해보도록 하자.[45]

〈표 10〉에 따르면 관행적으로 파견된 표류민 송환(①)을 제외하고, 나머지 6건의 별재자행 중 5건은 모두 서양과의 갈등으로 인해 파견된 것이었다(②③④⑤⑥). 이를 통해 양무(洋務)에 관한 사안은 철저히 재자관을 통해 청과 교섭했다는 점을 알 수 있으며, 이와 같은 관성은 1880년대 이후에도 지속된다.

---

44) 이 책의 5장 3절 〈표 7〉 참조.

45) 파견시기의 전거는 〈부록: 별재자관 및 재주관 파견 현황〉 참조.

<표 10> 고종 3년(1866)~고종 16년(1879) 별재자·재주관의 파견 현황

순번	파견시기	재자관	사안
1	고종 3년 5월 29일	李用俊	표류민 송환
2	고종 3년 8월 12일	吳慶錫	프랑스 선교사 처형 및 이양선의 조약 요구 보고
3	고종 5년 윤4월 16일	李建昇	셰난도어 내항 및 오페르트 도굴사건 보고【齋奏】
4	고종 5년 윤4월 16일	吳慶錫	서양인과 결탁한 조선인의 중국 도피 보고 및 체포 요청
5	고종 8년 5월 30일	李應俊	미국과의 전쟁(신미양요) 보고, 조선의 개항 불가 방침 전달 요청
6	고종 12년 6월 27일	李容蕭	프랑스 및 미국이 일본을 도우려는 내용을 전달해준 것 감사, 일본·미국에 분쟁을 일으키지 말도록 중재 요청
7	고종 13년 7월 14일	李容蕭	조일수호조약 보고, 이홍장에게 武備 문의 전달

　　순조 32년(도광12, 1832) 로드 엠허스트호가 충청도 홍주에 나타난 통상을 요구하고부터 개항을 통해 서양을 국교(國交)의 대상으로서 인정할 때까지 40여 년 동안, 이양선이 출몰하여 교역을 요청하거나 민간의 물자를 약탈하는 사건이 연이었다. 헌종 6년(도광20, 1840) 12월에는 영국 선박이 제주도 가파도에 상륙하여 가축을 빼앗아 가는 일이 발생하였다. 프랑스의 경우에는 자국 선교사 살해 사건의 해명을 이유로, 헌종 12년(도광26, 1846)과 헌종 13년(도광27, 1847)에 조선 연안에 출몰했다. 러시아는 철종 5년(함풍4, 1854) 동해안 일대를 측량했는데 그 과정에서 영흥부(永興府) 및 덕원부(德源府)의 주민과 충돌이 일어나 일부 주민을 살해한 사건까지 발생했다. 이외에도 이양선의 출몰은 해마다 몇 차례나 보고되었다.46)

_____

46) 조광, 「V. 조선 후기의 대외관계: 3. 서양과의 관계」『신편 한국사』32, 탐구당, 1997),

1830~1850년대까지 수많은 이양선이 조선 연행에 출몰했음에도 조선은 일부의 사건에 대해서만 청에 자문을 보냈으며, 별재자관을 파견하는 일은 없었다. 이것은 해당 사안이 별재자관을 파견할 정도의 교섭 범위에 들어 있지 않았을 가능성을 시사한다. 이와 같은 기조가 바뀐 것은 병인양요(1866) 시기이다. 프랑스의 군사 침공을 목전에 두고 조선은 모든 외교적 수단을 강구하였다.

고종 3년(동치5, 1866) 6월 청에서 프랑스의 선전포고에 대해 비자(飛咨)를 통해 조선에 신속히 전달하였다.[47] 조선에서는 같은 해 8월 오경석을 별재자관으로 파견하여 프랑스 선교사 처형 시말과 프랑스의 요구사항들을 전달하며 청의 중재를 요청하였다.[48] 오경석에게는 전쟁을 목전에 둔 상황에서 프랑스와 관련된 정확한 정보 파악의 임무가 부여되었을 것으로 보인다. 이에 외교비에 해당하는 불우비(不虞備) 3,000냥이 지급되었다.[49] 더하여 같은 해 8월에 시헌재자관 한문규(韓文奎)를 통해 예부상서 만청려(萬靑藜)에게 중재를 요청하는 사적 편지를 전달했다.[50]

한편 조선은 병인양요가 일단락된 뒤 정기사행을 파견할 때, 프랑스와의 군사분쟁을 조정해준 일을 사은 항목에 추가하고, 표문 및 방물을 발송하였다.[51] 사은 방물은 18세기 이후 제한적으로 발송되었는데, 강희제가 조서 반포 이외에 사은 방물을 보내지 말라는 명령이 내려진 이후,[52] 건륭제 또한 자신의 칠순 행사에 진하사를 보낸 조선에 앞으

496~500쪽.

47) 『同文彙考』原編 洋舶情形「【丙寅】禮部知會因法國敎士殺害等情排解構兵仍行査照咨」 1a~1b.

48) 『同文彙考』原編 洋舶情形「回咨」 2a~2b.

49) 『承政院日記』 고종 3년(1866) 7월 3일.

50) 이 책 7장 2절 참조.

51) 『同文彙考』原編 洋舶情形「謝排解法國構兵表順付節使」 13a~13b 및 같은 자료, 「方物表」 13b.

로 영원히 사은 방물을 정지하라는 특혜를 내려주었다.[53] 따라서 18세기 이후 조서 및 고명의 반포, 어필 및 비단의 하사 등 황제의 직접적인 조치 이외에 사은 방물은 매우 제한적으로 발송되었다.[54] 병인양요 당시 청은 프랑스의 조선 침공을 막지 못하였고, 다만 관련 정보를 조선에 미리 전달해주었을 따름이다. 따라서 청의 조치를 사은의 대상으로 보기에는 모호함에도 불구하고 조선이 사은이라는 명목을 내걸었던 것은 앞으로 발생할 수 있을 서양과의 문제에 대해 청의 도움을 기대하는 의미로 볼 수 있다.

고종 5년(동치7, 1868)에는 오페르트의 남연군(南延君) 분묘 도굴사건과 셰난도어호 내항과 관련하여 재자관을 파견하였다. 고종 3년 병인양요 관련 자문이 청의 비자(飛咨)에 대한 회답임에 반해, 고종 5년의 재자관은 조선이 선제적으로 파견한 것이다. 오페르트 도굴사건 직후, 의정부에서는 양이(洋夷)들의 패륜한 행동이 극에 달했다며 상황상 중국에 보고해야 하는데, 공사(貢使)의 출발을 기다리다가는 많이 늦어지므로 먼저 재주관을 차출할 것을 건의하였다.[55] 이후 재주관으로 이건승, 재자관으로 오경석을 선발하였다. 재주관과 재자관을 동시에 파견하는 것은 매우 드문 사례로서 조선이 해당 사안을 매우 중요하게 여겼으며, 아울러 해당 관원들의 교섭과 정보획득에 일정한 기대를 걸었기 때문으로 보인다. 주문에는 사건의 과정을 주로 기술한 반면, 자문에서는 서양인과 결탁한 조선인 등을 거론하면 이들의 체포

---

52) 『同文彙考』 原編 卷11, 「禮部査收賀昇平方物移准謝頒詔宣諭賜書移准方物知會進賀頒詔外只進表文咨」40a~41a.

53) 『同文彙考』 原編 卷40, 「禮部知會査收賀聖節方物永停陳謝方物咨」24a~24b.

54) 예를 들어 철종 13년(동치1, 1862) 절사에 11개 항목의 사은 표문을 첨부했으나 이 중 방물을 갖춘 것은 함풍제의 尊諡 조서 반포, 진향에 대한 緞匹 하사, 황태후 존호로 인한 緞匹하사 3개 항목에 불과했다. 『同文彙考』 補編 「使行錄」82a~82b; 『通文館志』 紀年續, 철종 13년(1862).

55) 『承政院日記』 고종 5년(1868) 4월 28일.

및 송환을 요청하였다.[56] 청에서는 주문과 자문을 접수한 이후 조선의 요청을 수락하였다.[57]

고종 8년(동치10, 1871) 5월, 신미양요가 마무리된 이후 조선에서는 재자관을 파견하여 미국의 침공 과정과 함께, 미국 측의 무례하고 난폭한 행동을 지적하는 동시에 조선의 선제공격에 대한 정당성을 설명하였다.[58] 더하여 청에 신미양요의 진상을 알리고 더 이상 미국과의 갈등이 발생하지 않도록 청의 중재를 요청하는 것을 목적으로 하였다. 한편 조선의 정당한 입장을 증명하기 위해 미국 측과 주고받은 문건들을 해당 별재자행에 첨부하였는데,[59] 이러한 점은 조선의 대응이 병인양요 때보다 구체적으로 변화했음을 보여준다.

병인양요 이후에도 세난도어호 내항, 오페르트 도굴사건, 신미양요 등 서양과의 극한 갈등이 벌어지면서 각 사건의 경과보고 및 청의 중재·도움 요청을 별재자관을 통해 전달하였다. 앞서 19세기 전반기 60여 년 동안 주요 외교 사안과 관련한 별재자관의 파견이 9건에 불과한 것에 비해 병인양요부터 개항 전까지 10여 년 동안 6건의 별재자행이 이루어진 것은, 새롭게 등장한 양무(洋務)로 인해 외교 교섭의 필요성이 높아졌다는 사실과 함께 재자관이라는 외교 수단을 적극적으로 활용했다는 점을 잘 보여준다.

2) 별재자관의 활동

전통시대 조선과 청의 교섭 활동은 '인신무외교(人臣無外交)'의 관념에 제한을 받았다. 이와 같은 분위기는 19세기 후반에도 어느 정도 이어졌다. 1860년대 연행을 다녀온 박규수는 조선은 여전히 '인신무외

---

56) 해당 주문과 자문의 작성 과정 및 내용에 대해서는 김명호, 앞의 책, 2005, 269~275쪽.
57) 『同文彙考』原編 洋舶情形「禮部知會洋夷情形奏文代奏咨」39a~39b.
58) 『同文彙考』原編 洋舶情形「歷陳美國兵船滋擾情形咨」48b~52a.
59) 『同文彙考』原編 洋舶情形 52a~61a.

교' 원칙을 고수하고 있어 시대에 맞지 않는다고 불평을 토로하였다.[60] 고종 3년(동치5, 1866) 병인양요를 전후하여 조선 사신들은 예부상서 만청려와 직접 만남을 갖고 서양의 상황과 조선의 대외정책에 관해 조언을 받기도 하였지만, 만청려 스스로는 조선 사신과의 사적 만남을 매우 경계하였다.[61]

그런데 현실적으로 조선의 외교적 요구를 관철하기 위해 교섭은 필요하였다. 병인양요 이전까지 사신은 정치적 제약으로 인해 교섭의 전면에 나설 수 없었고, 역관이 그 역할을 담당하였다. 역관은 이미 18세기에『통문관지(通文館志)』와 같이 외교 실무서의 편찬을 주도할 정도로 전문성을 지니고 있었다. 19세기에 이르면 중인문화의 한 축을 구성할 만큼 학문적 소양에서도 높은 수준을 보유하였다.[62] 때문에 이른 시기부터 역관에게는 교섭에 대한 재량권이 일정 부분 허용되었고 이러한 관성은 19세기 후반까지 이어졌다. 따라서 양무와 같이 새로운 사안에 대해서도 역관들은 단순한 외교문서의 전달자가 아니라 교섭 주체로서의 역할을 담당하였다.

19세기 후반에 초점을 맞추어 주요한 역관의 역할에 대해 살펴보자. 먼저 오경석(吳慶錫)을 들 수 있다. 오경석은 철종 4년(함풍3, 1853)부터 고종 11(동치13, 1874)까지 무려 13회나 연행에 참여하였다.[63] 더하여 높은 문학 소양을 바탕으로 이상적(李尙迪)에 이어 청 문인들과 넓은 교유망을 구축하였다.[64] 오경석과 교류한 진사(進士) 출신만해도

---

60) 김명호, 앞의 책, 2008, 439~441쪽.

61) 손성욱, 「'外交'의 균열과 모색: 1860~70년대 淸·朝 관계」『역사학보』240, 2018a.

62) 중인의 문화적 신분적 성장에 관한 전반적인 설명은 정옥자, 『조선후기 중인문화 연구』, 일지사, 2003, 16~24쪽.

63) 김현권에 따르면 오경석은 12회의 사행에 참여했고, 여기에 고종 12년 절행의 수역을 맡은 것을 추가하였다. 김현권, 「오경석과 淸 문사의 회화교류 및 그 성격」『강좌 미술사』37, 2011, 218쪽.

64) 오경석의 교류 양상에 대해서는 김현권, 「김정희파의 한중회화교류와 19세기 조선

만청려(萬靑藜), 반조음(潘祖蔭), 서창서(徐昌緖), 오책현(敖冊賢), 온충한(溫忠翰), 왕헌(王軒), 육이훤(陸以烜), 주수창(周壽昌), 채조괴(蔡兆槐), 하추도(何秋濤),[65] 오대징(吳大澂)[66] 등이 확인된다. 이중 만청려는 앞서 병인양요 시기에 조선 사신에게 자문과 도움을 주었던 인물이다. 그는 도광·함풍·동치·광서제 등 4명의 황제를 섬겼으며, 예부 및 이부의 상서직을 역임했다. 반조음은 광서 연간 공부·병부·호부상서 및 순천부윤(順天府尹), 군기대신상행주(軍機大臣上行走) 등을 역임했다. 오대징은 동치 7년(고종5, 1868)년에 진사가 되어 호광순무를 역임하였다. 또한 임오군란 및 갑신정변의 진압을 위해 조선에 파견되었다. 오경석은 오대징과 이미 1870년대 교류한 것으로 추정된다.[67]

오경석은 청 측 인사와 넓은 인맥을 가지고 있었을 뿐 아니라 이를 기반으로 다양한 교섭 활동도 벌였다. 병인양요 직전 별재자관으로 선발되었는데(〈표 10〉①), 전쟁을 목전에 두고 병인박해의 진상을 알리는 사안을 맡았다는 점은 오경석의 교섭 능력에 대한 기대를 보여준다. 고종 5년(1868) 셰난도어호 내항 및 오페르트 도굴사건에 관해 재주관(齋奏官)을 통해 청에 전달할 때, 오경석을 재자관으로 동시에 파견한 것도 교섭 능력에 대한 신임으로 읽을 수 있다(〈표 10〉의③). 이외에도 고종 10년(1873) 1월 조서(詔書)를 순부 받았다는 공로로 그에게 가선대부(嘉善大夫)를 가자하였다.[68] 이때의 조서는 황후 책립 및 자안(慈安)·자희태후(慈禧太后)의 존호에 관한 것이었다.[69] 청 사신이

의 화단」, 고려대학교 문화재학 협동과정 박사학위논문, 2010; 이문호, 「吳慶錫의 韓中 交流 硏究 -『中士簡牘帖』을 中心으로-」, 한성대학교 한국어문학과 박사학위논문, 2014.

65) 이문호, 앞의 글, 2014, 35∼36쪽.
66) 김현권, 앞의 글, 2010, 420∼421쪽.
67) 신용하, 「吳慶錫의 개화사상과 개화활동」『역사학보』107, 1985, 140쪽.
68) 『承政院日記』 고종 10년(1873) 1월 20일.
69) 『同文彙考』 補編 卷9, 「詔勅錄」 47b.

파견되어 조서를 반포할 경우, 조선에서는 접대를 위해 많은 경제적 비용을 부담해야 했다. 따라서 조서의 순부 즉 청 사신이 아니라 북경에 파견된 조선 사신이 조서를 가져오는 일은 중요한 외교 사안이었다. 또한 같은 해 7월에는 그해 파견될 삼절연공겸사은사 정건조(鄭健朝)가 오경석을 수역으로 데리고 갈 것을 요청하여 수락받았다.[70] 고종 11년(1874) 8월에도 정원 외로 수행할 당상 역관이 병으로 참석하지 못하자 사역원에서 오경석을 추천하였다.[71] 고종 12년(1875)에는 절사의 수역을 맡았는데, 일 처리가 잘 될 수 있도록 주선한 공고로 영의정 이유원(李裕元)이 가자를 건의했다.[72]

오경석은 전통적 사안에 대한 교섭뿐만 아니라 새로운 국제환경의 변화에도 적극적으로 대응하였다. 고종 11년 2월 1일(양력 1874년 3월 6일) 북경 주재 영국공사관 서기관 윌리엄 F. 메이어스(William. F. Mayers, 梅輝立)는 북경을 방문하는 조선 사신에게 관심을 갖고 정건조 등에게 방문 의사를 타진했는데 정건조는 이를 거절했다. 그러나 수역 오경석은 정건조 등에게 알리지 않고 메이어스를 방문했다. 그 자리에서 오경석은 현실적인 서양의 무력을 고려할 때 서양 열강과 우호 관계를 맺을 필요성을 강조하는 동시에, 윌리엄 A. P. 마틴(Wiliam A. P. Martin, 丁韙良)이 편찬한 『중서견문록(中西見聞錄)』에 관심을 보였다. 이후 오경석은 귀국 직전에도 메이어스를 방문했으며, 이듬해(고종12, 1875)에도 메이어스를 찾아왔다.[73] 오경석의 행동은 국제정세에 관한 정보를 수집하고 이에 민감하게 반응하는 모습을 보여준다.

이응준 또한 주목되는 인물이다. 이응준의 대청(對淸) 사행은 고종

---

70) 『承政院日記』 고종 10년(1873) 7월 30일.
71) 『承政院日記』 고종 11년(1874) 8월 29일.
72) 『承政院日記』 고종 12년(1875) 4월 5일.
73) 오경석과 메이어스의 만남은, 김종학, 앞의 책, 2017, 27~35쪽.

3년(동치5, 1866) 10월 사은겸삼절연공행부터 확인되는데,[74] 당시 장무관(掌務官)으로 참여하였다.[75] 고종 3년은 제너럴셔먼호 사건부터 병인양요까지 조선의 대외위기가 급증한 시기였다. 해당 사행은 병인양요의 경과를 전달하고 청의 도움을 요청하는 자문과 프랑스의 공격을 중단시켜 준 것에 감사하는 표문 등을 지참했다.[76] 또한 병인양요의 전후처리에 대해 청, 프랑스, 미국, 일본 등이 부지런히 외교문서를 왕래하고 있었던 시기이기도 했다.[77] 이응준은 당시 역관 중에서 주요한 지위에 있지는 않았지만, 병자호란 이후 조선이 겪은 최초의 외국과의 전쟁을 수습하는 과정을 북경에서 목도한 것은 매우 큰 경험이었을 것으로 추측된다.

고종 8년(동치10, 1871) 5월 이응준은 신미양요의 경과를 보고하기 위한 재자관에 선발되었다. 당시 재자행에는 경과보고 자문뿐 아니라 신미양요 시기 작성된 강화유수가 미국공사에게 보내는 조회, 통역 드류(Edward B. Drew)가 강화진무사에게 보내는 회답, 강화진무사가 미국공사에게 보내는 조회 등 9종의 문서를 함께 가지고 갔다.[78] 이러한 행동은 조선과 미국 양쪽의 문서를 청에 제공함으로써 신미양요의 진상을 파악할 수 있도록 하는 것이 목적이었을 것으로 추측된다.[79] 재자관의 역할 상 해당 문건의 내용 및 배경을 충분히 숙지해야 해야 했기에, 신미양요 기간의 조선과 미국의 교섭 과정에 대해 이응준은

---

74) 이응준의 사행 참여에 관한 내용은 손성욱, 「변화된 '皇都'에서 서양과 조선의 접촉 -1860~70년대 조선 赴京使臣團 일원의 사진을 중심으로-」『동양사학연구』148, 2019b, 271~272쪽.

75) 嚴錫周, 『燕行錄』 使行人員

76) 『同文彙考』 原編, 洋舶情形 「歷陳洋匪侵擾咨」 10b~12a; 『同文彙考』 原編, 洋舶情形 「謝排解法國構兵表」 13a~13b.

77) 근대한국외교문서편찬위원회, 「병인양요」『近代韓國外交文書』1, 2009(동북아역사넷 제공).

78) 관련 문서는 『同文彙考』 原編, 洋舶情形, 49a~60a.

79) 김명호, 앞의 책, 2005, 364~365쪽.

상세히 파악하고 있었을 것이다.

고종 8년 7월 말 자문을 제출한 이후, 9월 1일 예부는 황제의 유지가 담긴 자문, 예부에서 황제에게 올린 주문, 총리아문이 미국공사에게 보낸 조회를 지급하였다.[80] 그 사이 미국공사는 조선에서 보낸 자문의 원문 회람을 요구하는 등 신미양요의 수습을 위해 분주히 움직이고 있었다.[81] 최근 연구에 따르면 고종 8년 7월 26일 이응준이 청 예부에 자문을 제출하고 9월 1일자 회답 자문을 받는 기간 동안, 미국 외교관과 접촉했을 가능성이 제기되었다.[82] 당시 북경에 체류 중이던 사진기자 존 톰슨(John Thomson)은 American ambassador와 chief Corean minister의 만남을 기록하고, 아울러 본인의 사진집에 조선인으로 추측되는 사신을 남겼다.[83] 관련 연구에서는 존 톰슨의 체류 기간이 대략 고종 8년 8월초~10월초(양력 1871년 9월초~11월초)라는 점, 8월 초 공친왕이 미국 공사대리 윌리엄스(Samuel W. Williams)를 면담했을 때, 윌리엄스가 조선 자문의 원문을 요청했지만 총리아문에서는 요약문만을 제공한 점, 해당 기간 미국의 의문 즉 조선의 입장을 구체적으로 설명할 수 있는 실무자가 이응준이었다는 점을 근거로 윌리엄스가 이응준을 만났을 것으로 추정하였다. 해당 연구를 수용한다면 이응준은 만남을 거부할 수 있었음에도 서양 외교관과 접촉했던 셈이고, 이를 통해 얻게 된 경험은 이후 변화하는 국제환경을 파악하는 데 중요한 기반이 되었을 것이다.

1870년대 이후 이용숙(李容肅)은 여러 차례 중요한 임무를 띠고 재자관으로 파견되었다. 이용숙은 오경석과 마찬가지로 청 지식인들과

---

80) 『同文彙考』 原編, 洋舶情形, 60a~63b.
81) 김명호, 앞의 책, 2005, 371~372쪽.
82) 손성욱, 앞의 글, 2019b, 269~272쪽.
83) 손성욱, 앞의 글, 2019b, 269쪽. 원문은 "46 Coreans", in John Thomson, *Illustrations of China and its people*, vol.4

문한 교류를 통해 많은 인맥을 구축한 인물이다.[84] 이용숙은 1860년대 부터 사행 참여가 확인되는데, 조선 지식인들과 광범위한 교류를 맺었던 동문환(董文渙) 및 그의 친우들과 지속적으로 만남을 가졌다. 신석우(申錫愚), 조휘림(趙徽林), 박규수(朴珪壽) 등의 서신을 동문환에게 전달하며 한중 문인 교류의 가교 역할을 했을 뿐 아니라 그 자신도 여러 차례 아회(雅會)에 참석하였다. 이용숙은 또한 북경에서 안남(安南) 사신과도 시를 창화하였다.[85] 조선과 안남 사신의 문한 교류는 조선 전기부터 간헐적으로 이루어지다가 18세기 후반에 빈도가 높아졌다.[86] 안남 사신과의 접촉은 이용숙만의 특징은 아니지만, 그가 다른 세계에 대한 관심과 개방적 태도를 지니고 있었음을 간접적으로 보여준다.

주목할 만한 활동은 고종 12년(광서1, 1875)부터 시작된 영의정 이유원(李裕元)과 북양대신 이홍장(李鴻章)의 서신 외교의 매개자 역할을 수행한 것이다. 고종 13년(광서2, 1876) 7월 이용숙은 일본과의 수호조규의 결과를 전달하기 위한 별재자관에 임명되었다.[87] 북경을 향하는 도중 영평부 지부 유지개(游智開)를 만나 근대 무기 도입에 대한 조선의 의사를 전달하였다.[88] 개항 직후라는 시점을 고려하면 조선 군신 전체의 의견이라기보다 고종과 이유원 등의 의향으로 추정된다. 3

---

84) 이용숙의 생애와 외교 활동에 대해서는 김려화, 「조선후기 역관 李容肅의 행적과 작품 개관」『민족문화』49, 2017.

85) 시미즈 다로(清水太郎), 「베트남 使節과 조선 사절의 중국에서의 邂逅 -19세기를 중심으로-」『한국과 베트남 사신, 북경에서 만나다 -창화시唱和詩 연구-』, 소명출판, 2013), 148~150쪽; 강찬수, 「16~19세기 越南漢文燕行文獻에 수록된 朝鮮 使行文學에 대한 고찰」(인하대학교 한국학연구소 편, 앞의 책, 2013), 187쪽.

86) 월남과 조선 사신의 시문 창화 현황은 응티레뷔엔, 「월남과 조선의 중국 사행과 북경 교유 양상」선문대학교 국어국문학과 석사학위논문, 2023, 38~39쪽.

87) 『同文彙考』原編續 倭情 【同年】報與日本使臣商辦開港通商等條約咨 31a~32a.

88) 권석봉, 앞의 책, 1986, 153~154쪽; 『李鴻章全集』31, 「覆游子岱太守」(光緒 2년 9월 3일), 493쪽.

년 후인 고종 16년(광서5, 1879) 이홍장으로부터 구체적인 무비(武備) 도입에 관한 내용이 이유원에게 전달되었을 때, 이용숙이 회답을 전달하였다.[89] 이유원은 이용숙을 매우 신임했던 것으로 보이는데, 그는 고종 12년(1875) 광서제의 등극 조서를 반포하기 위해 조선을 방문했던 명안(銘安)에게 안부를 전달하며 공사(公事)에 관해서 이용숙이 잘 알고 있을 것이라며 이용숙의 견문을 높이 평가하였다.[90] 1880년대 북양대신 이홍장과의 회담에서 이용숙이 교섭의 주체가 된 것에도 영향을 주었으리라 판단한다.[91]

분석의 범위를 재자관으로 넓히면, 김경수(金景遂) 또한 주목할 인물이다. 김경수는 철종 11년(함풍10, 1860) 시헌재자관으로 파견되어 10월 북경에 도착했다.[92] 그런데 당시 북경은 영국·프랑스 연합군의 공격으로 함락되고 함풍제는 이미 열하(熱河)로 피신한 상황이었다. 김경수는 신속히 통사(通事)를 통해 북경의 상황을 조선으로 전달했다. 당시 김경수의 수본(手本)을 접수한 조선 조정은 사태의 심각성을 인지하고 즉시 열하 문안사의 파견을 결정하였다.[93] 이 사건을 계기로 김경수는 서양의 군사력이 조선을 망국에 이르게 할 수 있다는 위기를 심각하게 느끼고 서양에 대한 정보를 구체적으로 파악하고자 하였다. 이에 고종 13년(광서2, 1876)에 중국에서 간행된 시사신문인『만국공보(萬國公報)』중 조선의 상황에 긴요하다고 판단되는 내용을 추려『공보초략(公報抄略)』을 편찬하였다.[94] 김경수의 사례는 서양을 끌어들이려고 했던 오경석과는 방향이 다르지만, 종래의 관행에서 벗어나

---

89) 권석봉, 앞의 책, 1986, 155~156쪽.

90) 李裕元,『嘉梧藁略』冊11「呈欽差上粀書」

91)『淸季中日韓關係史料』#353,「(2)與朝鮮委員李容肅『問答節略』467a~470a.

92)『義州府狀啓謄錄』4冊, 경신년(1860) 12월 3일, 11b.

93)『日省錄』철종 11년(1860) 12월 9일;『日東記遊』「隨率」隨員名錄.

94)『만국공보』는 서양의 정치, 과학, 지리, 역사 및 각국의 소식을 광범위하게 소개하는 시사 신문으로써, 서양에 관한 정보를 파악하기 위한 유용한 자료였다.

국제환경의 변화에 대응을 모색하는 모습을 보였다.

흥미롭게도 1860~70년대 별재자관으로 파견되었던 역관들은 새로운 국제질서를 수용하는 과정에서 주요한 실무자로서의 역할을 담당한다. 오경석은 고종 12년(광서1, 1875) 일본 군함이 강화도에 도착하자 이에 대한 문정(問情)을 행했다. 이후 조약과 관련된 회담이 진행되었을 때는 일본어 조규 원안을 번역했으며, 일본 측이 국왕의 비준 서명을 문제 삼아 운요호 사건 사과문을 요구했을 때 오경석의 활약으로 해당 문제를 신속히 처리할 수 있었다.[95] 이응준 역시 강화도 협상 과정에서 문정관의 역할을 수행했고,[96] 신헌(申櫶)을 수행하여 조일수호조규 체결 자리에 참석했으며, 더하여 태극기의 감정본(鑑正本)을 제시하기도 하였다.[97] 이용숙은 강화도조약 체결 이후 수신사(修信使)를 파견했을 때 현석운(玄昔運)과 함께 당상역관(堂上譯官)에 임명되어[98] 동경(東京)에서 약 20일간 머무르며 견문을 쌓았다. 또한 고종 17년(광서6, 1880)에 제2차 수신사를 발송할 때도 사행단에 참여하였다.[99]

정리하자면 조선·청 사이의 전통적 외교 교섭의 주체였던 별재자관은 19세기 후반 변화하는 국제관계 속에서도 주요한 역할을 담당했다. 200여 년 동안 축적되었던 양국의 관행은 변화의 시기에도 지속·변용되었던 것이다.

95) 김종학, 앞의 책, 2017, 37~49쪽.
96) 『承政院日記』 고종 13년(1876) 1월 8일.
97) 김종학, 앞의 책, 2017, 56쪽.
98) 『承政院日記』 고종 13년(1876) 2월 30일.
99) 『東京日日新聞』 1880년 8월 11일(『사료 고종시대사』10, 고종 17년(1880) 7월 6일).

9장

1880~90년대 조선·청 관계의 재편과 '사신외교' 활동

1. 조선·청 관계의 재편

고종 13년(광서2, 1876) 조선은 조약을 통해 새로운 국제관계에 편입되었다. 이후 청과의 관계도 새롭게 조정되기 시작하였다. 개항 이후, 조선·청 관계에서 중요한 변화는 천진의 북양대신(北洋大臣)이 새로운 외교 주체로 등장했다는 점이다. 조선의 입장에서 북양대신 이홍장(李鴻章)이 부각되기 시작한 것은 고종 12년(광서1, 1875) 세자 책봉을 요청하는 주청행(奏請行) 정사로 선발된 이유원(李裕元)과 서신을 왕래하면서부터이다. 여전히 조선·청 신료 간의 외교가 제한적이던 상황에서 이홍장과 이유원은 비공개적 방식을 이용하여 조선의 대외정책을 논의하였고, 이는 당시 조선의 정책 결정에 일정한 변수로 작용하였다.

고종 17년(광서6, 1880)부터 '무비자강(武備自强)'과 그 연장선에서 영선사(領選使)를 파견하는 과정에서 북양아문과 조선 간의 본격적인 교섭이 시작되었다. 그리고 고종 19년(광서8, 1882)에 체결된 '중국조선상민수륙무역장정'(이하 '무역장정')을 통해 새로운 외교 방식의 주요한 골격이 마련되었다. 무엇보다 큰 변화는 북양대신이 파견한 청관원이 조선에 상주하면서 양국의 외교 업무를 담당하게 된 것이다. 또한 고종 21년(광서10, 1884)부터는 조선의 관원이 천진에 상주하며 새로운 외교의 주체가 되었다. 따라서 1880년대부터 조선과 청의 대외 관계는 사신 및 재자관을 파견하는 것과 천진에 관원을 상주시키는 방식이 공존하는 상황을 맞이하게 되었다. 조선은 유길준(兪吉濬)이 말한 '양절체제(兩截體制)' 즉 조선-청, 조선-외국(일본 및 서양)과의 국제관계를 달리하는 동시에,[1] 청과의 관계 속에서도 사신의 파견과 관원의 상주라는 이중적인 방식을 운용하게 되었다.

인조 15년(숭덕2, 1637) 조선·청이 조공책봉관계를 맺은 이후 양국의 교섭 통로는 점차 조선(국왕)-예부로 단일화되어 갔다. 조선의 입장으로 보면 사신과 외교문서의 종착지는 모두 북경의 예부였다. 그런데 18세기 전반 조선과 청의 접경지대에서 발생하는 사안의 일부를 성경아문과 교섭하게 되면서, 성경이 새로운 교섭 주체로 등장하였다.[2] 다만 성경과는 양국의 변경 사안 중 일부만을 다루었기 때문에, 전체적으로 본다면 약 2세기 동안 양국 관계는 서울과 북경을 오가는 사신과 문서로써 유지되었다.

이러한 외교 방식은 19세기 후반에 이르러 변화를 맞이하게 되었다.[3] 19세기 전반부터 서양 선박이 조선에 출몰하자, 조선은 청 측에

---

1) 개항기 청의 對조선정책과 관련해 '청의 屬邦이지만 내치와 외교는 自主'라는 청의 모순적 태도에 대한 많은 분석이 진행되었다. 최근 유바다의 경우, 청이 주장한 조선의 지위에 관한 용어들이 『만국공법』에 근거했다고 분석하였는데, 이는 조선·청 관계를 서양과의 관계와 다른 것이 아니라 하나의 통합된 체계로 볼 수 있는 시각을 제시한다(유바다, 「19세기 후반 조선의 국제법적 지위에 관한 연구」, 고려대학교 한국사학과 박사학위논문, 2017). 이중적 외교체제에 대해서는 김민규, 「근대 동아시아 국제질서의 변용과 청일수호조규(1871년) -"조규체제"의 생성」『대동문화연구』41, 2002; 정용화, 「제4장 양절(兩截) 체제론」『문명의 정치사상: 유길준과 근대 한국』, 문학과지성사, 2004; 권혁수, 「'兩截體制'와 19세기말 조선의 대중국외교」 『근대 한중관계사의 재조명』, 혜안, 2007.

2) 김창수, 「조선·청 외교문서의 교섭경로와 성경의 역할」『역사와현실』107, 2017.

3) 19세기 전반부터 1880년대 전후까지 조선의 양무(洋務)에 관한 조선-청 사이의 문서행이(行移)의 절차와 변화에 관해서는 姜博, 「1880년대 전후 淸의 朝鮮 事務처리 기제의 재확립」『명청사연구』57, 2022.

서양 세력의 조선 진출을 미연에 방지해달라고 요청했다. 이로 인해 양광총독(兩廣總督)과 같이 예부 이외의 관서가 새롭게 외교 교섭 과정에 등장하였다. 1860년대 이후에는 조선과 프랑스·미국 사이에 군사적 외교적 갈등이 발생하면서 총리아문이 조선 사안에 개입하기 시작하였다. 외국과는 총리아문이, 조선과는 예부가 교섭하는 구조가 일정 기간 유지되다가,[4] 고종 18년(광서7, 1881) 1월 총리아문의 다음과 같은 건의로 인해 양국의 외교 방식에 또다른 변화가 나타났다.

> 살펴보건대 속번(屬藩)에 대해 제도를 정했었는데 공문[公牘]의 왕래는 예부에 속합니다. (그러나) 일이 많이 소요될 뿐 아니라 사기(事機) 또한 쉽게 누설될 수 있습니다. 앞으로 양무(洋務)에 관계된 긴요한 사안이 있으면, 북양대신(北洋大臣) 및 출사일본대신(出使日本大臣)을 통해 조선[該國]과 문서를 왕래하여, 상황에 따라 개도하며, 수시로 의논한 상황을 신의 아문에 알려줌으로써 복잡함을 줄이겠습니다.[5]

총리아문은 당시 출사일본대신 하여장(何如璋)과 조선에 대한 입약권도(立約勸導)의 방식을 둘러싸고 견해차가 있었다. 양자 모두 조선과 서양 열국(列國)과의 조약체결을 통해 러시아와 일본의 조선 진출을 막는 것에는 동의하였지만, 총리아문은 비공개적인 개입을 지향한 반면 하여장은 공개적이고 주도적으로 개입할 것을 주장하였다.[6] 다만 총리아문에서도 조선의 문제를 중요하게 보는 하여장의 입장을 받아들여 조선과의 문서 수발 방식의 변경을 상주했고, 광서제가 이를

---

4) 姜博, 앞의 글, 2022, 476~481쪽.

5) 『淸光緖朝中日交涉史料』 卷2, #71 「總理各國事務衙門奏明朝鮮宜聯絡外交變通舊制接」(光緖 7년 1월 25일) 31a "査屬藩定制 公牘往來 職之禮部 不特有需時日 且機事亦易漏洩 嗣後遇有關係洋務緊要之件 可否由北洋大臣及出使日本大臣 與該國通遞文函 相機開導 仍將隨時商辦情形 知照臣衙門 以省周折"

6) 권석봉, 『청말 대조선정책사연구』, 일조각, 1986, 132~141쪽.

승인함으로써 천진의 북양아문이 새로운 교섭 주체로서 공식화되었다.[7]

위와 같은 변화는 고종 18년에 느닷없이 등장한 것은 아니었으며, 고종 12년(광서1, 1875)부터 시작된 북양대신 이홍장과 영의정 이유원(李裕元) 사이에 진행된 서신왕래를 배경으로 하였다.[8] 고종 12년 8월 일본은 운요호 사건을 일으켜 조선을 무력으로 개항시키고자 하였고, 같은 해 12월 북경에서 귀국하던 이유원은 영평부 지부(永平府知府) 유지개(遊智開)를 통해 북양대신 이홍장과 접촉하였다. 이후 두 사람의 서신교류는 고종 18년까지 지속되었다. 이홍장과 이유원은 각각의 조정에 서신의 내용을 공개했던 만큼, 둘의 사적 서신은 조선·청의 새로운 외교 방식의 모색 과정이라고 할 수 있었다.

청은 조선이 외국과의 조약을 체결하여 국제법이라는 보호막으로 들어갈 수 있다면, 조선에 영향력을 강화하려는 러시아와 일본의 시도를 차단할 수 있다고 판단하였다. 이에 조약체결을 적극적으로 권고하는 동시에 조선이 필요로 하는 무비(武備)와 관련한 사항들도 지원하고자 했다. 이러한 교섭 과정을 통해 고종 18년 조선은 천진으로 영선사를 파견해 무기 제조 학습과 동시에 미국 등 외국과 통상교섭에 관한 사안들을 논의하였다.[9]

고종 19년(광서8, 1882) 2월 조약과 관련된 문의(問議)를 위해 어윤중(魚允中)을 파견할 때, 고종은 청과의 근대적 무역 즉 통상 요청과

---

7) 권석봉, 앞의 책, 1986, 141~142쪽; 姜博, 앞의 글, 2022, 480~481쪽.

8) 宋炳基, 「19世紀 末의 聯美論 序說 : 李鴻章의 密函을 中心으로」『사학지』9, 1975; 原田環, 「朝·中〈兩截體制〉成立前史 : 李裕元と李鴻章の書簡を通して」『近代朝鮮の社會と思想』, 東京 : 未來社, 1981, 67~98쪽; 權赫秀, 『19세기말 한중관계사 연구』, 白山資料院, 2000, 38~51쪽; 권혁수, 「韓中關係의 近代的 轉換過程에서 나타난 秘密 外交채널 : 李鴻章과 李裕元의 往復書信을 중심으로」『동아시아 문화연구』 37, 2003.

9) 영선사를 포함한 조선의 무비자강 요청 및 청의 지원 과정은 권석봉, 앞의 책, 1986, 153~163쪽; 구선희, 『한국근대 대청정책연구』, 혜안, 1999, 37~48쪽.

함께, 현재의 조공 사신을 폐지하고 북경에 조선 사신을 상주할 것을 건의하도록 명령을 내렸다.[10] 고종이 사신 파견만이 아니라 조공과 책봉을 축으로 하는 기존의 조선·청 관계를 전면적으로 폐지하려고 했는지는 불분명하다. 결과적으로 청에서는 통상안은 수용하고 조선 사신의 북경 상주는 기각했다.[11] 양국의 새로운 관계에 대한 논의는 고종 19년 6월에 발생한 임오군란의 발발로 일시 중단되었다가, 진주사 조영하(趙寧夏) 등이 같은 해 8월 천진을 방문하여 이홍장에게 통상 사안이 포함된 '선후사의육조(善後事宜六條)'를 제시하면서 재개되었다. 같은 해 8월 어윤중이 다시 문의관으로 파견되어 이홍장 측과 구체적으로 통상장정을 논의하였다. 그 결과 고종 19년 9월 광서제는 무역장정을 재가했다.[12] 그중 제1조에서 아래와 같이 양국의 새로운 관계를 명문화하였다.

> 앞으로 북양대신의 신임장을 가지고 파견된 상무위원(商務委員)은 개항한 조선의 항구에 주재하면서 전적으로 본국의 상인을 돌본다. 해원(該員)과 조선 관원이 왕래할 때는 다 같이 평등한 예로 우대한다. 중대한 사건이 생겼을 때 조선 관원과 임의로 결정하기가 편치 않을 경우, 북양대신에게 상세히 청하여 (북양대신이) 조선국왕에게 자문(咨文)을 보내 그 정부에서 처리하게 한다. 조선국왕도 대원(大員)을 파견하여 천진에 주재시키고 아울러 다른 관원을 개방한 중국의 항구에 나누어 파견하여 상무위원으로 충당한다.[13]

---

10) 어윤중의 派使駐京에 대해 자주적 제안으로 평가하는 경우도 있지만, 김종원은 事大논리에서 벗어나지 못해 통상문제까지 청에게 상당 부분을 양보하게 되었다며 비판적으로 평가했다. 김종원, 『근세동아시아사연구』, 혜안, 1999, 311~313쪽.

11) 김종원, 앞의 책, 1999, 301~302쪽 및 311~312쪽; 姜博, 앞의 글, 2022, 481~484쪽.

12) 무역장정의 체결과정은 김종원, 앞의 책, 1999, 335~344쪽; 權赫秀, 「조공관계체제 속의 근대적 통상관계 - 『中國朝鮮商民水陸貿易章程』 연구」 『동북아역사논총』 28, 2010.

13) 『高宗實錄』 고종 19년(1882) 10월 7일, "嗣後 由北洋大臣札派商務委員 前往駐紮朝鮮已開口岸 專爲照料本國商民 該員與朝鮮官員往來 均屬平行 優待如禮 如遇有重

조선 관원의 북경 상주는 거부되고 상주 장소는 천진으로 확정되었다. 청과 서양 열강의 동등한 지위는 외국 공사(公使)의 북경 상주를 통해 시각적인 면에서도 구현되었다. 반면 청의 입장에서 외국 공사의 북경 상주는 황제의 신성한 수도를 망가뜨리는 행동이었다. 따라서 천진조약(1858)에서 외국 공사의 북경 상주를 포함시켰음에도 청은 이를 지키지 않았고, 결국 북경조약(1860) 체결 이후에야 비로소 시행되었다.[14] 그런데 조선 관원을 북경에 상주시키게 된다면, 이미 북경에 있던 외국 공사들과 동등한 위상을 갖는 것처럼 보일 수 있었다. 이것은 조선을 속방으로 간주하는 청의 입장에서는 받아들이기 힘든 일이었다.

더하여 행정체계의 문제도 있었다. 조선과 청 모두 서양 열강과 근대적 조약을 맺었기 때문에 조선 관원이 북경에 상주할 경우, 총리아문, 외국 공사, 조선 관원 간의 관계 설정이 불명확질 수 있었다. 아울러 천진의 북양아문에서 조선의 통상 및 교섭 사안을 사실상 담당하고 있었던 점도 조선 관원의 상주 지역을 천진으로 결정하는 데 작용하였다. 이 때문에 무역장정이 체결된 이후의 사안에 관해서도 아래와 같이 북양대신에게 위임하였다.

> 이후 (무역장정을) 증손(增損)할 경우, 마땅히 수시로 북양대신을 통해 조선국왕과 논의하여 적절히 처리한다.[15]

大事件 未便與朝鮮官員擅自定議 則詳請北洋大臣 咨照朝鮮國王 轉札其政府籌辦 朝鮮國王亦遣派大員 駐紮天津 並分派他員至中國已開口岸 充當商務委員"

14) 외국 공사의 북경 상주에 대한 청의 거부와 논의과정은 존 K. 페어뱅크 편, 『캠브리지 중국사』 10 상, 새물결, 2007, 421~422쪽; 王開璽, 『淸代外交禮儀的交涉与論爭』, 北京: 人民出版社, 2009, 376~401쪽.

15) 『高宗實錄』 고종 19년(1882) 10월 7일, "以後 有須增損之處 應隨時由北洋大臣與朝鮮國王 咨商妥善"

1880년 전후로 진행된 조선의 통상교섭 사안은 무역장정을 통해 북양대신의 담당으로 정리되었고, 곧이어 부속장정에 해당하는 육로통상장정(陸路通商章程) 및 초상국(招商國)의 윤선(輪船) 왕래에 관한 문제가 남았다. 그러나 위와 같이 진행될 경우 기존 조선 사안을 전담해왔던 예부의 직권은 상당 부분 상실될 수 있었다. 더구나 조선과의 육로무역은 약 2세기 동안 중앙의 예부와 지방의 성경에서 담당했던 사안이었다. 이에 예부는 성경·봉천·길림·영고탑의 책임자가 육로장정과 관련된 1차 조사를 하고, 이후 조선국왕과 북양대신이 파견한 관원이 2차 조사 후 상세한 장정을 정하되, 통보는 예부에서 하도록 상주하였다. 아울러 미진한 사안에 대해서도 예부에서 상주하여 처리하고자 했고, 다음날 예부의 주청은 승인되었다.[16]

　　거의 같은 시기에 조선 사신이 지참한 화물(貨物)의 세금이 문제가 되었다. 조선은 육로를 통해 북경으로 매년 사신을 보냈는데, 이들 사신은 청의 변경 및 북경 회동관에서 무역할 물품을 지참하였다. 고종 19년 청의 봉황성(鳳凰城) 변문(邊門)에서 이를 징세하고 변민에게 조선 사신과의 무역을 금지하자, 조선에서는 사행물품에 대한 면세를 요청하였다. 예부는 조선 사신의 지참물에 대해 면세해줄 것을 상주하여 허락을 받고 이후 그 결과를 북양대신과 조선국왕에게 전달하였다.[17] 성경장군 또한 무역장정 중 양국 대표자의 위상을 동등하게 한다는 내용에 문제를 제기하였다.[18]

　　이처럼 북양대신의 영역인 통상 부분에서 무역장정과 종래의 관행

---

16) 姜博, 앞의 글, 2022, 487~488쪽.
17) 姜博, 앞의 글, 2022, 489~490쪽.
18) 김종원은 당시 무역장정 내용 중 조선·청 관원과 평행 의례를 시행한 것에 반대했던 성경장군 崇綺와 봉천부윤 松林 등의 의도를 조선에 대한 종주권을 강화하려는 것으로 파악하였다. 반면 姜博은 이를 통해 예부와 봉천·길림의 지방당국이 조선 사안의 처리에 참여하게 되는 과정을 분석하였다. 김종원, 앞의 책, 1999, 340~342쪽; 姜博, 앞의 글, 2022, 489~491쪽.

이 충돌하게 되자, 예부에서는 새로운 장정의 적용 및 수정 과정에 예부를 포함시키고자 했고, 최종적으로 예부의 의도는 관철되었다. 대(對)조선 정책에 관여하려고 하는 예부의 시도는 이어졌다. 고종 20년(광서9, 1883)에 예부에서 조선으로 보낸 다음의 자문을 살펴보자.

> 만일 총리각국사무아문에 자문(咨文)을 보낼 일이 있다면, 밖[在外]에서는 주진(駐津) 조선관원을 통해 북양대신을 거쳐 자문을 전달하고, 북경에서는 예부[本部]를 통해 전달해야 합니다. 바로 문서를 보내서는 안 되며, 조선 사신도 직접 총리아문으로 가서 알현을 청해서는 안 됩니다.19)

위의 자문에서 말하는 밖[外]은 북경과 대비되는 장소로 조선을 지칭한다. 예부에 따르면 서울에서 총리아문에 문서를 보낼 경우, 서울 → 천진 주재 조선관원 → 북양대신 → 총리아문의 경로를 거쳐야 했다. 다만 조선 사신이 직접 북경에 올 경우에는 북양대신이 아닌 예부를 통해 총리아문으로 자문을 보내도록 했다. 예부를 거쳐서 총리아문으로 자문을 발송한다면 예부에서는 최소한 현안을 파악할 수 있게 된다. 한편 조선의 입장에서는 통상교섭 사안에서도 북양대신과 별개로 사신을 통해 총리아문과 접촉할 수 있는 통로가 유지되었다고 할 수 있다.

1880년대 전후 조선·청 사이에 통상을 골자로 하는 새로운 조약 체제가 만들어지는 과정에서, 종래의 관행과 충돌하는 지점이 나타났다. 이러한 균열의 공간에서 예부는 종래의 권한을 최대한 확보하려고 했고, 이것이 수용되면서 새롭게 등장한 통상의 영역에서도 예부의 권한

---

19) 『通文館志』 紀年續, 고종 20년(1883), "如有咨行總理各國事務衙門文件 在外由駐津 朝鮮官員呈由北洋大臣咨 達在京由本部轉行 不得徑行呈通 該使臣等亦不得徑赴 總理衙門 率請謁見 以符定制"

이 일정 정도 확보되는 구조가 만들어졌다. 예부가 조선·청 관계에서 교섭 통로로 남아 있다는 것은 문서행이(文書行移)뿐만 아니라, 예부에 문서를 전달할 조선 사신이 여전히 '외교' 역할을 수행할 수 있다는 것을 뜻한다.

한편 조선·청 교섭 방식의 새로운 요소로서 천진 주재 조선 관원이 등장했다. 앞서 무역장정에서 규정한 것처럼 청과 조선은 각각 서울과 천진에 관원을 파견하여 상주 외교관의 역할을 수행하도록 하였다. 이에 청은 고종 20년(광서9, 1883)부터 진수당(陳樹棠)을 상무위원으로 임명하여 조선에 파견하였다. 조선에서도 거의 비슷한 시기에 영선사의 전례를 참고하여 조선주진상무공서장정(朝鮮駐津商務公署章程)을 마련하였다. 고종 21년(광서10, 1884) 3월 초대 주진대원(駐津大員) 남정철(南廷哲), 종사관 박제순(朴齊純), 서기관 성기운(成崎運) 등이 국왕에게 사폐(辭陛)하고[20] 새로운 상주 외교관의 임무를 시작하였다.

그런데 일정 기간 천진에서의 외교 통로는 주진대원으로 단일화되지 않았다. 흥선대원군이 보정부(保定府)에 있는 상황에서 조선에서는 대원군에게 문후관(問候官)을 지속적으로 파견하거나 이홍장에게 문의사(問議使)를 파견하여 대원군의 방환 여부를 확인하고자 했다. 따라서 주진대원이 설치되었음에도 별도의 사신들이 천진을 오가는 상황이 나타났다. 천진에 조선 외교관이 상주했음에도 사신의 역할은 지속되었던 것이다. 이러한 상황은 고종 22년(광서11, 1885) 8월 대원군이 귀국한 이후 종식되었고, 천진의 외교 업무는 주진대원이 오롯이 담당하게 되었다. 고종 23년(광서12, 1886) 내무부의 건의로 주진대원을 주진독리통상사무(駐津督理通商事務)(이하 '주진독리')로 변경하고

---

20) 권혁수, 「'兩截體制'와 19세기 말 조선왕조의 대중국외교 -초대 天津駐箚督理通商事務 南廷哲의 활동을 중심으로-」 『근대 한중관계사의 재조명』, 혜안, 2007; 한철호, 「한국근대 주진대원의 파견과 운영(1883-1894)」 『동학연구』23, 2007, 59~63쪽; 森 万佑子, 「朝鮮政府の駐津大員の派遣(一八八三-一八八六)」 『史學雜誌』122, 2013.

새로운 장정을 마련하였다.[21]

따라서 청과 조선 관원이 상주함에 따라 행정 체계상 이를 통해 청과의 외교 교섭을 수행할 수 있었다. 그렇다면 외교 사안의 전달을 목적으로 하는 진주사나 경사의 축하를 통해 양국의 유대를 강화했던 진하사. 그리고 실무적 사안을 담당했던 재자관을 보낼 이유가 없어진 것일까? 결론적으로 사신과 재자관의 외교적 기능은 상실되었을까? 물론 그렇지 않았다. 다음 절에서는 사신과 재자관의 파견 양상 및 외교 기능을 파악하도록 한다.

2. 사신과 별재자관의 파견 양상

조선과 청은 사신을 파견하지 않고 외교문서만 보낼 수 있었다. 1880년대에 이르면 윤선(輪船)을 이용해 신속히 전달할 수 있었다. 고종 22년(광서11, 1885)에는 서울 - 인천, 서울 - 의주에 전선(電線)을 가설하여 청과 전신(電信)을 활용할 수 있게 되었다.[22] 이러한 연락 체계와 함께 천진에 주재하는 조선 관원이 있었다. 따라서 기존에 관행적으로 파견했던 사신 및 재자관 등을 통하지 않고도 주요한 문제를 다룰 수 있는 통로가 만들어졌다. 그럼에도 불구하고 사신과 재자관은 지속적으로 파견되었다. 19세기 양국의 관계의 특성을 파악하기 위해 먼저 사신의 파견 양상을 파악해보도록 하자.[23]

21) 한철호, 앞의 글, 2007, 63~64쪽.
22) 서로전선 가설 과정에 대해서는 김연희, 「고종 시대 근대 통신망 구축 사업: 전신 사업을 중심으로」, 서울대학교 협동과정 과학사 및 과학철학 전공 박사학위논문, 2006, 42~65쪽.
23) 파견시기는 『승정원일기(承政院日記)』의 출발소견일을 기준으로 하였으며, 『승정원일기』에서 확인되지 않을 경우, 별도의 자료를 통해 출발일을 확인하고 각주로 표기하였다.

<표 11> 고종 17년(1880)~고종 31년(1894) 사신 파견 현황

순번	파견시기	파견목적	주요내용
1	고종 17년 11월 7일	진하/삼절/연공/사은	同治帝 祔廟 축하
2	고종 18년 6월24)	진위/진향	慈安太后 죽음 위문
3	고종 18년 10월 29일	진하/사은 삼절/연공	皇太后祔太廟 축하
4	고종 19년 7월25)	사은/진주	파병 감사, 대원군 귀국 요청
5	고종 19년 11월 6일	진하/사은/진주/삼절/연공	孝貞顯皇后 尊諡축하/ 파병호위, 통상조약 감사/ 대원군 귀국 요청
6	고종 20년 11월 2일	삼절/연공/사은	
7	고종 21년 11월 2일	삼절/연공/사은	
8	고종 22년 6월 11일	진주	대원군 귀국 및 군대 주둔 연기 요청
9	고종 22년 11월 7일	사은/삼절/연공	대원군 귀국 조치 감사
10	고종 23년 11월 8일	사은/삼절/연공	사신물품 면세 감사
11	고종 24년 4월 22일	진하	光緖帝 親政 축하
12	고종 24년 11월 2일	사은/삼절/연공	巨文島회복, 해외 사신 파견 허락 감사
13	고종 25년 11월 13일	진하/사은 삼절/연공	孝定景皇后 冊立, 歸政, 歸政 후 慈禧太后 尊號, 大婚 후 慈禧太后 尊號 축하
14	고종 26년 11월 8일	삼절/연공/사은	
15	고종 27년 5월 24일	고부	대비(神貞王后) 告訃
16	고종 27년 11월 13일	삼절/연공/사은	
17	고종 28년 8월 6일	진하/사은	光緖帝 二旬萬壽 축하
18	고종 28년 11월 13일	삼절/연공	
19	고종 29년 11월 6일	사은/삼절/연공	
20	고종 30년 11월 2일	삼절/연공	
21	고종 31년 6월 10일	진하/사은	慈禧太后 尊號 및 六旬萬壽 축하

24) 『同文彙考』 原編續 陳慰2, 「慰崩逝表」 24b~25a.

25) 당시 趙寧夏 등은 고종 19년 7월 19일에 사은겸진하사로 임명되었고 7월 26일 천진에서 이홍장과 면담하였다. 각각 『承政院日記』 해당일 및 『淸季中日韓關係史料』 #555, 893a~b.

고종 19년 이후 파견된 사신은 세 가지 유형으로 나눌 수 있다. 첫째 정례적인 절일(節日 : 聖節, 冬至, 正朝)의 축하 및 연공을 전하는 정기 사행(이하 '절행'), 둘째 황실의 경조(慶弔)에 해당하는 진하(進賀) 및 진위행(陳慰行), 셋째 조선의 요구를 전달하는 진주행(陳奏行) 등 비정 기 사행(이하 '별행')으로 구분된다. 이 밖에 황제의 조치에 대해 감사 를 전하는 사은행(謝恩行)도 있었지만, 사은만을 위해 단독으로 파견 하는 경우는 극히 드물고 대체로 다른 사행에 겸부(兼付)되었다. 이와 같은 양상은 조선 후기 지속되었던 모습을 그대로 재현하고 있는데, 개항 이후 양국의 변화된 상황 속에서 기존의 관행이 유지되었다는 점은 조선·청 관계의 주요 변수가 될 수 있었다.

1) 절사

정월 초하루 정조(正朝) 행사에 참여하는 정사는 청일전쟁이 발발하 는 고종 31년(광서20, 1894)까지 단 한 차례도 거르지 않고 파견되었 다. 19세기 후반 청의 국제적 위상이 상대적으로 하락한 상황에서 조 선의 정기 사신은 새로운 의미를 갖게 되었다. 조선을 비롯한 조공국 은 의례적 측면에서 중국이 수 천 년 동안 유지했던 천조의 위상을 드러내기 위해 필수적인 존재였다. 사이(四夷)는 중국을 '중국(中國)'으 로 만들어 주기 때문이다.26) 앞서 건륭제가 자신의 칠순과 팔순 생일 때 조선처럼 매년 정기적으로 사신을 파견한 나라 이외에도 공기(貢 期)가 일정하지 않았던 조공국들을 대거 초청한 것은 바로 천조의 위 상을 과시하고자 했기 때문이었다.27)

---

26) 중국왕조가 正史에서 외국전을 서술한 이유 및 청대 조선전의 특징에 대해서는 고 병익, 「中國歷代正史의 外國列傳 -朝鮮傳을 中心으로-」『대동문화연구』2, 1965; 김선민, 「외국과 속국사이 -正史를 통해 본 청의 조선 인식」『사림』41, 2012.

27) 夫馬進, 「1609년 일본의 유구 합병이후 중국, 조선의 대류쿠 외교 -동아시아4국의 책봉, 통신, 그리고 두절」『이화사학연구』37, 2008; 구범진, 「1780년 열하의 칠순 만수절과 건륭의 '제국'」『명청사연구』40, 2013.

그러나 제2차 아편전쟁 이후 조공국들은 차례로 청 중심의 국제질서 속에서 속속 이탈해나갔다. 일시적 또는 단속적 조공책봉관계를 유지했던 섬라(暹羅: 타이), 면전(緬甸: 미얀마), 남장(南掌: 라오스) 등을 살펴보면, 섬라는 함풍 2년(철종3, 1852) 책봉 요청 사신을 마지막으로 사신 파견을 중단하였다. 면전은 함풍 3년(철종4, 1853)에 사신을 보낸 이후 태평천국으로 20여 년 동안 관계가 단절되었다가 광서 1년(고종12, 1875)에 마지막 사신을 파견한 후 광서 11년(고종22, 1885)에 영국의 식민지가 되었다. 남장의 경우는 함풍 3년에 운남에 도착했지만 태평천국군으로 인해 북경으로 이동하지 못한 채 운남총독을 통해 황제의 칙유(勅諭)를 전달받았다. 그리고 그것이 마지막 중국 방문이었다.[28]

인도차이나반도의 나라들이 청 중심의 국제질서 속에서 주변부에 위치했다면 유구와 안남은 질서의 안쪽에 자리 잡고 있었다. 특히 건륭 칠순을 기점으로 이들 나라에 반포되는 조서(詔書)의 숫자도 늘었고, 또 곧이어 시헌력도 전달되었다.[29] 그러나 유구는 1870년대 초에 발생한 일본의 대만 침공을 기점으로 청 질서에서 이탈하였고, 결국 오키나와현으로 합병되었다.[30] 안남은 1870년대 '서공조약(西貢條約: 사이공조약)'을 체결하여 사실상 안남 일부 지역에 대한 프랑스의 지배권을 인정하였다. 이후 광서 8년(고종19, 1882) 프랑스의 해군과 흑기군(黑旗軍)의 전투를 거쳐 양국의 갈등은 광서 10년(고종21, 1884) 청불전쟁으로 이어졌고, 이듬해(광서11, 1885) 「중법회정월남조약(中法會訂越南條約)」을 통해 청은 안남에 대한 종주권을 완전히 상실했다.[31]

---

28) 李云泉, 『朝貢制度史論』, 新華出版社: 北京, 2004, 280~284쪽.
29) 김창수, 「청의 詔書 반포 사신을 통해 본 조선의 지위」 『역사와 현실』89, 2013, 171~172쪽.
30) 임계순, 『淸史 - 만주족이 통치한 중국』, 신서원, 2004, 494~497쪽.
31) 임계순, 앞의 책, 2004, 501~505쪽.

매년 정월 초하루에 자금성 태화전 앞에서 청 황제에게 하례(賀禮)하는 조공국들은 점차 사라지기 시작했다. 이와 같은 현상은 조선도 민감하게 느끼고 있었다. 철종 11년(함풍10, 1860) 북경이 점령당한 이후 국왕과 귀국한 사신들의 소견 자리에서 지속적으로 등장하는 대화 주제 중 하나는 바로 청의 조회에 몇 나라가 참석했는지에 대한 것이었다.[32] 청 중심의 국제질서가 현재 제대로 작동하고 있는지는 조회 참여국을 통해 확인할 수 있었기 때문이었다.[33] 결국 절사의 파견은 청과 조선의 기존 국제관계를 유지시키는 장치이자, 조공 의례를 통해 동질한 문명을 공유하는 수단으로 기능하고 있었다.

2) 진하사

19세기 후반 청의 경조사와 관련된 진하사와 진위사도 지속적으로 파견되었다. 〈표 11〉의 파견목적을 빈도별로 살펴보면 황태후의 존호(尊號: ⑬㉑), 존시(尊諡: ⑤), 황제의 친정(親政: ⑪)과 이순(二旬: ⑰), 황후 책립(冊立: ⑬), 황태후 육순(六旬: ㉑)을 축하하는 사신이 파견되었다. 대전(大典)으로 분류되는 청 황실의 중요 의례에 대해 조선은 예외 없이 진하사를 보내 표문(表文)과 방물(方物)을 올리는 방식을 유지하였다. 따라서 19세기 후반에도 사신이라는 수단을 통해 양국 관계의 주요한 축이 지속되고 있었다.

일반적으로 19세기 후반은 개항(1876)을 기점으로 시기를 구분한다. 조선의 국제관계가 중국·일본만을 대상으로 하는 제한적 관계에서 조약을 매개로 새로운 국제질서에 편입되었다는 측면에서 보면, 개항은

---

32) 『承政院日記』고종 12년(1875) 12월 11일; 같은 자료, 고종 16년(1879) 3월 25일; 같은 자료, 고종 24년(1887) 9월 29일; 같은 자료, 고종 27년(1890) 3월 16일; 같은 자료, 고종 28년(1891) 4월 6일.

33) 안외순, 「고종초기의 대외인식 변화와 친정 -遣淸回還使 召見을 중심으로-」『한국정치학회보』30, 1996, 566쪽.

매우 획기적인 변화임은 분명하다. 그런데 사신 파견의 측면에서는 19세기 후반까지 연속적인 흐름이 확인된다. 절사의 지속적 파견뿐만 아니라 1870년대부터 1890년대까지 '진하외교'를 시행했다는 점이 눈에 띈다. '진하외교'는 앞서 살펴보았듯이 조서가 반포되기 전에 미리 진하사를 출발시켜 행사에 참여함으로써 청과의 우호를 제고하는 방식이다.[34] 무역장정 체결 이후에도 두 차례의 '진하외교'가 시행되었다.

청 예부에서는 황제 및 황태후에게 진하할 사안이 생길 경우, 논의 과정, 진하 일정, 그리고 조선에서 올려야 하는 표문 양식[表式]에 대한 내용을 자문으로 미리 알렸다. 고종 26년(광서15, 1889)에 시행된 황태후 존호 가상에 대한 진하의 경우, 고종 25년(광서14, 1888) 귀정(歸政) 길일을 정했다는 내용[35]부터 시작하여 귀정 후 존호를 올리기로 결정한 사안,[36] 존호 가상 길일,[37] 황태후 존호를 축하하는 표문 양식에 관한 내용[38]이 차례로 자문을 통해 전달되었다. 이와 같은 일련의 자문에는 의례 당일에 조선 사신이 참석해야 한다는 내용은 없지만 행사에 앞서 미리 알리는 행위 자체가 간접적인 요구일 수 있다. 그렇지만 앞서 고종 9년(동치11, 1872) 자안·자희태후 존호 의례에 대한 사신 파견에서도 확인했듯이 조선의 군신들은 의례 당일에 참석할지를 조선에서 결정할 문제로 인식하였다.[39]

고종 26년 초 청에서는 여러 행사가 연이어 예정되어 있었다. 황후의 책립, 황태후의 귀정(歸政), 두 가지 행사에 수반된 두 번의 황태후 존호 가상이 그것이었다. 황후 책립과 황태후 귀정은 조선에 미리 전

---

34) 구범진, 「조선의 청 황제 성절 축하와 건륭 칠순 '진하 외교'」『한국문화』68, 2014.
35) 『承政院日記』 고종 25년(1888) 8월 8일.
36) 『承政院日記』 고종 25년(1888) 8월 27일.
37) 『承政院日記』 고종 25년(1888) 10월 9일.
38) 『承政院日記』 고종 25년(1888) 12월 21일.
39) 『承政院日記』 고종 9년(1872) 4월 30일.

달되어 고종 25년 11월 진하사은겸삼절연공사를 출발시켰다.[40] 그러나 귀정 관련 황태후 존호 가상에 대해서는 해당 표식(表式)이 고종 26년 1월에 도착함에 따라 앞서의 진하사에게 보낼 수 없는 상황이 되었다. 그러나 조선에서는 황태후 존호 가상 표식을 자문으로 전달받자마자 방물을 추가로 발송하고 여기에 해당하는 진하 표문을 추가하여 북경에 도착한 진하사에게 전달하였다.[41] 진하사 일행은 황후 책립과 황태후 존호 가상 의례에 모두 참석했고, 이로 인해 일반 사행보다 두 배 가까운 110일이나 북경에 머무른 후 6월에야 비로소 서울로 돌아왔다.[42]

앞서 분석한 '진하외교'까지 포함하여 1870~90년대 조선에서 시행한 '진하외교'는 모두 황태후에게 존호를 올리는 의례를 대상으로 하였다. 신유정변(辛酉政變)을 계기로 자희태후는 청 조정을 움직이는 핵심 권력자가 되었고, 1880년대 자안태후의 죽음과 공친왕(恭親王)의 은거 이후에는 사실상 황제와 다름없는 권력을 행사하였다.[43] 청 예부에서는 자희태후를 대상으로 하는 존호 의례를 시행할 때마다 의례 일정과 표문 양식을 조선에 미리 알림으로써 간접적으로 행사 참석을 요구했고, 조선에서는 이에 적극적으로 호응하여 자희태후, 나아가 청과의 유대를 강화하는 방편으로 활용하였다.

고종 31년(광서20, 1894) 황태후 존호 및 육순 축하 의례의 경우, 일본군이 서울에 진주한 상태였음에도 불구하고 조선에서는 사신 파견

---

40) 『承政院日記』 고종 9년(1872) 11월 13일.

41) 『承政院日記』 고종 26년(1889) 1월 8일, "閔致憲 以議政府言啓曰 皇太后歸政慶賀 表式禮部咨文 纔已出來矣 方物一起 照例磨鍊 進賀表修正入送事 分付該曹該院 何如 傳曰 允"

42) 『承政院日記』 고종 26년(1889) 6월 4일, "上曰 溯考乾隆時已例 則以七旬稱慶 入送 賀使 而其前年先送賀使矣 今此賀使 亦當趁八月入送 則必謂以厚意矣 正魯曰 然矣 上曰 然則六月初 發送爲好 方物亦宜準備矣"

43) 김형종, 「近代中國의 皇帝權力: 光緒帝와 西太后」 『역사학보』208, 2010.

을 결정하였다. 그런데 존호 가상 행사는 8월에, 육순 축하 행사는 10월에 있었기 때문에 북경에 머무는 기간만 약 100일 정도로 예상되었다. 많은 경비가 소요될 것임에도 불구하고, 고종은 행사 당일에 참여하기 위해 6월 초에 사신을 파견하도록 지시하면서 다음과 같이 언급하였다.

> 고　종: 건륭(乾隆) 때의 전례(前例)를 상고해 보면, 칠순을 경하하는 의식에 진하사를 들여보냈고 그 전년에는 미리 보내었다. 이번 진하사도 8월에 맞추어 들여보낸다면 필시 후의로 여길 것이다.
> 이정로: 그렇습니다.
> 고　종: 그렇다면 6월 초에 발송하는 것이 좋겠다. 방물 또한 마땅히 준비하도록 하라.44)

고종은 건륭 칠순 행사를 명확히 거론하였는데, 건륭 칠순은 바로 정조의 '진하외교'가 시작된 행사였다. 더하여 행사 당일에 맞춰 도착한다면 청 측에서 '후의'로 여길 것이라고 예상하였다. 이는 조선 군신이 '진하외교'가 갖는 정치적 효과를 인지하고 있음을 잘 보여준다.

당시 사신들은 홍제원으로 가는 길목에서 일본군의 검문을 받았는데, 왕명으로 평안도에 간다며 목적을 숨기기까지 하였다.45) 동학농민군을 제대로 진압하지 못하는 상황 속에서 같은 해 5월 장성(長城)전투와 전주성 함락을 계기로 원세개(遠世凱)에게 청군의 출병을 요청한 상태였기 때문이었다.46) 이는 의례적인 성격을 갖는 사신 파견이 한반도를 둘러싼 국제정치의 갈등 속에서 중요한 정치적 수단으로서 활용될 수 있었음을 보여준다.

---

44) 『承政院日記』 고종 31년(1894) 4월 13일.
45) 임준철, 「대청사행의 종결과 마지막 연행록」 『민족문화연구』49, 2008, 146~147쪽.
46) 권혁수, 앞의 책, 2000, 281~282쪽.

3) 진주사

진하사 외에 조선의 요청 사항을 사신을 통해 전달하는 진주사(陳奏使)도 파견되었다. 19세기 후반 진주사는 고종 19년(광서8, 1882)에서 고종 22년(광서11, 1885)에 집중적으로 발송되었다. 〈표 11〉의 주요 사안을 살펴보면 고종 19년과 고종 22년의 흥선대원군 귀국 요청(④⑤⑧), 그리고 고종 22년 군대 주둔 연기 요청(⑧)이 진주의 대상이었다.

청은 군대를 파견해 임오군란을 진압한 이후 난의 배후세력으로 대원군을 지목하고 조선의 불안정한 상황을 핑계로 납치하여 보정부(保定府)에 감금하였다.[47] 이로 인해 대원군의 귀국을 요청하는 사신이 두 차례 파견되었다. 흥선대원군의 문제는 조선 왕실과 관련된 사안이라는 점에서 이전 시기 진주 사안과 어느 정도 유사한 성격을 지니고 있었다. 앞서 살펴본 것처럼 19세기 진주는 변무 즉 중국 측 사서에 잘못 기재된 조선의 종통(宗統)을 바로 잡아달라는 것이었다. 흥선대원군의 문제는 왕실과 직접 관계된다는 측면에서 진주를 통해 요청하는 것이 기존의 사신 파견 관행에 비추어 자연스럽다고 판단된다.

흥선대원군의 강제 호송 및 감금은 조선·청 관계에 전례에 없었던 사안이었다. 병자호란 직후 소현세자와 봉림대군 등 왕위 계승권자가 일시적으로 심양에서 인질이 되었던 짧은 기간을 제외한다면, 국왕의 부친에 대한 강제 압송은 양국의 관계가 이전과는 질적으로 달라졌다는 점을 보여준다. 그렇지만 조선 조정에서는 이를 해결하기 위해 사신의 파견, 그것도 진주라고 하는 기존의 관행을 선택했다.

마지막 진주사는 갑신정변 이후 청군의 주둔을 요청하기 위한 것이었다. 임오군란을 진압한 뒤에도 오장경이 통솔하는 6개 영(營)이 조선에 상주하고 있었다. 조선은 청군의 도움을 통해 신식군대의 편성과 훈련을 시행했고, 대포·소총·탄약 등의 군수품도 청으로부터 지원받

---

47) 권석봉, 앞의 책, 1986, 245~157쪽.

았다. 그렇지만 청과 프랑스·일본과의 갈등이 고조되면서 조선 주둔 6개 군영 중 3개 군영이 고종 21년(광서10, 1884) 5월 전후 철수하고 3개 군영만 남게 되었다.[48]

고종 21년 10월 갑신정변이 발발하자 청은 신속히 군대를 출동시켜 이를 진압하였다. 고종 22년 3월, 갑신정변으로 발생한 사안들을 처리하기 위해 청은 일본과 천진(天津)에서 회담을 시작하였다. 이홍장과 이토 히로부미가 주체가 된 천진 회담에서 이홍장은 청불전쟁 등 청에게 불리한 요인으로 인해 일본군의 철수를 조건으로 청군의 철수를 약속하였다. 군대의 철수 과정 중 여러 논의와 조정 끝에 고종 22년 5월경 일본군이 먼저 철수를 시작하였고, 청군도 6월 말 철수하였다.[49]

당시 고종은 청군이 조선을 떠나는 것에 대해 불안감을 느끼고 있었다. 거문도(巨文島)에서 영국군이 여전히 주둔하고 있는 상황에서 조선 자체의 군사력으로는 국가를 유지하기가 어렵다고 판단하여 청군에 의지하려는 모습을 보였다.[50] 고종 22년 6월 청군이 조약에 따라 철수를 시작하자 불안을 느낀 고종은 바로 진주사를 파견해 일부 군영이라도 주둔할 것을 요청하였고, 광서제는 이홍장으로 하여금 조선에서 사태가 생길 경우 신속히 출동할 수 있도록 준비할 것을 명령했다.[51]

해당 사안들은 모두 임오군란과 갑신정변의 여파로 인해 발생한 것들로 조선·청 관계가 질적으로 전환되는 시기에 집중적으로 나타나고 있다. 조선에서는 왕실의 안정과 정권의 유지라는 가장 핵심적인 문제와 관련해서 정·부사를 수반으로 하는 사신단을 파견함으로써 조선의 필요 사안을 관철하고자 했다. 사신, 그리고 사신이 지참하는 표문 및 방물이라는 전통적인 방식이 가장 효과적이라고 판단했기 때문이다.

48) 권혁수, 앞의 책, 2000, 139~141쪽.
49) 권혁수, 앞의 책, 2000, 152~162쪽.
50) 『承政院日記』 고종 22년(1885) 5월 25일.
51) 『通文館志』 紀年續, 고종 22년(1885).

좀 더 시간의 범위를 넓혀 본다면 17세기 후반 즉 조선·청 관계가 매우 긴장되었던 시기를 제외하면, 18~19세기 약 200여 년 동안 조선의 진주 요청은 대부분 수용되었다. 몇 차례나 시행된 변무,[52] 세제(世弟) 및 세손(世孫)의 책봉 요청과 같은 책봉 대상의 변화,[53] 효장세자(孝章世子)·효명세자(孝明世子) 등의 추봉(追封) 요청[54]을 청은 모두 수용하였다. 따라서 정식 사행이라는 의례의 위상을 갖추어 사신을 파견했을 때, 조선과의 관계 및 누적된 전례로 인해 진주의 요청은 관철될 가능성이 높았다.

4) 별재자관

재자관은 자문을 지참하여 청에 파견하는 관원을 말한다. 역관이 수반이 되면 총 인원은 10명 내외의 소규이다. 재자관의 비용의 경제성 및 시간의 편의성은 새로운 국제질서가 형성되는 상황에서도 효율적이라고 할 수 있었다. 재자관은 정기적으로 시헌서 수령을 위해 파견되는 시헌재자관과 특정 사안을 전달하기 위한 별재자관으로 구분할 수 있다. 주문을 가지고 가는 경우도 있는데 이를 재주관이라고 한다. 먼저 〈표 6〉의 별재자·재주관의 파견 빈도를 다시 확인해보자.

순조 연간 별재자관의 파견 빈도는 연 0.65회였다. 이후 헌종과 철종 연간에는 각각 0.26회 및 0.36회로 사실상 별재자행은 거의 사라졌다가 고종대 비로소 다시 늘어났다. 고종 재위 기간 중 청일전쟁 직전까지 31년 동안 별재자행의 파견은 연 0.67회이며 천진의 북양아문이

---

52) 변무 요청 및 승인에 관해서는 이성규「明·淸史書의 朝鮮 '曲筆'과 朝鮮의 '辨誣'」『오송이공범교수정년기념동양사논총』, 지식산업사, 1993; 한명기, 「17·8세기 韓中關係와 仁祖反正: 조선후기의 '仁祖反正 辨誣' 문제」『한국사학보』13, 2002.

53) 손성욱, 「王世子 冊封으로 본 淸·朝 관계(康熙 36년~乾隆 2년)」『동양사학연구』 146, 2019a.

54) 효장세자의 추봉은『同文彙考』原編 封典4「【丙申】請追崇奏」9a~10a; 효명세자의 추봉은『同文彙考』原編續 封典2, 「【甲午】請追崇奏」6a~7a.

새로운 교섭대상이 된 이후(1880)로 시기를 좁히면 0.93회로 이전 시기에 비해 파견 빈도가 크게 늘어났다는 것을 알 수 있다. 이것은 무역장정 체결 전후 등장하는 청과의 주요 사안에 대해 별재자관을 통해 교섭했다는 점을 보여준다. 다음으로 별재자·재주관의 파견 목적을 구체적으로 파악해보도록 하자.[55]

〈표 12〉 고종 17년(1880)~고종 31년(1894) 별재자·재주관의 파견 현황

순번	파견시기	담당	파견목적
1	고종 17년 7월 9일	卞元圭	武備학습 요청
2	고종 18년 4월 10일	李應俊	天津으로 가는 海路 확인
3	고종 19년 4월 11일	李應俊	조미수호통상조약 체결 보고
4	고종 19년 8월 24일	金載信	임오군란 발생 연유, 임오군란으로 인한 일본으로의 사신 파견 통보, 길림의 조선인 쇄환 요청
5	고종 20년 2월 10일	卞元圭	吳長慶의 재파견 요청【齋奏】
6	고종 21년 5월	李用俊	청군 주둔 감사【齋奏】
7	고종 21년 6월	李鶴圭	오장경 조문, 오장경 사당 건설 승인 요청【齋奏】
8	고종 21년 12월 16일	李應俊	갑신정변 진압 경과보고, 군영 재편성 및 훈련지도 요청【齋奏】
9	고종 22년 1월	李鶴圭	갑신정변을 진압한 吳兆有 등 포상 요청【齋奏】
10	고종 22년 4월	李應俊	토문강 공동조사 요청 / 사신 휴대물품 면세 요청
11	고종 22년 9월	金嘉鎭	군대파병 요청【齋奏】
12	고종 23년 8월	李應俊	조·러 밀약 해명
13	고종 24년 8월	尹奎燮	해외 공사 파견 승인 요청【齋奏】
14	고종 25년 8월 18일	李應俊	홍삼 釐金稅 면제 요청

---

55) 파견 시기 및 사안의 전거는 〈부록: 별재자관 및 재주관 파견 현황〉 참조.

고종 17년(광서6, 1880)부터 청의 근대 무기 지원에 따른 교섭이 진행되었다. 새로운 무기의 도입과 관련 기술 학습을 통한 군사력 강화, 즉 무비자강(武備自强)을 논의하기 위해 별재자관이 천진으로 파견되었다. 고종 13년(광서2, 1876) 조선은 일본과 수호조규를 체결한 직후 재자관(이용숙)을 통해 무비와 관련된 문의를 유지개를 거쳐 이홍장에게 전달했지만, 본격적인 추진은 고종 16년(광서5, 1879)부터 진행되었다. 고종 17년 정식으로 무비를 요청하는 자문과 관련 사항들이 별재자관을 통해 전달되었다(①②).[56] 이후 무비 학습은 영선사의 파견으로 이어진다.

　　임오군란과 갑신정변으로 인해 조선왕조의 통치는 흔들리고 특히 국왕을 비롯한 왕실의 위기감은 급증하였다. 고종 정권은 정치적 불안을 청군의 주둔을 통해 해소하고자 하였다. 〈표 12〉를 살펴보면 임오군란을 진압했던 오장경의 재파견(⑤) 및 그의 죽음에 대한 조문과 사당건립(⑦), 갑신정변 진압 군인 포상 요청(⑨), 청군의 재파병 요청이 이루어졌다(⑪). 별재자관을 통해 청군의 주둔과 관련된 핵심적인 사안들을 전달하거나 또는 교섭했던 것이다.

　　원세개의 고종 정권에 대한 불신과 러시아의 접근에 대한 견제는 조·러 밀약설로 분출되었다. 청이 여전히 강한 영향력을 끼치는 상황에서 조선은 이를 신속히 진화하기 위해 별재자관을 파견하였다(⑫). 청의 간섭, 나아가 속방화(屬邦化)를 저지하기 위해 조선에서는 공사 파견을 시도하였다. 국제사회에서 대등한 관계의 상징인 공사를 파견함으로써 조선의 독립적인 지위를 인정받고자 하였다. 공사 파견 여부를 둘러싼 복잡한 상황 속에서 조선은 청 황제에게 공사 파견 요청을 주문으로 상주하였다(⑬).

　　국경 확정과 관련된 사안(⑩)과 사행단이 지참하는 홍삼에 대한 면

----

56) 권석봉, 앞의 책, 1986, 157~160쪽.

세(⑩⑭)도 재자·재주관의 파견 범위에 속해 있었다. 이들 사안은 모두 국제환경의 변화로 인해 나타난 것들이었는데, 여전히 전통적 방식인 재자관을 통해 교섭하고 있다는 점을 알 수 있다.

지참 문서의 종류로 본다면 주본(奏本)을 전달하는 재주관의 빈도가 급격히 늘었다는 점을 알 수 있다. 1880년대에만 무려 7회의 재주관이 파견되었다. 조선·청 관계에서 재주관이 파견된 경우는 매우 드물었는데,[57] 19세기 후반 대원군의 귀국 요청을 제외한다면 대부분의 주요 사안이 사신이 아닌 재주관을 통해 전달되었다. 앞서 1880년대 사신을 통한 진주가 대원군 귀국에 한정되었다는 점을 고려하면, 진주 사안은 재주관으로 완전히 이전되었다고도 볼 수 있다. 다만 파견 규모와 교섭 방식의 측면에서 재주관과 재자관의 차이는 없다.

고종 25년(광서14, 1888) 홍삼세 면제 요청을 위한 재자행(이응준) 이후 더 이상의 재자관 파견은 나타나지 않는다. 그 배경으로는 우선 재자관 이외에 다양한 외교 통로가 만들어진 것을 들 수 있다. 국내로 본다면 조선의 통리교섭통상사무아문(統理交涉通商事務衙門)의 독판(督辦)과 청의 주조선상무서(駐朝鮮商務署)의 총판상무위원(總辦商務委員, 이후 總理交涉通商事宜)과의 교섭 통로,[58] 국외에서는 천진에 주재하는 주진대원(駐津大員, 이후 駐津督理)과 북양아문 간의 교섭 통로가 만들어졌다.[59] 교섭의 주체가 늘어남에 따라 재자관의 역할이 축소되는 것은 당연할 수 있다. 다만 앞서 설명한 것처럼 새로운 교섭

<hr />

57) 재주관의 파견 양상은 전해종, 앞의 책, 1979, 71쪽 및 신세완, 앞의 글, 2022, 147쪽.

58) 통리아문의 설립, 체제, 운영에 대해서는 전미란, 「統理交涉通商事務衙門에 關한 研究」『이대사원』24-25, 1989; 駐朝鮮商務署의 조직에 설립 및 교섭 방식에 대해서는 이은자, 「淸末 駐韓 商務署 組織과 그 位相」『명청사연구』30, 2008 및 정동연, 「淸의 駐韓公館과 韓淸 近代外交 研究」, 서울대학교 사회교육과 박사학위논문, 2020의 제2장 참조.

59) 주진대원에 관해서는 한철호, 「한국근대 주진대원의 파견과 운영(1883-1894)」『동학연구』23, 2007; 桑 万佑子, 『朝鮮外交の近代』名古屋: 名古屋大學出版會, 2017의 1장 및 2장 참조.

통로가 만들어졌음에도 사신과 재자관은 북경으로 직접 가서 사안을 전달하고 논의할 수 있는 기능을 지니고 있었기에 그 실효성은 여전했다고 판단한다.

그럼에도 고종 26년(광서15, 1889) 이후 재자관이 확인되지 않는 것은 고종 26년 이응준의 뇌물 공여 사건이 영향을 끼쳤을 가능성이 있다. 해당 사건을 마무리하면서 이홍장은 원세개에게 앞으로 이응준을 다시는 북경으로 파견하지 않도록 하라는 명령을 비밀리에 내렸다.[60] 이홍장의 명령이 재자행 자체를 막도록 한 것은 아니지만, 해당 사건은 조선에게 상당한 부담을 주어 이후 외교적 마찰을 피하기 위해 재자관의 파견을 삼갔을 가능성이 있다.

재자관이 더이상 파견되지 않았다고 해서 전통적 역관들이 조선·청 외교 사안에서 배제된 것은 아니었다. 재자 및 재주관으로 여러 번 파견되었던 변원규는 통리교섭통상사무아문의 참의교섭통상사무(參議交涉通商事務)를 거쳐 고종 21년(광서10, 1884)에는 협판교섭통상사무에 임명되었다.[61] 또한 고종 28년(광서17, 1891)에는 구미공사(歐美公使) 파견과 관련해 청에서 강제한 '영약삼단(另約三端)'의 개정을 위해 천진으로 가서 이홍장과 교섭했다.[62] 당시 교섭은 의도한 성과를 거두지는 못했지만, 변원규가 북경과 천진을 오가며 쌓아왔던 교섭의 경험과 능력이 새로운 외교 제도 속에서도 여전히 활용되고 있었다는 것을 알 수 있다.[63]

---

60) 『李鴻章全集』 22, 「寄朝鮮遠道」(광서 15년 3월 9일), 461쪽.

61) 『承政院日記』 고종 21년(1884) 5월 2일.

62) 『李鴻章全集』 22, 「寄朝鮮遠道」(光緒 15년 3월 9일), 461쪽; 『한국근대사자료집성』 15권: 프랑스외무부문서 5, 정치공문 1888~1896, 조선 1891~1892 권4, 콜랭 드 플랑시 씨, 로셰 씨, 프랑댕 씨, #【28】

63) 재자관뿐만 아니라 사신도 새로운 외교 체제로 전이(轉移)되었다. 통리교섭통상사무아문의 독판 12명 중 조영하, 김홍집, 김윤식, 서상우, 남정철은 각각 사행에 참여한 이력을 가지고 있다. 전미란, 「統理交涉通商事務衙門에 關한 硏究」 『이대사원』 24-25, 1989, 228~229쪽.

19세기 후반 예측할 수 없는 사건들이 속출하는 상황 속에서 재자관은 신속히 파견할 수 있는 여건을 갖고 있었다. 우선은 규모와 비용 면에서 재자관의 파견은 사신에 비해 훨씬 간편하다는 장점이 있었다. 또한 조선·청 양국의 관계가 안정됨에 따라 조선에서는 왕실과 관련되지 않은 현안에 대해 정식 사절이 아닌 재자관을 파견하였다. 이렇게 재자관의 업무가 확대되어 가는 추세 속에서 새로운 국제관계가 시작되었고, 재자관은 새롭게 등장한 외교 업무를 전담하면서 변화의 일선에서 활약하였다. 19세기 후반 재자관의 활동에는 조공책봉관계의 관성과 변용이 모두 작용하고 있었다.

파견 내용을 보면 앞서 사신의 진주와 마찬가지로 19세기 후반 조선·청 관계의 가장 핵심적인 사안들에 대해 재자관을 통해 교섭하였다. 다만 진주사의 경우 대원군 귀국 및 청군 주둔 요청 등 매우 제한적이었던 것에 비해, 재자관은 서양 각국과의 조약체결 및 진행 상황, 조·러 밀약 문제, 해외 사신 파견, 사신 휴대물품의 세금 문제 등 1880년대 이후 새롭게 나타난 문제를 담당했다. 해당 사안들은 국제질서의 개편과 조선·청 관계의 변화에 따라 등장한 것들이었다. 동시에 기존 조선 사무를 담당한 예부와 새롭게 등장한 북양아문, 그리고 총리아문 중 어디에서 전담할지 모호한 속성을 지녔다. 이러한 상황 속에서 조선은 기존의 방식, 즉 재자관을 적절히 활용하면서 외교 문제들에 대응해 나갔던 것이다.

3. '사신외교' 활동

1) 사신과 별재자관의 공조

사신과 재자관은 특정 사안에 대해 공조를 취하였다. 앞서 대원군 환국 요청을 요청을 살펴보면, 고종 19년(광서8, 1882) 사은진주사 조영하의 요청을 포함하여 세 차례의 진주가 시행되었다. 동시에 고종 19년 8월 시헌서재자관 이응준 또한 대원군 귀국 요청 자문을 전달하였다.[64] 동일한 사안에 대해 진주사와 재자관이 연이어 외교문서를 전달한 것이다. 정식 사절을 준비하는 데 드는 시간적 경제적 부담을 재자관이 분담하는 체계였다. 고종 20년(광서9, 1883) 재주관 변원규를 통해 오장경의 군대를 계속 주둔하게 해달라는 요청을 전달했다. 동시에 임오군란 시기에 군대를 파병해줘서 감사하다는 사은을 같은 해 11월 절사에 겸행함으로써 주둔 요청을 간접적으로 지원하였다.[65] 갑신정변 직후 정국이 불안정한 상황에서 고종 22년(광서11, 1885) 1월 재주관을 보내 갑신정변의 진압을 주도한 오조유 등을 포상해달라는 요청을 전달한 후, 같은 해 6월에 진주사를 파견해 다시금 주둔군 유지와 포상을 요청하는 등[66] 진주사와 재자관이 연이어 외교 사안을 전달하는 방식을 활용하였다.

　사신이 재자관의 후속 처리를 담당하는 경우도 있었다. 고종 23년(광서12, 1886) 제2차 조·러밀약 사건으로 인해 원세개가 고종 폐위를 건의할 만큼 양국의 관계는 경직되었다. 이에 고종은 당시 서리독판교섭통상사무(署理督辦交涉通商事務)를 맡고 있던 서상우(徐相雨)를 급히 원세개에게 보내 이를 적극적으로 해명하고, 재자관 이응준을 파견하여 해명 자문을 예부·총리아문·북양아문에 각각 전달했다.[67] 그리고 같은 해 11월에는 앞서 밀약 사건의 처리를 담당했던 서상우를 사은겸삼절연공행 정사에 임명하여 북경으로 파견하였다.[68] 고종 24년(광서13, 1887) 8월 무렵 서양에 전권 사신 파견하겠다는 요청을 재주

64) 『啓下咨文冊』 2, 「獲蒙回還 俾保相依事」(광서 8년 8월 24일).
65) 『通文館志』, 紀年續, 고종 20년(1883).
66) 『通文館志』, 紀年續, 고종 22년(1885); 『承政院日記』 고종 22년(1885) 6월 11일.
67) 『通文館志』, 紀年續, 고종 23년(1886); 권혁수, 앞의 책, 2000, 191쪽.
68) 『承政院日記』 고종 23년(1886) 11월 8일.

관 윤규섭(尹奎燮)을 통해 발송한 후 광서제의 허락을 받자, 감사하다는 표문을 그해 삼절연공행에 첨부하였다.[69] 거문도 사건과 같이 예부의 관할 범위 밖의 사안에 대해서도 그 결과에 대한 회답은 절사에 표문을 추가하는 방식을 택하였다.[70] 고종 25년(광서14, 1888) 홍삼에 대한 이금세(釐金稅) 면제 요청과 이에 대한 사은도 같은 방식을 이용하였다.[71]

사신의 공조 활동은 재자관뿐 아니라 새로운 외교 주체, 즉 천진 상주 조선 관원도 연결되었다. 사신들은 북경으로 이동하는 동안 천진의 조선 관원들과 지속적인 연락을 취했다. 고종 24년(광서13, 1887) 광서제의 친정을 축하하기 위해 파견된 진하행 정사 이승오(李承五)는 북경에서 자신의 반당(伴倘) 이세직(李世稙)이 다리에 종기가 생겨 점점 악화되자, 천진의 주진독리에게 연락을 취해 천진에서 배를 타고 돌아갈 수 있도록 손을 써줬다.[72] 같은 해 북경에 도착한 조병세(趙秉世)는 주진 종사관(駐津從事官) 성기운(成崎運)으로부터 편지를 받고 답장을 보내기도 하였다.[73] 주고받은 편지의 내용이 나와 있지 않아 어떠한 사안이었는지는 알 수 없지만, 이승오 및 조병세 모두 북경에 도착하고 나서 주진독리와 긴밀한 연락을 주고받았음을 알 수 있다.

사신과 주진독리의 긴밀한 공조체계는 특정 상황에서 외교 역할을 수행하기도 하였다. 청일전쟁 발발 직후에 출발한 마지막 사신 일행은 전쟁으로 인해 북경에서 귀국하지 못한 채 조선의 전쟁 상황을 탐문했다. 여기에서도 당시 천진의 한영복(韓泳福)은 사신단에게 서신을 보

---

69) 『通文館志』, 紀年續, 고종 24년(1887); 『承政院日記』 고종 24년(1887) 8월 11일.
70) 『通文館志』, 紀年續, 고종 24년(1887); 『承政院日記』 고종 25년(1888) 4월 3일.
71) 『通文館志』, 紀年續, 고종 25년(1888).
72) 李承五, 『燕槎日記』 고종 24년(1887) 7월 18일.
73) 趙秉世, 『丁戌燕行日記』 고종 24년(1887) 1월 17일; 같은 자료, 고종 24년(1887) 1월 23일.

내 전쟁 상황을 알려주기도 했다.[74] 이후 음력 11월까지 북경에 머물게 되자 동지 하례에 대한 문제가 발생했다. 당시 이순익(李淳翼) 일행은 황태후의 존호 및 생일을 진하(進賀)하기 위해 파견된 사신으로, 동지 하례에 대한 아무런 준비도 없었다. 구체적으로 동지를 축하하는 국왕 명의의 표문 및 방물이 없었던 것이 가장 큰 문제였다. 청에서는 의례적 권위를 유지하려는 목적에서 표문과 방물 없이 참석할 것을 허락하는 한편, 국왕에게 문서를 보내 추후 제출할 것을 명령했다. 이로 인해 조선 사신은 선래군관(先來軍官)을 차출하여 조선으로 보냈는데, 전쟁으로 인해 육로가 막혔기 때문에 천진을 통해 귀국 조치시켰다.[75] 그리고 이와 같은 일은 주진독리가 담당하였다.

또 다른 사신의 공조 활동은 조 대비(趙大妃: 神貞王后)의 죽음에 대한 청의 유제사(諭祭使) 파견을 저지하는 일이었다.[76] 고종 27년(광서16, 1890) 6월, 신정왕후가 세상을 떠났다. 조선과 청의 관계 속에서 왕비가 사망했을 경우 청은 예외 없이 사신을 파견해 제문과 제물(祭物)을 내려주었다. 그러나 당시 조선에서는 청 사신의 파견을 원치 않았고 이에 고부(告訃) 정사로 홍종영(洪鍾永)을 임명했지만 출발을 서두르지 않았다. 그러나 결국 이홍장과 원세개의 독촉으로 7월에 비로소 서울을 출발하였다.[77]

그런데 홍종영 일행은 청 조문 사절의 파견을 막기 위해 비공식 교섭을 시도했고,[78] 고종 27년 8월 21일에는 청 사신 파견 중지를 요청하는 문서를 예부에 올렸다.[79] 이에 광서제는 첫째, 조제(弔祭)를 위한

---

74) 孫成旭, 「淸代朝鮮最后赴京使團考」『歷史檔案』4, 2014, 92쪽.

75) 孫成旭, 앞의 글, 2014, 93쪽.

76) 당시 청의 의도와 실행과정, 열강의 평가에 대한 자세한 분석은 유바다, 「19세기 후반 조선의 국제법적 지위에 관한 연구」, 고려대학교 한국사학과 박사학위논문, 2017, 290~306쪽.

77) 권혁수, 앞의 책, 2000, 219쪽.

78) 권혁수, 앞의 책, 2000, 219~220쪽.

사신은 예전(禮典)에 실려 있으므로 변경할 수 없다. 둘째, 조선의 부담을 줄이기 위해 청 사신들은 천진을 거쳐 해로로 이동하도록 하라. 셋째, 옛 제도와 관련된 절차들은 각별히 준수하고 생략하지 않도록 하라는 상유(上諭)를 내렸다. 결국 조선의 경제적 상황을 고려해서 접대비용은 경감시키되 의례적 위상을 명확히 유지하겠다는 것이었다. 홍종영은 해당 상유를 8월 25일에 초록(抄錄)했고,[80] 8월 30일 선래군관을 천진으로 출발시켰다.[81]

  이 사실은 바로 주진독리에게 전달되었다. 서리를 맡고 있던 김덕영(金悳永)은 이홍장에게 공문을 보내 청 사신의 도착 장소를 인천이 아닌 마산포로 변경할 것을 제안하였다.[82] 그런데 김덕영은 해당 문서에서 인천에서 한성까지는 80리이며 마산포에서 한성까지는 100리로 그다지 차이가 나지 않는다고 설명했지만 이는 사실이 아니었다. 조선시대의 거리 감각을 반영하기 위해 「대동여지도(大東輿地圖)」와 같은 고지도의 거리로 계산해도 마산포에서 서울까지는 150리에 가까웠다. 따라서 김덕영의 보고는 외국인들이 많이 거주하는 인천에서의 영접 의례를 최대한 피하고자 했던 의도에서 비롯되었다.[83] 결국 이러한 기도는 원세개에 의해 좌절되었다. 그러나 사신과 주진독리의 유제사 저지 시도는 조공책봉관계 속에서 운영되었던 전통적 사신과 새로운 외교 주체인 주진독리가 청과의 외교 문제에서 어떻게 공조하는지를 잘 보여주는 사례라고 할 수 있다.

79) 洪鍾永, 『燕行錄』 고종 27년(1890) 8월 21일.

80) 洪鍾永, 위의 자료, 고종 27년(1890) 8월 25일.

81) 洪鍾永, 위의 자료, 고종 27년(1890) 8월 30일.

82) 『李鴻章全集』 23, 「寄譯署交續崇兩欽使」(光緖 16년 9월 5일), 107쪽.

83) 구선희, 앞의 책, 1999, 171~172쪽.

2) 북경에 대한 직주(直奏)

고종 19년(광서8, 1882) 임오군란의 발생으로 고종 정권의 권위는 심각하게 위협받았다. 청에서는 당시 천진에 있던 김윤식과 어윤중의 요청을 수용하여 오장경 등을 보내 반란을 진압한 후 흥선대원군을 그 배후로 판단, 면담을 구실삼아 천진으로 압송하였다.[84] 그러나 고종은 왕실의 위상에서나 자식 된 도리로서 대원군의 송환을 강력히 추진하여 고종 19년에 시작해 총 다섯 차례 대원군의 귀국을 요청하였고, 고종 22년(광서11, 1885) 이후에야 비로소 성공하였다. 대원군의 귀국에 결정적인 요인은 이홍장의 태도 변화였다. 갑신정변 이후 이홍장은 고종 정권의 국정 운영에 대한 실망, 민씨 세력의 러시아에 대한 접근 등을 견제하고자 대원군의 귀국을 결정하였다.[85] 이홍장의 대조선 정책 방향에 대해 총리아문에서 처음에는 반대했지만 결국 이홍장의 의도가 관철되었다. 그렇지만 그 과정에서 주목할 점이 몇 가지가 존재한다.

흥선대원군 방환을 목적으로 한 첫 번째 진주사 조영하 일행이 북경에 도착한 후 주문(奏文)을 올렸을 때 광서제는 이미 대원군을 감금한 정도로 조치한 것도 은혜를 베푼 것이라면서 "앞으로 다시는 번거롭게 요청하지 말 것[嗣後不得再行瀆請]"을 명령하였다.[86] 그런데 조선에서는 같은 해 8월 시헌재자관 이응준을 통해 대원군의 귀국을 요청하는 자문을 또다시 전달했다. 예부에서는 조선의 자문을 올리지 않으면 황제의 귀를 막는 행위가 된다며 상주하였고 황제는 군기처를 통해 "다시는 청하지 말라"는 단호한 상유를 내렸다.[87] 세 번째 시도는 행호군 이재덕(李載德)을 통해서 이루어졌다. 이재덕은 먼저 천진에서

---

84) 권석봉, 앞의 책, 1986.
85) 권석봉, 앞의 책, 1986, 317~318쪽.
86) 권석봉, 앞의 책, 1986, 295쪽;『淸季中日韓關係史料』 #573, 953a.
87) 권석봉, 앞의 책, 1986, 295~269쪽;『淸季中日韓關係史料』 #616, 1016a.

이홍장을 만나 대원군의 방환 요청 자문을 대신 상주해달라고 요청하였지만, 이홍장이 거절하면서 조선의 자문은 북경에 전달되지 않았다.[88] 네 번째 시도는 진하사은겸진주세폐사(進賀謝恩兼陳奏歲幣使) 심이택(沈履澤)을 통해서 이루어졌다. 심이택은 정식 자문을 제출하지는 못하고 예부에 정문(呈文)을 올렸는데 예부에서는 앞서 상유에 근거해 각하하였다.[89]

홍선대원군 환국 요청 과정에서 보여주는 조선 조정과 사신의 활동을 정리해 보자. 첫 번째 시도에서 광서제는 명확히 다시는 요청하지 말라고 명령을 내렸다. 그럼에도 불구하고 조선에서는 재자관 이응준으로 하여금 다시 자문을 올리도록 하였고, 광서제는 같은 말을 반복해야 했다. 세 번째 시도는 이홍장이 천진에서 사신을 막았지만, 조선은 네 번째의 시도에서 이홍장을 거치지 않고 절사를 통해 바로 예부에 정문을 올렸다.[90] 이홍장은 명확히 반대했으나 북경에서 예부를 통해 직주(直奏)할 수 있는 사신의 존재는 그러한 의도를 무산시켰다. 장정 체결 이후에도 조선 사신들에게는 황제의 금지명령에도 불구하고 외교 안건을 전달할 수 있는 권리와 이홍장 등을 거치지 않을 수 있는 외교 통로를 가지고 있었던 것이었다.

다음으로 청군(淸軍)의 주둔 문제를 살펴보자. 임오군란을 진압하기 위해 장수성(張樹聲)의 명령에 따라 고종 19년(광서8, 1882) 7월 오장경이 인솔한 청군 6개 영(營) 2000여 명이 조선 마산포(馬山浦)에 도착하였다. 이후 임오군란을 진압하고 일본과 '제물포조약(濟物浦條約)'을 맺었지만, 청은 군대 주둔을 유지하였다.

한편 이홍장은 임오군란 직전 모친상으로 인해 관직에 잠시 물러났고, 북양대신에 양광총독을 역임했던 장수성을 추천하였다.[91] 그런데

---

88) 권석봉, 앞의 책, 1986, 298~300쪽.
89) 권석봉, 앞의 책, 1986, 200~301쪽; 『淸季中日韓關係史料』 #687, 1120a.
90) 권석봉, 앞의 책, 1986, 301쪽.

장수성은 이홍장과 달리 대외관계에서 강경한 태도를 견지하였다. 임오군란이 발발했을 때 이홍장은 처음부터 군대 파견에 반대하였지만, 장수성은 이에 동의하지 않고 결국 군대를 파견하였다. 더하여 청에서 일본에 대해 강경한 입장을 지닌 청류파(淸流派)들은 대일원정론(對日遠征論)까지 주장하는 상황이었다. 예를 들어 장패륜(張佩綸)은 '조선선후사의육책(朝鮮善後事宜六策)'을 제시하였는데 골자는 일본이 제시한 '제물포조약'을 거부하고 청의 군대가 조선에 장기 주둔해야 한다는 것이었다. 이홍장은 일본과의 무력 충돌을 회피하고자 장패륜의 주장을 거부하였다.92)

임오군란 이후 청군의 주둔을 둘러싸고 청 내부에서 의견이 엇갈리는 상황에서 고종 20년(광서9, 1883) 2월 조선국왕이 오장경의 주둔을 유지해달라고 요청하였다.93) 조선에서는 변원규를 파견하여 오장경이 인솔하는 청군은 "신의(信義)가 밝게 드러나고 군민이 기뻐하면서 (이를) 믿고 두려워하지 않으니 잠시도 떨어져서는 안 됩니다."라는 내용의 자문을 전달하였다.94) 장수성은 조선의 자문을 근거로 광서제에게 상주했고, 광서제는 이홍장의 철군과 장수성의 주둔 의견 중 후자를 선택하였다.95) 장수성에 따르면 당시 별재자관이었던 변원규는 병으로 인해 북경에 갈 수 없었고, 때문에 장수성이 대신 주본과 자문을

91) 청군의 파병과정 및 이홍장과 장수성의 조선정책을 둘러싼 갈등은 리강, 「19세기 후반 張樹聲의 대외관과 대조선 군대 파견」, 성균관대학교 사학과 석사학위논문, 2012, 65~72쪽.

92) 장패륜의 조선선후사의육책(朝鮮善後事宜六策)에 대한 이홍장의 입장은 권혁수, 앞의 책, 2000, 109~112쪽.

93) 임오군란에서 갑신정변 이후 청군의 주둔 및 철수에 관해서는 지앙보, 「1880년대 淸의 對조선 외교 연구: 外交行政制度의 성립과 운영」, 서울대학교 동양사학과 박사학위논문, 2023, 136~140쪽.

94) 『出來咨文』「吳軍門一軍卽著暫留朝鮮俾資保護隨察情形事總督部堂咨」(계미(1883) 2월 29일) 41b.

95) 『淸德宗實錄』 光緖 9년(1883) 2월 27일.

올려야 했다.[96) 변원규가 실제 병이 났었는지는 확인할 수 없지만, 이와는 별개로 장수성이 자신의 주장을 관철하기 조선을 자문을 적극적으로 활용했다고 할 수 있다.

한편 임오군란 이후 안남(베트남)에서 청과 프랑스의 갈등이 불거지면서 산동(山東), 절강(浙江) 일대 해방(海防)의 필요성이 증대했다. 또한 조선이 서양 각국과 조약을 체결하자 청은 조선이 상대적으로 안정되었다고 판단하고 조선에 주둔하고 있던 청의 6개 군영 중 3개 영을 철수시켰다.[97) 이후 고종 21년(광서10, 1884) 10월 갑신정변이 발생했고, 이를 처리하는 과정에서 청과 일본은 양국의 군대를 모두 철수하기로 했다. 고종 22년(광서11, 1885) 6월경, 남아 있던 청군은 마산포를 거쳐 철수했고 곧이어 일본군도 인천을 본국으로 돌아갔다.[98)

청군이 철수한 직후, 고종은 진주사 민종묵(閔種默) 등을 소견하여 대원군의 귀국 요청과 함께, "몇 개 영(營)이라도 다시 와서 머무르며 지켜준다면 다행이며 이것이 우러러 바라는 바이다. 갑오·갑신년에 매우 드문 변란이 발생하고서야 비로소 청군[天兵]의 노고를 알았다"라며 청군의 재파병을 신신당부하였다.[99) 아울러 같은 해 9월 김가진(金嘉鎭)을 재주관으로 파견하여 청군의 파병을 공식적으로 요청하였다.[100) 이에 대해 광서제는 청과 조선의 유구한 우호 관계를 언급하며 이홍장으로 하여금 수시로 육군과 수군을 동원하여 바다를 건너 요해처를 감시하며 방어하도록 명령하였다.[101) 이홍장은 만일 조선의 요청

---

96) 『出來咨文』「奏摺一封進呈事 總督部堂咨」(계미(1883) 2월 29일) 41a.

97) 이 당시까지만 해도 고종은 청의 철군을 희망하고 있었다. 유바다, 「19세기 후반 조선의 국제법적 지위에 관한 연구」, 고려대학교 한국사학과 박사학위논문, 2017, 254~255쪽.

98) 권혁수, 앞의 책, 2000, 161쪽.

99) 『承政院日記』 고종 22년(1885) 6월 11일.

100) 『淸光緒朝中日交涉史料』 卷9 #412 附件1「朝鮮國王奏請派兵鎭戌摺」(일자 없음) 15a~15b.

대로 군대를 보낸다면 일본 역시 파병할 것이며 현재 청군의 군세가 부족할 수 있다고 우려하면서, 러시아와 협조하며 여순의 군대를 신속히 동원하면 된다고 판단하였다.[102]

고종 22년의 청군 파병 요청은 조선의 뜻대로 이루어지지는 않았지만, 최소한 광서제로부터 조선 방위에 더욱 신경을 쓰라는 유지를 받았고, 이를 통해 청의 대조선정책을 환기시키는 효과를 거둘 수 있었다.

고종 24년(광서13, 1887) 조선의 공사 파견 문제에서는 재주관의 주본이 변수로 작용하였다.[103] 조선에서는 공사 파견을 통해 국제사회로부터 조선의 독립적인 지위를 인정받고자 하였다. 같은 해 5월 고종은 일본 공사가 조선에 상주하고 있음에도 조선은 아직까지 공사를 파견하지 못한 점을 언급하면서 민영목(閔泳穆)을 판리대신(辦理大臣)으로 김가진을 참찬관(參贊官)으로 임명하여 파견을 결정하였다.[104] 아울러 총리교섭통상사의 원세개를 통해 관련 자문을 총리아문·예부·북양아문에 보냈다.[105] 같은 해 6월 29일 일본에 이어 심상학(沈相學)을 영국·독일·러시아·오스타리아·프랑스 전권대사로, 박정양을 미국 주차 전권대사로 임명하였다.[106] 이후 심상학은 조신희(趙臣熙)로 변경하였다.[107]

조선의 일본 공사 파견에 대해 청 측은 이렇다 할 반응이 없었지만, 조선이 유럽과 미국에까지 공사를 파견하려고 하자 원세개와 이홍장

101) 『淸德宗實錄』 光緖 11년(1885) 10월 1일.
102) 『淸光緖朝中日交涉史料』 卷9 #411 附件1「北洋大臣來電」(光緖 11년 9월 28일 도착) 41a.
103) 조선의 해외 사신 파견과 관련해서는 송병기, 「소위「三端」에 대하여 -근대 韓淸 關係史의 한 연구-」『사학지』6-1, 1972; 권혁수, 앞의 책, 2000, 252~263쪽.
104) 『承政院日記』 고종 24년(1887) 5월 16일.
105) 『淸季中日韓關係史料』 #1260, 2342a.
106) 『承政院日記』 고종 24년(1887) 6월 29일.
107) 『承政院日記』 고종 24년(1887) 7월 29일.

은 이를 적극적으로 견제하였다. 조선의 요청에 대해 북양대신 이홍장은 원세개의 건의에 따라 조선은 청의 속방임을 강조하면서 이를 외국에서도 지킬 것을 요구하였다. 구체적으로 파견국에서 조선 관원이 청 관원에게 문서를 보낼 때 정문(呈文) 및 함첩(銜帖)을 사용하고, 청 관원이 조선 관원에게 보내는 문서는 주필조회(朱筆照會)를 사용해야 한다는 것이었다.[108] 당시 이홍장은 속방의 체제만 따른다면 파견은 문제 삼지 않는 태도를 보였고, 조선은 이를 수용하였다.

그런데 체제의 문제가 해결되자 청에서는 다른 사항을 문제 삼았다. 청에 허락을 받지 않고 공사 파견을 진행했다는 것이었다. 원세개는 집요하게 조선 대신들을 불러들여 힐책하고 또 조선에 있던 각국 영사들에게 조선의 공사 파견의 문제에 대해 설파했다. 고종 24년 8월 7일 광서제로부터 "공사 파견은 반드시 먼저 (청에) 요청한 후에 허락을 받은 뒤에 다시금 가도록 하라."라는 전지(電旨)가 내려졌지만,[109] 고종은 이를 접수하지 않은 채 박정양을 출발시켰다. 이로 인해 원세개가 강력히 항의하며 황제의 유지를 어긴 죄를 언급하기까지 하였다. 결국 조선 정부는 박정양을 불러들이고 파견 승인을 요청하기로 했다.

그런데 어떤 방식으로 요청할 것인가? 앞서 조선은 주일공사 및 주미공사 등의 파견과 관련해서 원세개를 통해 북양아문 등에 자문을 발송했다. 그렇다면 자문으로 처리하는 방법이 있을 수 있다. 또한 이 건과 관련해서 조선국왕이 보낸 주본에 따르면 교섭통상 사안은 북양아문에서 대신 상주[轉奏]하도록 되어 있었다. 그런데 조선 조정은 윤규섭을 재주관으로 임명하여 주본과 함께 자문을 발송하였다. 주본은 황제에게 올리는 문서였던 만큼 북경을 대상으로 하는 외교 방식이었다. 윤규섭은 고종 24년 8월 19일 천진에서 이홍장에게 공사 파견을 요

---

108) 『淸季中日韓關係史料』 #1262, 2343a~b.

109) 『淸光緖朝中日交涉史料』 卷10 #561 「軍機處寄李鴻章電信」(光緖 13년 8월 7일) 33a.

청하는 주본 및 자문의 내용을 미리 전달하고,[110] 같은 해 8월 22일에 북경에서 관련 문서를 예부에 제출하였다.[111] 예부는 같은 해 9월 3일 조선국왕의 주본을 광서제에게 올렸다. 당시 예부상서는 종실(宗室) 규윤(奎潤)과 필도원(畢道遠), 예부좌시랑은 종실 경신(敬信)과 서부(徐郙), 우시랑은 속창(續昌)과 동화(童華)였다.[112] 당일 광서제는 상유를 내려 공사 파견은 허락하되 상주 국가의 중국 관원과의 관계에서 속방 체제를 잘 지키도록 명령하였다.[113]

청의 태도가 바뀐 주요한 이유는 주한미국공사 딘스모어(H. A. Dinsmore)의 청의 간섭에 대한 지속적 항의,[114] 공사를 파견해도 조선 의 지위는 변함없을 것이라는 주청 미국공사 덴비(C. H. Denby)의 의 견을 고려한 것으로 보인다. 이로 인해 원세개와 딘스모어는 여러 차 례 갈등을 벌였고, 총리아문도 일정한 부담을 느끼는 상황이었다. 이 러한 국제관계가 복잡하게 얽히는 상황에서 조선은 재주관의 파견을 통해 청을 종주국으로 대우하는 종래의 관행을 실행함으로써, 적당히 사태를 마무리 지을 수 있는 단초를 제공해주었다. 이홍장은 윤규섭과 천진에서 면담을 했지만 주본의 제출을 막을 수 있는 권한은 없었다. 이후 파견을 허락하는 황제의 명령이 내려왔기 때문에 더이상 노골적 인 반대도 어려웠다.[115]

---

110) 『淸季中日韓關係史料』 #1274, 2364a 및 같은 자료 (1)照錄奏稿, 2364a~2365b.

111) 『淸光緖朝中日交涉史料』 卷10 #576 「禮部奏朝鮮請准派使泰西各國據咨轉奏摺」 (光緖 13년 9월 3일) 36b~37a.

112) 이중 徐郙는 이건창 및 강위와 북경에서 교류가 있었고, 續昌은 고종 21년(1884) 갑신정변을 진압하기 위한 흠차로 조선에 온 적이 있었다. 각각 이헌주, 『姜瑋의 開化思想 硏究』, 선인, 2018, 178~182쪽; 『高宗實錄』 고종 21년(1884) 11월 16일.

113) 『淸光緖朝中日交涉史料』 卷10 #577 「軍機處寄禮部直隸總督等上諭」(光緖 13년 9월 3일) 36b~37a; 『淸季中日韓關係史料』 #1284, 2373a.

114) 송병기, 앞의 글, 1972, 100~101쪽; 현광호, 「딘스모어 미국공사의 조선외교 인식 과 활동」『역사학보』210, 2011, 151~158쪽.

115) 이후에도 원세개는 全權을 三等으로 변경하려고 했고, 이홍장은 조선 사신이 지켜

조선·청 관계에서 북경을 대상으로 직주(直奏)해 왔던 관행은, 다양한 외교 사안이 발생하는 가운데 중요한 변수가 되었다. 위에서 분석한 세 가지 사례 즉 대원군의 방환, 군대의 주둔, 공사의 파견은 청의 어느 부서에서 전담해야 할지 명확히 규정되지 않았다. 병자호란 이후 조선은 언제나 청의 수도에 사신을 보냈고, 이러한 관행은 200년 이상 이어져 왔다. 변화하는 국제관계 속에서 새로운 사안들이 등장하는 가운데, 기존의 관행은 여전히 작동하고 있었다.

야 할 규정으로 三端을 제시하였다. 구체적 내용은 첫째, 조선공사가 처음으로 각국에 도착하면 마땅히 먼저 청국 공사관으로 나아가 보고하고 청국 공사와 함께 (각국의) 외부(外部)로 나아가되 그 뒤에는 얽매이지 않는다. 둘째, 조회공연(朝會公宴) 및 수작교제(酬酌交際) 등이 있을 때 조선공사는 마땅히 청국 공사보다 낮은 자리에 앉는다. 셋째, 교섭사대(交涉事大)에 관계되는 긴요한 일은 조선공사가 마땅히 먼저 청국 공사와 협상한 후 그 지시에 따라야 한다. 『淸季中日韓關係史料』 #1291, 2379b~2382a.

결론

조선·청 관계는 기본적으로 청이 요구한 외교 의례의 틀 안에서 작동하였다. 조선은 청의 요청에 맞추어 사신을 파견하고 외교문서를 주고받는 한편 각각에 수반되는 의례를 준수하였다. 따라서 규정된 의례[典禮]가 충실히 구현되었다는 의미에서 양국의 관계를 '전형적'이라고 평가하는 연구가 일찍부터 이루어졌다. 또 다른 한편으로 17세기 중반의 병자호란과 19세기 후반의 청의 개입이라는 충격적인 사건으로 인한 정치적 갈등과 그 원인 및 영향에 대한 연구가 상당히 축적되었다. 그러나 250여 년이 넘는 시간 동안 조선·청 관계가 어떻게 변화해왔는지는 상대적으로 관심이 부족했다.

이 책에서는 위와 같은 문제의식 아래 사신(使臣)과 재자관(齎咨官)을 소재로 선택한 후, 이들의 파견과 외교 활동을 통해 조선·청 관계의 특징과 변화를 추적하였다. 양국의 조공과 책봉이 시작된 인조 15년(1637)부터 청일전쟁으로 조선에 대한 청의 정치적 영향력이 사라지는 고종 31년(1894)까지 양국 관계를 연결해준 핵심 매개체는 사신과 재자관이었다. 청과의 수직적·의례적 관계라는 제약 속에서도 조선은 사신 파견에 관한 모든 사항을 주체적으로 결정했다. 전담 사신을 보낼지 아니면 정기 사행에 덧붙여 파견할지, 정식 사행을 구성하여 외교문서와 예물[方物]을 지참시킬지 아니면 역관을 통해 신속히 사안만 전달할지, 이 모든 것은 조선 조정에서 군신 간의 논의를 통해 결정하였다. 사신 파견의 단계부터 외교적 효율을 고려해서 의사를 전달했던 것이다. 또한 북경으로 파견된 사신은 조선의 요구를 관철시키기 위해 공식적으로는 정문(呈文)을 이용하거나, 여의치 않을 경우 비공식적으로 청의 고관과 접촉하고 심지어 '비자금'을 사용해서라도 조선의 이익을 확보하고자 하였다. 여기에 조선 조정의 지원이 있었음은 물론이다. 조선의 측면에서 본다면 정치적 영역에서의 '인신무외교'라는 관념적 구호는 자국의 이익보다 우선시 될 수 없는 것이었다.

병자호란 이후 상당 기간 청의 정치적 압력이 강한 상태에서 조선의 교섭 활동은 제한적일 수밖에 없었다. 청의 질책과 요구에 대한 조선의 입장을 해명하기 위해 사신이 수시로 파견되었으나, 조선 사정을 잘 아는 청 측 인사들 때문에 교섭의 여지는 매우 좁았다. 정보가 제한되는 상황 속에서 청의 역관 등은 양국의 갈등과 조선의 상황을 이용해 자신들의 이익을 챙기고자 했다. 그 와중에도 조선은 청에서 공문서를 확보하거나 고관과 접촉하는 등의 방법으로 청의 하급 관리들의 요구를 물리치고 외교 현안을 해결해 갔다.

18세기에 들어 조선은 비공식 교섭의 대상자를 점점 더 많이 확보하였다. 조선인의 후손으로 고관의 반열에 오른 김상명(金常明)은 조선의 문제 해결을 주선해주는 단골 통로가 되었다. 조선을 방문한 청 사신 또한 주요한 비공식 교섭 대상자들이었다. 조선에 파견된 청 사신들은 3품 이상의 고관을 대상으로 했기 때문에 이들은 청 내부에서도 상당한 정치적 영향력을 지녔다.

청 사신을 적극적으로 활용한 이가 바로 정조였다. 청 사신에 대한 호의적인 접대를 통해 관계를 만들고, 이를 이용하여 원활한 책봉 등을 부탁하였다. 더하여 정조는 사신 파견의 방식에서도 새로운 관행을 창출했다. 그는 청 조정의 요청 없이도 건륭제의 탄신을 축하하는 사신을 파견('진하외교')하여 건륭제에게 호의를 전달했고, 건륭제는 이를 극히 우호적으로 받아들였다. 정조의 '진하외교'가 명확한 원인으로 작용했는지는 불분명하지만, 거의 같은 시점에 건륭제는 궁정연회를 외국 사신에게 개방하였다. 매년 북경을 방문하는 외국 사신은 조선이 유일한 가운데 궁정연회라는 공적 공간을 통해 조선 사신은 청 고관과 교류할 수 있었다. 이를 계기로 19세기에 들어서면 조선 사신은 청 문 인과의 교류를 점차 확대하기 시작했다. 사신에게 적용되었던 혹은 사 신 스스로 구속되었던 '인신무외교' 관념은 사적 교류라고 하는 비정 치적 영역에서 서서히 금이 가기 시작되었다.

정조가 시작한 새로운 방식은 이후 하나의 전범이 되었다. 19세기 이후 정조가 시행한 두 가지 파견 방식이 지속되었다. 그것은 청으로 부터 조서가 오지 않았음에도 경축 행사 당일에 맞춰 사신을 파견하는 방식과 미리 사행을 준비했다가 조서가 도착하는 즉시 파견하는 방식 이었다. 이는 의례를 통해 천조의 권위를 과시하려는 청의 의도에 호 응함으로써 양국의 유대를 공고히 하는 것이었다. 다른 한편으로 조선 에서는 국내 사안에 대해 청과의 관계를 활용하고자 했다. 종통(宗統) 및 사서(史書) 변무가 그것이다. 19세기에 이르면 18세기의 변무와 달 리 청 내에서도 거의 유통되지 않는 개인 저작에 대해 변무를 요청하 고 또 성공함으로써 정권의 정통성을 높이는 수단으로 활용하였다. 다 만 양국의 관계가 매우 안정되면서 교섭 사안은 줄어들었고, 이에 따 라 진주사와 별재자관 양측 모두 파견 빈도가 현저히 감소하였다.

19세기 후반 프랑스와 미국의 침략으로부터 발생한 대외위기는 사 신의 교섭 방식 변화에 직접적인 계기가 되었다. 북경에 체류하던 조 선 사신단은 프랑스의 조선 침공 소식을 듣고, 기존의 문인 교류망을 통해 예부상서와 직접 접촉하였다. 초유의 사태가 '인신외교' 활동을 자극한 결과였다. 또한 예부상서와 인연이 있었던 이홍민(李興敏)은 사적으로 예부상서에게 서신을 보내 프랑스에 대한 중재를 요청했다. 개인 서신으로 정치적 요청을 시도한 점, 예부상서 만청려가 사안을 황제에게 보고했음에도 만청려와 이홍민 모두 처벌받지 않았다는 것 은 개항 이전부터 양국의 교섭 방식이 이전과 달라졌다는 점을 보여주 었다. 이에 더하여 새롭게 등장한 소위 '양무(洋務)' 사안을 위해 별재 자관의 파견이 늘어나기 시작했다. 조선은 별재자관을 통해 조선의 상황을 전달하고 청의 중재를 요청하였다. 해당 시기 별재자관의 활동은 개항 이후 새로운 국제관계 속에서도 지속적으로 활약할 가능성을 예고하는 것이었다.

조선은 일본 및 서양 각국과의 조약, '무역장정' 등을 통해 새로운 국제질서에 편입되기 시작했다. 더하여 1880년대부터 조선과 청 사이에서 임오군란, 흥선대원군 감금, 갑신정변, 조·러밀약설 등 다양한 정치적 현안들이 발생했다. 이들 현안을 둘러싸고 사신이 잇따라 파견되면서, 1880년대 진주사의 파견 빈도는 오히려 19세기 전반보다 높아졌다. 해당 시기 별재자관의 파견도 빈번히 이루어졌다. 조선은 국내 정치적 사건뿐만 아니라, 국경의 획정, 공사 파견, 홍삼세 면제 등 새로운 성격의 사안이 발생할 때마다 별재자관을 통해 교섭하였다. 별재자관은 북양대신(北洋大臣)과 당시의 시무를 구체적으로 논의할 정도로 국제관계의 상황을 상세하게 파악하고 있었다. 이들 사신과 재자관은 때로는 북경의 관원을 대상으로, 때로는 천진에 주재하는 조선 관원과의 공조를 통해 교섭을 행했다. 19세기 후반, 급변하는 국내외의 변화 속에서 전통적 방식인 사신과 재자관이 주요한 외교 주체로서 활동을 지속했던 것이다.

지금까지의 연구를 통해 '사신외교'라는 조선후기의 관행이 19세기 후반까지 지속·변용되는 흐름을 살펴보았다. 마지막으로 앞으로의 연구 방향 및 시대상에 대해서 다음과 같이 간략히 전망해 본다.

우선 조선·청 관계는 청에서 요청한 의례에 기반하여 작동하였다. 따라서 조선은 청 중심의 국제질서의 '전형적' 사례라고 할 수 있다. 그러나 한편으로는 중국의 의례를 철저하리만치 수용한 '유일한' 사례이기도 하다. 전근대 동아시아의 국제질서를 연구할 때 명대와 마찬가지로 청대에도 조선의 적극적 호응은 매우 특수한 성격을 지닌다고 판단한다.[1] 어떠한 외국도 조선만큼 밀접히 그리고 성실히 청의 의례를 준수하지 않았기 때문이다. 그러나 조선은 단순히 청의 요구에 따르기만 하는 수동적 존재는 아니었다.

사신 이외에 역관을 수반으로 하는 재자관은 양국 관계의 또 다른 축을 이루고 있었다. 『회전(會典)』과 같은 상위의 규정서에는 등장하지 않는 이들의 존재는 조선·청이 실무적 사안을 어떻게 처리하고 있었는지를 구체적으로 보여준다. 사신과 재자관으로 구성되는 중층적 외교 방식은 의례를 중심으로 보는 전근대 국제관계에 관한 시각의 한계를 넘어서 외교 관계의 실상에 접근할 수 있는 단초를 제공한다. 또한 사신과 재자관의 교섭 활동은 보편적인 현실 외교의 장에서 '인신무외교' 원칙의 영향력은 제한적일 수밖에 없다는 사실을 잘 보여준다. 그동안 청 중심의 국제질서 속에서 조선이 '특수'한 사례로서 모델링이 되었다면, 재자관과 교섭이라는 두 가지 요소는 동아시아 국제관계의 '보편'적 성격을 부각시킬 수 있는 새로운 연구소재를 제공해 줄 것으로 판단한다.

다음으로 사신의 교류가 갖는 의미를 살펴보자. 18세기 후반 정치영역에서 시작된 조선과 청의 우호 관계는 19세기 들어 양국 모두 대내외의 위기를 겪으면서 더욱 공고해졌다. 그 결과 조선 사신들 및 이들 수행원과 청 문인과의 교류는 '인신무외교' 원칙에도 불구하고 활발하게 진행되었다. 조선·명 관계의 경우 조선 지식인들이 명을 중화 국가로서 흠모했음에도 불구하고 명 스스로 폐쇄적으로 교류의 문을 닫아걸었기 때문에 실제적인 교류는 제한적이었다. 이에 비해, 청 문인과 조선 지식인들의 교류는 그 빈도와 밀도를 고려할 때 적어도 19세기 이후에는 이른바 '동문(同文)' 의식을 형성하기에 충분했다.

약 한 세기 동안 만들어진 동문 의식은 개항 이후 조선과 청의 정치적 갈등에도 거의 영향을 받지 않았던 것으로 보인다. 1870년대에도

---

1) 계승범은 명의 국제질서는 조선의 호응이 없이는 성립할 수 없다고 보았다. 계승범, 「16~17세기 동아시아 속의 조선」『동아시아 국제질서 속의 한중관계』, 동북아역사재단, 2009, 277~278쪽.

지속되는 청 문인과의 교류, 1890년을 전후한 시사(詩社)에 대한 참여, 그리고 본문에서 다루지 못한 서울에서의 문인 교류도 활발하게 이루어졌는데, 그 계기는 청군의 주둔 및 청 관원의 상주가 계기가 되었다. 이러한 흐름에 참여했던 이들이 청의 조선에 대한 정치적 압력과 간여를 어떻게 인식했는지는 별도의 연구가 필요한 부분이지만, 결코 청 또는 중국 문명 자체를 부정적으로 인식했다고 보기는 어렵다.

19세기 후반 조선의 지식인들이 청 문인들과의 인연을 활용한 사례는 여럿 있다. 고종 19년(1882) 강위(姜瑋)가 일본에서 김옥균의 긴급한 귀국으로 인해 오갈 데 없이 남겨진 상황에서 청 영사 여휴(余璛)의 소개장을 가지고 상해로 가서 환대를 받았던 일이나,[2] 김택영(金澤榮)이 임오군란 때 오장경(吳長慶)의 막료(幕僚)로 조선에 왔었던 장건(張謇)과의 인연을 통해 훗날 통주(通州)의 한림인서국(翰林印書局)에서 한국 고전을 편집하게 된 일들[3]은 문인 교유가 만들어낸 결과일 것이다. 또한 한말 유인석(柳麟錫)이 『우주문답(宇宙問答)』에서 보여준 것처럼 서양 문명의 위력을 몸소 체험했음에도 불구하고 유교적 중화의 이상을 지향하는 모습이나,[4] 변방의 유교 지식인 김정규(金鼎奎)가 만주에서까지도 공교회(公敎會)와 제휴를 모색하며 유교적 세계의 가치를 포기하지 않았던 점은[5] 중국, 나아가 중화세계가 동문을 매개로 연결될 수 있었기 때문에 빚어진 산물들일 것이다. 동문 의식이 식민시기까지 미친 영향을 고려할 때 개항시기 사신들이 청의 정세를 낙관하고 또 기대를 가졌던 것이 반드시 정치적 수사라거나 시대착오적 발상은 아닐 것이다. 19세기 한국사에서 동문 의식의 영향, 그리고 동문

2) 주승택, 「강위(姜瑋)의 연행록(燕行詩)에 나타난 한중(韓中) 지식인의 교류양상」 『한국문화연구』11, 2006, 39쪽.

3) 김승룡, 「한·중 지식인의 교류사 연구를 위하여 「金澤榮與兪樾交往述論」을 읽고」 『중국사연구』29, 2004.

4) 노관범, 「1910년대 한국 유교지식인의 중국 인식」『민족문화』40, 2012, 15~20쪽.

5) 배우성, 「김정규, 공자를 들어 조국을 가리키다」『조선과 중화』, 돌베개, 2014.

의식을 형성하게 해준 정치적 기제로서 조공책봉관계가 작동했다고 판단한다.

여전히 아쉬운 점은 많다. 연구의 초점이 조선·청 관계에 맞춰져 있는 만큼 양국 관계가 조선 후기 내부의 역사에 어떠한 방식으로 영향을 주었는지는 충분히 해명하지 못했다. 무엇보다도 중화문명의 지리적 공간을 차지한 청에 대한 인식이 양국의 외교 관계와 어떻게 연동되는지, 나아가 19세기 후반 새로운 국제질서에 편입되면서 기존의 전통적 인식이 어떠한 변수로 작용했는지는 앞으로의 연구에서 밝혀야 할 바이다. 이외에도 사료의 교차검토, 새로운 연구성과의 반영을 충분히 수행하지 못했다. 이는 부족한 역량과 성실하지 못한 탓으로 오로지 필자가 책임져야 할 문제일 것이다. 다만 지금까지의 연구를 바탕으로 한국사 이해의 지평을 넓히는 데 조금이나마 도움이 되기를 바라마지 않는다.

부록
별재자관 및 재주관 파견 현황*

파견시기	성명	사안
인조 23년(1645) 5월[1]	尹聖擧	昭顯世子 告訃
인조 24년(1646) 4월	金起男	柳濯 등 역모 보고
효종 3년(1652) 3월 4일	李壽昌	趙昭媛, 金自點 역모 보고【齋奏】
효종 3년(1652) 8월	趙東立	표류민 송환
효종 4년(1653) 2월 29일	崔鳴俊	세폐 책임자 처벌, 공물 보완
효종 5년(1654) 4월[2]	韓相	羅禪 정벌군의 월강 보고
효종 5년(1654) 7월	趙東立	羅禪 정벌군의 승리 보고
효종 6년(1655) 3월 21일	黃垼	통신사 출발 보고
효종 6년(1655) 10월	朴而巘	미상
효종 8년(1657) 1월	方孝敏	미상
효종 8년(1657) 11월	方孝敏	미상
효종 9년(1658) 3월 12일	李芬	羅禪 정벌군 출발 보고
효종 9년(1658) 7월 24일	李承謙	羅禪 정벌군 식량 수송 보고

---

* 파견시기는 『同文彙考』補編 卷9 「使行錄」을 기준으로 하였으며, 「使行錄」에 없거나 시기가 다를 경우 각주로 표기하였다. 【齋奏】는 주문을 지참한 齋奏官을 뜻한다.
1) 「使行錄」에는 3월에 출발한 사신 기록 다음에 同月로 표기되어 있지만 비변사에서는 5월에 고부를 위한 재자관 차출을 건의하여 승인받았다. 『承政院日記』 인조 23년(1645) 5월 3일.
2) 「使行錄」에는 출발일이 3월로 표기되어 있으나 해당 자문은 4월 2일에 작성되었다. 『同文彙考』 原編 卷50, 犯越2 「鉤問處置咨」 16b～17a.

파견시기	성명	사안
현종 1년(1660) 11월	方孝敏	황후 사망 탐문
현종 1년(1660) 12월	玄德宇	범월 보고
현종 2년(1661) 7월 17일	朴而鱗	성절 탐문
현종 3년(1662) 4월 27일	李芬	범월인 처벌 보고
현종 4년(1663) 11월	安日新	犯禁 보고
현종 5년(1664) 3월 21일	愼而行	범월 방지 申飭 보고
현종 5년(1664) 6월	安宗敏	미상
현종 7년(1666) 3월	卞爾輔	미상
현종 7년(1666) 9월	崔元泰 金益寬	犯禁 죄인 압송【齎奏】
현종 7년(1666) 11월	卞爾輔3)	범인 사형 일자 보고
현종 8년(1667) 3월	卞爾輔	미상
현종 8년(1667) 11월	張燦	표류민 송환
현종 8년(1667) 11월	李承謙	미상
현종 11년(1670) 3월 16일	李漢雄 邊暹	犯禁 죄인 조사 보고

숙종 1년(1675) 5월	崔元泰 安日新	동전 무역 요청
숙종 6년(1680) 1월	李世璜 金時徵	箋文 작성 관리 조사 후 처벌 예정
숙종 7년(1681) 9월	劉尙基	표류민 송환
숙종 7년(1681) 10월	李慶和	표류민 송환
숙종 8년(1682) 4월	閔興魯 愼而行	통신사 출발 / 도망인 압송
숙종 10년(1684) 10월	尹之徹	표류민 송환
숙종 11년(1685) 10월	金夏重 金喜門	범월 보고
숙종 12년(1686) 5월	卞爾璜	범월인 처벌 및 장물 수송
숙종 13년(1687) 5월	愼而行	표류민 송환
숙종 14년(1688) 11월	卞鶴年	표류민 송환
숙종 15년(1689) 6월	申濚	표류민 송환

---

3) 「使行錄」에는 卞爾輔가 奏官으로 표기되어 있으나, 실제로는 자문을 발송했다. 『同文彙考』原篇 卷64, 犯禁2 「報犯人處斬日期咨」7b~8a.

파견시기	성명	사안
숙종 16년(1690) 9월 15일	鄭忠源	범월 보고
숙종 16년(1690) 11월 21일	金翊漢	범월인 체포 보고
숙종 17년(1691) 5월4)	金鎰信	미상
숙종 17년(1691) 12월	金翊漢	토문강 이동로의 위험 보고
숙종 18년(1692) 4월 9일	元徽 高徵厚	도망간 범인 체포 불가능 / 길 안내 정지에 감사【齎奏】
숙종 19년(1693) 2월	尹之徽	표류민 송환
숙종 23년(1697) 9월 30일	李後勉	곡물 구매 요청
숙종 25년(1699) 3월 15일	金起門	개시 장소 오류 및 개시 감독 관원 교체 요청
숙종 27년(1701) 6월 21일	李後勉	中江 私市 중단 요청
숙종 30년(1704) 2월 27일	李後勉	범월 사건 보고
숙종 30년(1704) 10월 23일	崔希崙	표류민 송환
숙종 31년(1705) 4월 29일	韓錫祚	범월 처벌 보고 및 장물 수송
숙종 32년(1706) 4월 15일	吳相良	표류민 송환
숙종 33년(1707) 2월 20일	高徵厚	표류민 물품 운송 여부
숙종 36년(1710) 10월 5일	韓範錫 崔奎	연해 방비 강화 보고【齎奏】
숙종 36년(1710) 11월 26일	金弘祉	범월 사건 보고
숙종 37년(1711) 3월 11일	金慶門	參覈使 파견 보고
숙종 37년(1711) 6월 22일	張遠翼	參覈使 재파견 및 변경 이동로 보고
숙종 38년(1712) 1월 20일	金鼎禹	표류민 송환
숙종 38년(1712) 6월 5일	李杓	범월인 처벌 보고
숙종 38년(1712) 8월 18일	鄭泰賢	월경 漁採人 압송
숙종 39년(1713) 11월 16일	李樞	표류민 송환
숙종 40년(1714) 12월 25일	金慶門	渾春 지역 불법 건축 보고
숙종 41년(1715) 4월 10일	卞時和	범금 보고
숙종 41년(1715) 4월	李杓	표류민 송환
숙종 41년(1715) 12월 17일	韓興五	渾春 지역 불법 건축 철거 감사

---

4)『承政院日記』숙종 17년(1691) 5월 8일.

파견시기	성명	사안
숙종 42년(1716) 10월	洪萬運	표류민 송환
숙종 43년(1717) 7월 26일	李樞	空靑 무역 요청
숙종 45년(1719) 3월	張文翰	통신사 출발 보고
숙종 46년(1720) 6월 4일	申之淳 金圖南	통신사 귀국 후 倭情 보고
경종 1년(1721) 6월 14일	劉再昌	표류민 송환
경종 1년(1721) 12월	李杓	표류민 송환
경종 2년(1722) 8월 12일	申之淳	월경 漁採人 압송
경종 3년(1723) 2월 9일	洪萬運	황태후·황후 표문 제출 전례 없음
경종 3년(1723) 4월 26일	韓永禧 金慶門 劉再昌 金澤	攔頭 혁파 요청
영조 1년(1725) 4월 3일	李馨遠 李杓	칙사의 사망 보고
영조 1년(1725) 4월 7일	金慶門	표류민 송환 / 牛角 무역 요청
영조 3년(1727) 6월 13일	李樞	표류민 송환 / 채무 사건 조사 난항
영조 3년(1727) 11월 27일	趙光璧	표류민 송환
영조 4년(1728) 5월 3일	洪若水 金鼎禹	逆黨 체포 요청
영조 5년(1729) 10월 12일	金是瑜	범월 보고
영조 6년(1730) 6월 27일	李樞	조선 표류민의 마패를 녹인 후 보고
영조 6년(1730) 9월 8일	趙光璧	표류민 송환
영조 7년(1731) 6월 23일	金慶門	국경초소의 신규 설치 취소 요청
영조 9년(1733) 1월 10일	洪萬運	표류민 송환
영조 9년(1733) 2월 8일	韓壽禧	표류민 송환
영조 9년(1733) 5월 29일	金是瑜	청인 월경 보고
영조 11년(1735) 7월 10일	李命燮	월경 漁採人 압송
영조 11년(1735) 11월 16일	申煜	三節 합병 여부 탐문
영조 12년(1736) 3월 27일	韓致亨	범월인 처벌 보고
영조 13년(1737) 1월 25일	吳泰說	中江 무역 재개 중지 요청
영조 14년(1738) 7월 6일	鄭泰賢	표류민 송환 / 漁採 금지 요청
영조 15년(1739) 6월 29일	韓壽禧	범월 보고

파견시기	성명	사안
영조 16년(1740) 2월 15일	李樞	범월인 처벌 보고
영조 16년(1740) 4월 8일	張宋維	표류민 송환
영조 16년(1740) 10월 2일	韓壽禧	범월 보고
영조 17년(1741) 8월 1일	李命稷	표류민 송환
영조 19년(1743) 4월 17일	李邦綏 李樞	범월 단속 칙유에 사은 예정
영조 20년(1744) 10월 22일	李樞	황태후 표문 전례 없음 보고
영조 23년(1747) 5월 9일	韓壽禧	범금 보고
영조 24년(1748) 1월	韓致恒	범월인 및 범금인 처벌 보고
영조 24년(1748) 7월 10일	金昌祚	국경지역 불법 건축 철거 요청
영조 25년(1749) 6월 19일	金泰瑞	皇貴妃 의절 탐문
영조 26년(1750) 1월 9일	金裕門	범월 보고
영조 26년(1750) 2월 30일	韓致亨	범월인 조서 및 장물 보관 보고
영조 31년(1755) 11월 17일	邊憲	표류민 송환
영조 32년(1756) 1월 28일	李廷熺	표류민 송환
영조 32년(1756) 12월 4일	李命稷	범월 보고
영조 33년(1757) 2월 28일	安命說	범월인 조사 보고
영조 33년(1757) 12월 6일	李廷熺	범월인 공동 조사 보고
영조 36년(1760) 1월 28일	洪大成	표류민 송환
영조 36년(1760) 12월 27일	李禧仁	표류민 송환
영조 37년(1761) 12월 22일	邊憲	범월 보고
영조 38년(1762) 윤5월 29일	李鉉相	莊獻世子 告訃
영조 38년(1762) 9월 28일	安命禹	표류민 송환
영조 38년(1762) 12월 11일	金鳳瑞	범월인 형률 보고
영조 39년(1763) 6월	韓致恒	범월인 처벌 및 통신사 출발 보고
영조 39년(1763) 12월 13일	張宋維	사신의 수레 이용 사건 보고
영조 40년(1764) 1월 12일	李天埴	범월인 사형 연기 보고
영조 50년(1774) 2월 20일	李洙	표류민 송환
영조 50년(1774) 12월 20일	洪命福	표류민 송환
영조 51년(1775) 2월 14일	金振夏	표류민 송환

파견시기	성명	사안
정조 즉위년(1776) 12월	金履熙	표류민 송환
정조 1년(1777) 11월	金弘喆	표류민 송환
정조 9년(1785) 1월	李瀁	표류민 송환
정조 10년(1786) 3월	鄭思賢	표류민 송환
정조 10년(1786) 5월	沈樂洙, 張濂	文孝世子 告訃
정조 12년(1788) 4월	洪命福	표류민 송환
정조 14년(1790) 3월 26일	張濂	賞賜에 대해 사은 예정
정조 15년(1791) 12월 21일	鄭思賢	표류민 송환
정조 19년(1795) 11월 20일	鄭思賢	傳位 진하 관련 의절 문의
정조 20년(1796) 4월 10일	金倫瑞	물품 하사 및 공물 移准에 사은 예정
정조 24년(1800) 2월 8일	金景瑋	역관의 사적 교류 조사 및 신칙 보고

파견시기	성명	사안
순조 즉위년(1800) 12월 12일	李榮載	표류민 송환
순조 1년(1801) 2월 18일	卞復圭	표류민 송환
순조 1년(1801) 11월	吳載恒	표류민 송환
순조 3년(1803) 9월 19일	金在洙	獐子島 수색 결과 보고
순조 5년(1805) 11월 26일	朴宗行	표류민 송환
순조 6년(1806) 4월 28일	李永逵	표류민 송환
순조 7년(1807) 2월 28일	李榮載	공물 운반 차량 대여에 사은 예정
순조 7년(1807) 9월 24일	金在洙	薪島 潛商 사건 보고
순조 8년(1808) 1월 6일	李時升	별도의 賞賜에 대해 사은 예정
순조 8년(1808) 12월	朴宗行	표류민 송환
순조 9년(1809) 2월	李榮載	표류민 송환
순조 9년(1809) 5월 29일	李時亨	표류 선박의 철물 발송
순조 11년(1811) 1월	李時復	표류민 송환
순조 12년(1812) 5월 2일	趙台錫 金在洙	홍경래의 난 진압 보고【齎奏】
순조 13년(1813) 12월 22일	金相淳	표류민 송환
순조 20년(1820) 3월 8일	李時復	표류민 송환
순조 20년(1820) 11월 11일	金相淳	三節 합병 여부 탐문
순조 25년(1825) 1월	張舜相	표류민 송환

파견시기	성명	사안
순조 27년(1827) 1월	李塾	표류민 송환
순조 30년(1830) 5월 29일	李應信 李文養	孝明世子 告訃
순조 31년(1831) 1월	秦膺煥	표류민 송환
순조 33년(1833) 1월 18일	卞光韻	賞賜에 대해 사은 예정
헌종 3년(1837) 3월 18일	金學勉	표류민 송환
헌종 7년(1841) 5월 25일	李禮懋	표류민 송환
헌종 8년(1842) 3월 27일	李文養	표류민 송환 / 국경지역 불법 가옥 철거 요청
헌종 13년(1847) 7월 14일	金學勉	변경 조사에 대해 사은 예정
철종 1년(1850) 4월 9일	李閏益	三節 합병 여부 탐문
철종 4년(1853) 2월 27일	李經修	표류민 송환
철종 6년(1855) 5월 25일	李塾	표류민 송환
철종 6년(1855) 6월 20일	李閏益	표류민 송환
철종 10년(1859) 1월 2일	金文周	표류민 송환
고종 3년(1866) 5월 29일	李用俊	표류민 송환
고종 3년(1866) 8월 12일	吳慶錫	프랑스 선교사 처형 및 이양선의 조약 요구 보고
고종 5년(1868) 윤4월 16일	李建昇	셰난도어 내항 및 오페르트 도굴 사건 보고【齋奏】
고종 5년(1868) 윤4월 16일	吳慶錫	서양인과 결탁한 조선인의 중국 도피 보고 및 체포 요청
고종 8년(1871) 5월 30일	李應俊	신미양요 보고 / 조선의 개항 불가 방침 전달 요청
고종 12년(1875) 6월 27일	李容肅	프랑스, 미국, 일본의 조선 참공 정보 전달 감사 / 일본·미국에 대한 중재 요청
고종 13년(1876) 7월 14일	李容肅	조일수호조약 보고, 이홍장에게 武備 문의 전달5)

---

5) 권석봉, 『청말 대조선정책사연구』, 일조각, 1986, 153~155쪽.

파견시기	성명	사안
고종 17년(1880) 7월 9일	卞元圭[6]	武備학습 요청
고종 18년(1881) 4월 10일[7]	李應俊	天津으로 가는 海路 탐문
고종 19년(1882) 4월 11일[8]	李應俊	조미수호통상조약 체결 보고
고종 19년(1882) 8월 24일[9]	金載信[10]	임오군란 발생 연유, 이로 인한 일본으로의 사신 파견 보고 / 길림의 조선 유민 쇄환 요청
고종 20년(1883) 2월 10일[11]	卞元圭	吳長慶의 재파견 요청【齋奏】
고종 21년(1884) 5월[12]	李用俊	청군 주둔 감사【齋奏】
고종 21년(1884) 6월[13]	李鶴圭	오장경 조문, 오장경 사당 건설 승인 요청【齋奏】
고종 21년(1884) 12월 16일[14]	李應俊	갑신정변 진압경과 보고, 군영 재편성 및 훈련지도 요청【齋奏】

6) 당시 변원규의 직명에 대해 예부의 자문에서는 재주관으로 표기하였으나, 『同文彙考』에는 재자관으로 기록했고, 지참한 문서 또한 자문이다. 『同文彙考』原編續, 軍務「【庚辰】請講究武備咨」4a~5a; 국립중앙도서관 편, 『고문서해제Ⅹ』, 국립중앙도서관, 2013, #7-14, 141쪽.

7) 『同文彙考』原編續, 軍務「報禮部現差領選使竝差齋咨官先往探察海道轉詣天津預講匠工奠接咨」19a~19b; 『啓下咨文冊』1「領選使差送緣由 北京禮部咨」光緖 7년 3월 28일(4월 10일 발송).

8) 『啓下咨文冊』2「與美使講定修好通商條規事 北京禮部咨」光緖 8년 4월 10일(4월 11일 발송).

9) 『承政院日記』고종 19년(1882) 8월 11일; 『啓下咨文冊』2「緣由北京禮部咨」光緖 8년 8월 12일.

10) 『啓下咨文冊』에는 金在信으로 표기되어 있으나 『承政院日記』및 역과방목(『한국역대인물종합정보시스템』)에 따라 金載信으로 표기하였다.

11) 당시 변원규는 병으로 북경에 도착하지 못해 관련 문서를 직례총독 장수성이 대신 군기처로 전달하여 광서제의 유지를 받았다. 국립중앙도서관 편, 앞의 책, 2013, #10-12, 169쪽; 『出來咨文』40b~41a(쪽수는 규장각본 기준); 『通文館志』紀年續, 고종 20년(1883).

12) 『日省錄』고종 21년(1884) 5월 3일; 『通文館志』紀年續 고종 21년(1884).

13) 국립중앙도서관 편, 앞의 책, 2013, #11-24, 210쪽; 『通文館志』紀年續 고종 21년(1884).

14) 고종 21년(1884) 12월 16일 서울 출발, 12월 18일 마산포, 1월 19일 천진, 27일 북경에 도착했다. 『義州府狀啓謄錄』6冊, 을유년(1885) 3월 4일, 5a; 국립중앙도서관 편,

파견시기	성명	사안
고종 22년(1885) 1월[15]	李鶴圭	갑신정변을 진압한 吳兆有 등 포상 요청【齎奏】
고종 22년(1885) 4월[16]	李應俊	토문강 공동조사 요청 / 사신 휴대물품 면세 요청
고종 22년(1885) 9월[17]	金嘉鎭	군대파견 요청【齎奏】
고종 23년(1886) 8월[18]	李應俊	조·러 밀약 해명
고종 24년(1887) 8월	尹奎燮	주미 공사 파견 승인 요청【齎奏】
고종 25년(1888) 8월 18일[19]	李應俊 崔鶴永	홍삼 釐金稅 면제 요청

앞의 책, 2013, #12-1, 220쪽.

15) 『承政院日記』 고종 22년(1885) 1월 14일;『通文館志』 紀年續, 고종 22년(1885).

16) 이응준은 고종 22년 6월 20일 북경, 7월 2일 천진, 이홍장의 명령으로 7월 14일 다시 북경으로 이동했다. 『義州府狀啓謄錄』 6冊, 을유년(1885) 8월 13일, 9a; 국립 중앙도서관 편, 앞의 책, 2013, #12-11, 226쪽.

17) 『承政院日記』 고종 22년(1885) 9월 13일;『通文館志』 紀年續, 고종 22년(1885).

18) 이응준은 고종 23년 8월 18일 천진에 도착하였다. 『淸季中日韓關係史料』 #1168, 2131b.

19) 8월 서울 출발, 9월 25일 북경 도착, 10월 22일 회자 수령, 11월 2일 북경을 출발, 11월 26일 책문에 도착했다. 이때 천진을 들렀다는 내용은 확인할 수 없다. 『承政院日記』 고종 25년(1888) 8월 18일;『義州府狀啓謄錄』 6冊, 무자년(1888) 11월 24일 및 29일, 44b~45a.

참고문헌

사료

1. 중국측 자료

康熙 『大淸會典』(『近代中國史料叢刊』三編 72, 臺北: 文海出版社, 1992)

乾隆 『大淸會典』(『文淵閣四庫全書』619冊, 臺北: 臺灣商務印書館, 1983)

光緖 『大淸會典事例』(北京: 中華書局, 1991)

『李鴻章全集』 1~31 (顧廷龍·戴逸 主編, 合肥: 安徽敎育出版社, 2007)

『淸光緖朝中日交涉史料』(北京故宮博物院 編, 北平: 北京故宮博物院, 民國 18(1932))

『淸季中日韓關係史料』(中央硏究院近代史硏究所 編, 臺北: 中央硏究院近代 史硏究所, 1972)

『淸代中朝關係檔案史料續編』(中國第一歷史檔案館 編, 北京: 中國檔案出版 社, 1998)

『淸史稿』(北京: 中華書局, 1998)

『淸實錄』(국사편찬위원회 한국사데이터베이스, 이하 '한국사데이터베이스')

『欽定禮部則例』(薩迎阿 總纂, 江寧藩司壯板, 嘉慶25(1820))

2. 한국측 자료

1) 관찬자료

『啓下咨文冊』(한국사데이터베이스)

『고문서해제Ⅹ』(국립중앙도서관 편, 2013)

『同文彙考』(국사편찬위원회, 1978 및 동북아역사넷)

『萬機要覽』(고전번역원 한국고전종합DB, 이하 '한국고전종합DB')

『備邊司謄錄』(한국사데이터베이스)

『承政院日記』 (한국사데이터베이스)

『義州府狀啓膽錄』 (서울대규장각한국학연구소 奎15113-v.1-6)

『日省錄』 (서울대규장각한국학연구소 및 고전번역원 한국고전종합DB)

『藏書閣所藏 古文書大觀』3 (한국학중앙연구원출판부, 2012)

『朝鮮王朝實錄』 (한국사데이터베이스)

『出來咨文』 (서울대규장각한국학연구원, 청구기호 經古327.51052-J255)

『通文館志』 上·下 (서울대규장각한국학원구원, 2006 및 동방미디어)

2) 개인자료

임기중 편, 『增補燕行錄叢刊』(2016년 6차 개정증보판, KRPia, 이하 '연행록
　　　총간')

『燕行錄選集』 (한국고전종합DB)

김한규 역주, 『사조선록 역주』5, 소명출판, 2012.

규장각한국학연구원, 『역주 소현심양일기』, 민속원, 2008.

姜世晃, 『豹菴稿』 (한국고전종합DB)

姜瑋, 「北遊日記」, 「北遊談艸」 (연행록총간)

강시영 지음, 강인구 옮김, 『유헌속록』, 한모임, 2010.

金箕性, 『燕行日記』 (연행록총간)

金東浩, 『甲午燕行錄』 (연행록총간)

金錫胄, 『息庵遺稿』 (한국고전종합DB)

金元行, 『渼湖集』 (한국고전종합DB)

金直淵, 『燕槎日錄』 (신익철 역, 의왕향토사료관, 2011)

金昌協, 『農巖集』 (한국고전종합DB)

金洪福, 『燕行日記』 (연행록총간)

南一祐, 『燕記 金木水火土』 (연행록총간)

朴珪壽, 『瓛齋集』 (한국고전종합DB)

박래겸 지음, 조남권·박동욱 옮김, 『심사일기 -1829년 심양에 문안사로 가다-』,
　　　푸른역사, 2015.

朴趾源, 『熱河日記』 (한국고전종합DB)

徐命臣, 『庚辰燕行錄』 (연행록총간)

徐有聞, 『戊午燕行錄』 (한국고전종합DB)

徐好修, 『燕行記』 (한국고전종합DB)

宋近洙, 『龍湖閒錄』 (한국사데이터베이스)

沈樂洙, 『燕行日乘』 (연행록총간)

沈之源, 『癸巳燕行日乘』 (연행록총간)

魚允中, 『從政年表』 (한국사데이터베이스)

嚴錫周, 『燕行錄』 乾·坤 (연행록총간)

嚴璹, 『燕行錄』 (연행록총간)

吳慶錫, 『洋擾記錄』 (국립중앙도서관 위창古2159-15)

俞拓基, 『燕行錄』 (연행록총간)

柳厚祚, 『洛坡先生文集』, 大普社, 1995.

尹汲, 『燕行日記』 (연행록총간)

李坤, 『燕行記事』 (한국고전종합DB)

李基憲, 『燕行日記』 上·下 (연행록총간)

李坪, 『燕行日錄』 (연행록총간)

李心源, 『燕槎錄』 (연행록총간)

李承五, 『觀華誌』 (연행록총간)

李㴭(麟坪大君), 『燕途紀行』 (한국고전종합DB)

李瑛(仁興君), 『燕山錄』 (연행록총간)

李容學, 『燕薊紀略』 (연행록총간)

李裕元, 『嘉梧藁略』 (한국고전종합DB)

李裕元, 『慶槎日錄』 (고려대학도서관 대학원 貴 692 1-4)

李宜顯, 『更子燕行雜誌』 (한국고전종합DB)

李頤命, 『疎齋先生集』 (서울대규장각한국학연구원 古3428-163A)

李在學, 『燕行日記』 (연행록총간)

李喆輔, 『丁巳燕行日記』 (한국고전종합DB)

林應準, 『未信錄』 (연행록총간)

鄭健朝, 『北楂談艸』 (연행록총간)

鄭光忠, 『燕行日錄』 (연행록총간)

鄭太和, 『陽坡遺稿』 (한국고전종합DB)

趙文明, 『燕行日記』 (한국고전종합DB)

趙秉世, 『丁戌燕行日記』 (연행록총간)

趙珩, 『翠屏公燕行日記』 (연행록총간)

韓應弼, 『禦洋隨錄』 (서울대규장각한국학연구원 想白古359.6-Eo95)

韓德厚, 『承旨公燕行日記』 (연행록총간)

洪大容, 『湛軒書』 (한국고전종합DB)

洪良浩, 『耳溪集』 (한국고전종합DB)

洪鍾永, 『燕行錄』 (연행록총간)

洪昌漢, 『燕行日記』 (연행록총간)

3) 저서

거자오광, 이연승 역, 『이역을 상상하다: 조선 연행 사절단의 연행록을 중심으로』, 그물, 2019.

구범진, 『1780년, 열하로 간 정조의 사신들』, 21세기북스, 2021.

구선희, 『한국근대 대청정책연구』, 혜안, 1999.

권석봉, 『청말 대조선정책사연구』, 일조각, 1986.

권혁수, 『19세기말 한중 관계사 연구』, 백산자료원, 2000.

권혁수, 『근대 한중관계사의 재조명』, 혜안, 2007.

김명호, 『열하일기연구』, 창비, 1990.

김명호, 『초기 한미관계의 재조명』, 역사비평사, 2005.

김명호, 『환재 박규수 연구』, 창비, 2008.

김명호, 『홍대용과 항주의 세 선비』, 돌베개, 2020.

김문식, 『조선후기 지식인의 대외인식』, 새문사, 2009.

김문식, 『조선왕실의 외교의례』, 세창출판사, 2017.

김용구, 『세계관 충돌의 국제정치학』, 나남, 1997.

김용구, 『세계관의 충돌과 한말 외교사, 1866~1882』, 문학과지성사, 2001.

김용구, 『임오군란과 갑신정변 : 사대질서 변형과 한국 외교사』, 도서출판원, 2004.

김용흠, 『조선후기정치사연구』Ⅰ, 혜안, 2006.

김우진, 『숙종의 대청인식과 수도권 방어정책』, 민속원, 2022.

김종원, 『근세동아시아사연구』, 혜안, 1999.

김종학, 『개화당의 기원과 비밀외교』, 일조각, 2017.

김창수 외, 「조선」『주요국의 외교문서집 편찬 -미국, 영국, 독일, 러시아, 중국, 일본, 조선-』, 국립외교원, 2020.

김한규, 『한중관계사』2, 아르케, 1999.

김한규, 『사조선록 연구』, 서강대학교출판부, 2011.

김형종, 『1880년대 조선-청 공동감계와 국경회담의 연구』, 서울대학교출판문화원, 2018.

노경희, 『17세기 전반기 한중 문학교류』, 태학사, 2015.

동북아역사재단 편, 『한중일 학계의 한중관계사 연구와 쟁점』, 동북아역사재단, 2009.

마크 C. 엘리엇 지음·양휘웅 옮김, 『건륭제 -하늘의 아들 현세의 인간』, 천지인, 2011.

박원호, 『명초조선관계사연구』, 일조각, 2002.

방향숙 외, 『한중 외교관계와 조공책봉』, 고구려연구재단, 2005.

손형부, 『박규수의 대외사상 연구』, 일조각, 1997.

송병기, 『근대한중관계사연구: 19세기말의 연미론과 조청교섭』, 단국대출판부, 1985.

역사학회 엮음, 『전쟁과 동북아의 국제질서』, 일조각, 2006.

연갑수, 『대원군집권기 부국강병정책 연구』, 서울대학교출판부, 2001.

와타나베 신이치로 지음, 문정희·임대희 옮김, 『천공의 옥좌 -중국 고대제국의 조정과 의례』, 신서원, 2002.

우경섭, 『조선중화주의의 성립과 동아시아』, 유니스토리, 2013.

유정,『19~20세기 초 청대문인 편찬 조선한시문헌 연구』, 보고사, 2013.

유봉학,『연암일파 북학사상연구』, 일지사, 1995.

이익주 외,『동아시아 국제질서 속의 한중관계사』, 동북아역사재단, 2010.

이헌주,『강위의 개화사상 연구』, 선인, 2018.

이춘희,『19세기 한중 문학교류 -이상적을 중심으로-』, 새문사, 2009.

이화자,『조청국경문제연구』, 집문당, 2008.

이화자,『한중국경사연구』, 혜안, 2011.

임계순,『淸史-만주족이 통치한 중국』, 신서원, 2004.

張存武 지음, 김택중 외 번역,『근대한중무역사』, ㈜교문사, 2001.

존 K. 페어뱅크 편집, 김한식·김종건 외 번역,『캠브리지 중국사 -1800~
1911』10 상, 새물결, 2007.

전해종,『한중관계사 연구』, 일조각, 1979(重版).

정생화,『17세기 淸의 지식인 '조선문화'를 만나다』, 경인문화사, 2019.

정옥자,『조선후기 중인문화 연구』, 일지사, 2003.

정하영 외 역,『심양장계』, 창비, 2008.

최성환,『영·정조대 탕평정치와 군신의리』, 신구문화사, 2020.

폴 A. 코헨 지음, 이남희 옮김,『학문의 제국주의』, 산해, 2003

피터 C. 퍼듀 지음, 공원국 옮김,『중국의 서진』, 도서출판길, 2014.

커크 W. 라슨, 양휘웅 옮김,『전통 조약 장사』, 모노그래프, 2021.

하정식,『태평천국과 조선왕조』, 지식산업사, 2008.

한명기,『정묘·병자호란과 동아시아』, 푸른역사, 2009.

한영규·한메이,『18~19세기 한중문인 교류』, 이매진, 2013.

후마 스스무(夫馬進) 지음·신로사 외 옮김,『조선연행사와 조선통신사』, 성
균관대학교출판부, 2019.

夫馬進 編,『中國東アジアの外交交流史の研究』京都: 京都大學學術出版會,
2007.

桑 万佑子,『朝鮮外交の近代』名古屋: 名古屋大學出版會, 2017.

白壽彛 總主編, 『中國通史』18, 上海: 上海人民出版社, 1996.

孫宏年, 『清代中越宗藩關系研究』, 哈爾濱: 黑龍江教育出版社, 2002.

孫衛國, 『大明旗号与小中華意識: 朝鮮王朝尊周思明問題研究, 1637~1800』, 北京: 商務印書館, 2007.

王開璽, 『清代外交禮儀的交涉与論爭』, 北京: 人民出版社, 2009.

劉爲, 『清代中朝使者往來研究』, 哈爾濱: 黑龍江出版社, 2002.

李云泉, 『朝貢制度史論』, 北京: 新華出版社, 2004.

林明德, 『袁世凱與朝鮮』, 臺北: 中央研究院 近代史研究所, 民國59[1970].

錢實甫, 『清代職官年表』, 北京: 中華書局, 1980.

黃枝蓮, 『天朝礼治体系研究』下, 北京: 中國人民大學出版社, 1994.

John King Fairbank ed, *The Chinese World Order*, Cambridge, MA: Harvard University Press, 1968.

Wang Yuanchong, *Remaking the Chinese Empire: Manchu-Korean Relations, 1619-1911*, Ithaca: Cornell University Press, 2018.

4) 논문

姜博, 「1880년대 전후 淸의 朝鮮 事務처리 기제의 재확립」『명청사연구』57, 2022.

강석화, 「홍양호-기준을 지키며 변화를 수용한 보수학자」『내일을 여는 역사』54, 2014.

고병익, 「中國歷代正史의 外國列傳 -朝鮮傳을 中心으로-」『대동문화연구』2, 1965.

구도영, 「조선 전기 對明 陸路使行의 형태와 실상」『진단학보』117, 2013.

구범진, 「19세기 전반 청인의 조선사행 -柏葰과 花沙納의 경우」『사림』22, 2004.

구범진, 「청의 조선사행 인선과 대청제국체」『인문논총』59, 2008.

구범진, 「1780년 열하의 칠순 만수절과 건륭의 '제국'」『명청사연구』40, 2013.

구범진, 「조선의 청 황제 성절 축하와 건륭 칠순 '진하 외교'」『한국문화』68, 2014.

구범진, 「'중국'의 '경계'를 넘나드는 연구 지형: 현황과 발전 가능성」『역사학보』231, 2016.

구범진, 「1780년대 清朝의 朝鮮 使臣에 대한 接待의 變化」『명청사연구』48, 2017.

구사회, 「새자료 이원묵(李元默)의 『행대만록(行臺漫錄)』과 순조21년(1821) 신사연행(辛巳燕行)」『열상고전연구』37, 2013.

權赫秀, 「조공관계체제 속의 근대적 통상관계 -『中國朝鮮商民水陸貿易章程』 연구」『동북아역사논총』28, 2010.

금지아, 「朝鮮 申緯의 『奏請行卷』研究: 燕行과 翁方綱과의 文墨緣을 중심으로」『열상고전연구』21, 2005.

祁慶富, 「《朝鮮詩選》 校注前言」『아세아문화연구』3, 1999.

김경록, 「朝鮮時代 朝貢體制와 對中國 使行」『명청사연구』30, 2008.

김경록, 「조선시대 대중국 외교문서와 외교정보의 수집·보존체계」『동북아역사논총』25, 2009a.

김경록, 「조선후기 『同文彙考』의 편찬과정과 성격」『조선시대사학보』32, 2009b.

김근하, 「丁丑約條의 성격과 顯宗代 安秋元 사건」『조선시대사학보』78, 2016.

김려화, 「조선후기 역관 李容肅의 행적과 작품 개관」『민족문화』49, 2017.

김명호, 「董文煥의 『韓客詩存』과 韓中文學交流」『한국한문학연구』26, 2000.

김명호, 「海藏 申錫愚의 入燕記에 대한 고찰」『고전문학연구』32, 2007.

김명호, 「金永爵의 燕行과 『燕臺瓊瓜錄』」『한문학보』19, 2008.

김민규, 「근대 동아시아 국제질서의 변용과 청일수호조규(1871년) -"조규체제"의 생성」『대동문화연구』41, 2002.

김문식, 「영조의 국왕책봉에 나타난 한중관계」『한국실학연구』23, 2012.

김선민, 「欄頭: 청-조선 조공관계의 변경적 측면」『대구사학』96, 2009.

김선민, 「乾隆年間 朝鮮使行의 銀 분실사건」『명청사연구』33, 2010.

김선민, 「雍正-乾隆年間 莽牛哨 事件과 淸-朝鮮 國境地帶」『중국사연구』 71, 2011.

김선민, 「외국과 속국사이 -正史를 통해 본 청의 조선 인식」『사림』41, 2012.

김선민, 「朝鮮通事 굴마훈, 淸譯鄭命」『명청사연구』41, 2014.

김성은, 『조선과 청나라 사신간의 시문 교류』『중국학논총』35, 2012.

김수경, 「17세기후반 宗親의 정치적 활동과 위상」『이대사원』30, 1997.

김수암, 「韓國의 近代外交制度 研究: 外交官署와 常駐使節을 중심으로」, 서울대학교 외교학과 박사학위논문, 2000.

김양수, 「朝鮮開港前後 中人의 政治外交 -譯官 卞元圭 등의 東北亞 및 美國과의 활동을 중심으로-」『역사와실학』12, 1999.

김양수, 「서울 中人의 19세기 생활: 川寧玄氏 譯官 鐸의 일기를 중심으로」『인문과학논집』26, 2003.

김용태, 「임오군란기 한중(韓中) 문인의 교유 양상 -조면호(趙冕鎬), 김창희(金昌熙)의 활동을 중심으로-」『한문학보』17, 2007.

김용태, 「開港이후 동아시아 漢文네트워크에 대하여」『한국한문학연구』50, 2012.

김연희, 「고종 시대 근대 통신망 구축 사업: 전신사업을 중심으로」, 서울대학교 협동과정 과학사 및 과학철학 전공 박사학위논문, 2006.

김우진, 「月沙 李廷龜의 對明 외교 활동 -선조와 광해군대를 중심으로-」『조선시대사학보』61, 2012.

김우진, 「安秋元·南明 遺民 사건과 顯宗의 현실인식」『사학지』54, 2017.

김일환, 「李健命의 奏請 사행(1721~1722)과 '寒圃齋使行日記'」『동아시아문화연구』58, 2014.

김정자, 「정조대 전반기의 정국동향과 정치세력의 변화」『한국학논총』37, 2012.

김종학, 「조일수호조규는 포함외교의 산물이었는가」『역사비평』114, 2016.

김창수, 「청의 詔書 반포 사신을 통해 본 조선의 지위」『역사와현실』89, 2013.

김창수, 「19세기 조선·청 관계와 사신외교」, 서울시립대학교 국사학과 박사학위논문, 2016a.

김창수, 「19세기 후반 대외위기와 조선 사신의 교섭 양상」『한국사학보』65, 2016a.

김창수, 「19세기 후반, 연행사와 청 문인의 교류양상」『동국사학』61, 2016b.

김창수, 「조선·청 외교문서의 교섭경로와 성경의 역할」『역사와현실』107, 2017.

김창수, 「17~18세기 조선 사신의 외교 활동과 조선·청 관계 구조」『조선시대사학보』88, 2019a.

김창수, 「건륭연간 외교 공간의 확장과 조선 사신의 교류 -조선·청 지식 교류의 기반에 관하여-」『한국학논총』51, 2019b.

김창수, 「조선후기 조선·청 관계와 국왕의 건강 문제 -숙종 초반 교영례(郊迎禮)를 둘러싼 갈등을 중심으로-」『의사학』29-3, 2020.

김태훈, 「병자호란 이후 倭情咨文의 전략적 의미」『한일관계사연구』50, 2015.

김한규, 「명사 공용경의 사조선록과 조명 창화 외교」『동아연구』60, 2011.

김현권, 「김정희파의 한중회화교류와 19세기 조선의 화단」, 고려대학교 문화재학 협동과정 박사학위논문, 2010.

김현권, 「오경석과 淸 문사의 회화교류 및 그 성격」『강좌미술사』37, 2011.

김형종, 「近代中國의 皇帝權力: 光緒帝와 西太后」『역사학보』208, 2010.

김홍매, 「역관 변원규(卞元圭)의 생애와 중국사행 시의 교유」『국문학연구』36, 2017.

김희신, 「吳武壯公祠의 유래와 韓國社會에서의 위상(位相)」『중국학보』74, 2015.

남호현, 「진주(陳奏)와 탐문(探問) -신유년(1801) 동지겸진주사(冬至兼陳奏使)의 활동과 정보수집-」『역사와현실』118, 2020.

노관범, 「1880년대 金昌熙의 經世思想 -임오군란 직후 부강정책의 재설정-」『한국사상사학』35, 2010.

노대환, 「1860-70년대 전반 조선 지식인의 대외인식과 양무 이해」『한국문화』20, 1997.

민두기, 「十九世紀後半 朝鮮王朝의 對外危機意識: 第一次, 第二次 中英戰爭

과 異樣船 出沒에의 對應」『동방학지』52, 1986.

민회수, 「19세기 말 한국에서의 '外交' 용어의 활용 양상」『진단학보』131, 2018.

박원호, 「근대 이전 한중관계사에 대한 시각과 논점 -동아시아 국제질서의 이론을 덧붙여-」『한국사시민강좌』40, 일조각, 2007.

박준형, 「개항을 바라보는 시선의 (불)연속」『역사비평』114, 2016.

박철상, 「紫霞 申緯의 燕行과 翁方綱의 영향」『한국한문학연구』75, 2019.

박현규, 「조선 柳琴, 徐浩修와 청 李調元과의 교류 시문」『한국한시연구』7, 1999.

박현규, 「서울 吳武壯公祠의 역사와 현황 고찰」『중국사연구』74, 2011.

배우성, 「서울에 온 청의 칙사 馬夫大와 삼전도비」『서울학연구』38, 2010.

백옥경, 「개항기 역관 김경수의 대외인식 -'공보초략'을 중심으로-」『한국사상사학』41, 2012.

백옥경, 「조선시대사 연구와 대외관계 자료」『조선시대사학보』79, 2016.

백옥경, 「[조선 후기] 2015~2016년 조선후기사 연구의 현황」『역사학보』235, 2017.

夫馬進, 「1609년 일본의 유구 합병이후 중국, 조선의 대유구 외교 -동아시아 4국의 책봉, 통신, 그리고 두절」『이화사학연구』37, 2008.

徐毅, 「18세기 조청 문인 교류 장소 논략」『한문학보』30, 2014.

石琪, 「陽村 權近의 對明 外交詩 硏究」, 충북대 국어국문학과 석사학위논문, 2021.

송병기, 「소위 「三端」에 대하여 -근대 韓淸關係史의 한 연구-」『사학지』6-1, 1972.

손성욱, 「19세기 조청문인 교류의 전개 양상 -북경 내 학풍과 교류 네트워크의 변화를 중심으로-」『역사학보』216, 2012.

손성욱, 「'外交'의 균열과 모색: 1860~70년대 淸·朝 관계」『역사학보』240, 2018a.

손성욱, 「淸 朝貢國 使臣 儀禮의 形成과 變化」『동양사학연구』143, 2018b.

손성욱, 「王世子 冊封으로 본 淸·朝 관계(康熙 36년~乾隆 2년)」『동양사학

연구』146, 2019a.

손성욱, 「변화된 '皇都'에서 서양과 조선의 접촉 -1860~70년대 조선 赴京使臣團의 사진을 중심으로-」『동양사학연구』198, 2019b.

손성욱, 「종번(宗藩)과 중화(中華)로 청제국을 볼 수 있는가 -왕위안총 '조선모델'의 가능성과 한계」『동북아역사논총』66, 2019c.

손성욱, 「19세기 지속된 전통적 朝·淸 관계의 의미」『중국근현대사연구』93, 2022.

송만오, 「한국의 근대화에 있어서 중인층의 활동에 관한 연구」, 전남대학교 사학과 박사학위논문, 1999.

신세완, 「조선후기 齎咨官의 사행 활동과 변화 양상」『지역과 역사』50, 2022.

신용하, 「吳慶錫의 개화사상과 개화활동」『역사학보』107, 1985.

심재권, 「朝鮮과 明의 실무적 외교문서 '咨文' 분석」『고문서연구』42, 2013.

안외순, 「고종초기의 대외인식 변화와 친정 -遣淸回還使 召見을 중심으로-」『한국정치학회보』30, 1996.

연갑수, 「개항기 권력집단의 정세인식과 정책」『1894년 농민전쟁연구3』, 역사비평사, 1993.

연갑수, 「영조대 對淸使行의 운영과 對淸關係에 대한 인식」『한국문화』51, 2010.

우경섭, 「17세기 전반 滿洲로 歸附한 조선인들 -『팔기만주씨족통보八旗滿洲氏族通譜』를 중심으로-」『조선시대사학보』48, 2009.

우경섭, 「인조대 '親淸派'의 존재에 대한 재검토」『조선시대사학보』81, 2017.

우경섭, 「명청교체기 조선에 표류한 漢人들 -1667년 林寅觀 사건을 중심으로-」『조선시대사학보』88, 2019.

원재연, 「17~19세기 연행사의 북경 내 활동공간 연구」『동북아역사논총』26, 2009.

유바다, 「兪吉濬의 贈貢國 獨立論에 대한 비판적 검토」『한국사학보』53, 2013.

유바다, 「19세기 후반 조선의 국제법적 지위에 관한 연구」, 고려대학교 한국사학과 박사학위논문, 2017.

유정, 「汪喜孫과 朝鮮文人의 往來 尺牘에 대한 고찰」『대동한문학』37, 2012.

유정, 「조선 역관 6인의 시선집 『海客詩抄』에 대한 고찰 -3종 필사본을 중심으로-」 『한문학보』28, 2013.

유지혜, 「李承五의 생애와 1887년 燕行 - 연행록 『觀華誌』를 중심으로-」 『조선시대사학보』104, 2023.

응티레뷔엔, 「월남과 조선의 중국 사행과 북경 교유 양상」 선문대학교 국어국문학과 석사학위논문, 2023.

이경화, 「표암 강세황 연구」, 서울대학교 국문학과 박사학위논문, 2016.

이명제, 「17세기 청·조선 관계 연구」, 동국대학교 사학과 박사학위논문, 2021.

이명제, 「강희 42년 청 사신 揆叙가 그렸던 조·청 관계」 『만주연구』36, 2023.

이문호, 「吳慶錫의 韓中 交流 研究 -『中士簡牘帖』을 中心으로-」, 한성대학교 한국어문학과 박사학위논문, 2014.

이선홍, 「朝鮮時代 對中國 外交文書 研究」, 한국학중앙연구원 한국학대학원 박사학위논문, 2005.

이성규, 「明·淸史書의 朝鮮 '曲筆'과 朝鮮의 '辨誣'」 『오송이공범교수정년기념동양사논총』, 지식산업사, 1993.

이재경, 「大淸帝國體制 내 조선국왕의 법적 위상: 국왕에 대한 議處·罰銀을 중심으로」 『민족문화연구』83, 2019.

이재범, 「인조·효종연간 대청사행의 종친파견 배경과 그 의의」, 경북대학교 사학과 석사학위논문, 2016.

이춘희, 「한·중 선비들의 교유의 '메카': 북경 '선남(宣南)'」 『연민학지』21, 2012.

이희환, 「庚申換局과 金錫胄」 『전북사학』10, 1986.

이희환, 「경종대의 신축환국과 임인옥사」 『전북사학』15, 1992.

임영길, 「19세기 조선 문인과 청 강정전계 문인의 교류에 관한 소고」 『한문학보』29, 2013.

임영길, 「淸 문인 黃爵滋와 朝鮮 문인의 교유 -仙屛書屋初集年記를 중심으로-」 『한국한문학연구』 64, 2016.

임영길, 「19세기 前半 燕行錄의 특성과 朝·淸 文化 交流의 양상」, 성균관대학교 동아시아학과 박사학위논문, 2017.

임영길, 「조선후기 연행록에서 북경 '西山'의 의미」『대동한문학』57-1, 2018.

임영길, 「紫霞 申緯와 청 문단의 교유 양상 -1812년 연행 이후를 중심으로-」 『대동문화연구』116, 2021.

임유의, 「연행록을 통해 본 淸代 地方秀才 齊佩蓮의 생애와 朝鮮使臣과의 교유」『어문연구』46-1, 2018.

임준철, 「대청사행의 종결과 마지막 연행록」『민족문화연구』49, 2008.

장정수, 「17세기 전반 朝鮮과 後金·淸의 國交 수립 과정 연구」, 고려대학교 한국사학과 박사학위논문, 2020.

장지에, 「淸人 繆公恩과 朝鮮使臣 朴來謙의 교유 -燕行錄에 관한 네 번째 연구-」『한국학연구』22, 2010.

전해종, 「淸代 韓中朝貢關係 綜考」『진단학보』29·30, 1966.

정동훈, 「高麗-明 外交文書 書式의 성립과 배경」『한국사론』56, 2010.

정동훈, 「명대의 예제 질서에서 조선국왕의 위상」『역사와현실』84, 2012.

정동훈, 「명초 국제질서의 재편과 고려의 위상 -홍무 연간 명의 사신 인선을 중심으로-」『역사와 현실』89, 2013.

정동훈, 「고려시대 사신 영접 의례의 변동과 국가 위상」『역사와현실』98, 2015.

정동훈, 「명초 외교제도의 성립과 그 기원 -고려-몽골 관계의 유산과 그 전유(專有)-」『역사와현실』113, 2019.

정신남, 「장무진(張茂辰)과 조선연행사의 교유에 대한 고찰」『열상고전연구』 54, 2016.

정신남, 「明淸時代 朝鮮의 중국정보 수집: '新聞類 소식지'를 중심으로」, 연세대학교 사학과 박사학위, 2019.

정용화, 「유길준의 '양절'체제론 -이중적 국제질서에서의 『邦國의 權利』」 『국제정치논총』37-3, 1998.

정은주, 「阿克敦 《奉使圖》硏究」『미술사학연구』246·247, 2005.

정은주, 「姜世晃의 燕行活動과 繪畵」『미술사학연구』259, 2008.

정은진, 「표암 강세황의 연행체험과 문예활동」『한문학보』25, 2011.

정재훈, 「18세기 연행과 정조」『동국사학』53, 2012.

정후수, 「秋史 金正喜의 北京 內 交遊 場所」『동양고전연구』23, 2005.

정후수, 「北京 人蔘局 空間 活用 -19世紀 韓中 人士의 交流를 中心으로-」『우리어문연구』33, 2010.

정후수, 「晚淸 人士들이 李尙迪에게 전해 온 無聲의 메시지 -奉明反淸 意識을 중심으로-」『동양고전연구』46, 2012.

정후수, 「1863년 辨誣解決過程으로 본 李尙迪의 눈물」『동양고전학연구』52, 2013.

조성산, 「18세기 후반~19세기 전반 대청인식의 변화와 새로운 중화 관념의 형성」『한국사연구』145, 2009.

주승택, 「강위(姜瑋)의 연행록(燕行詩)에 나타난 한중(韓中) 지식인의 교류양상」『한국문화연구』11, 2006.

진재교, 「18세기 조선조와 청 學人의 학술교류 -홍양호와 기윤을 중심으로-」『고전문학연구』23, 2003.

차혜원, 「유동적 역사공간 -근세 동아시아로의 접근-」『역사비평』79, 2007.

차혜원, 「열하사절단이 체험한 18세기 말의 국제질서」『역사비평』93, 2010.

채경수, 「明代 海禁의 法制的 變遷」『서울대 동양사학과 논집』38, 2014.

천금매, 「18~19世紀 朝·淸文人 交流尺牘 硏究」, 연세대학교 국어국문학과 박사학위논문, 2011.

천금매, 「壬午軍亂時期 韓中 文士들의 文化交流」『한국학논집』50, 2013.

천금매, 「대원군 이하응(李昰應)과 청조 문사들의 교류 -《천안척방(天鴈尺芳)》을 중심으로-」『동아인문학』37, 2016.

최식, 「韓中 知識人 交流와 記錄 -洪大容과 嚴誠을 중심으로-」『반교어문연구』40, 2015.

허경진, 「『조선시선(朝鮮詩選)』이 편집되고 조선에 소개된 과정」『아세아문화연구』6, 2002.

허경진·김영선, 「18-19세기 한중 교류척독집의 수집 및 데이터베이스 구축 방안」『인문사회과학연구』15-1, 2014.

許敬震·劉靖, 「晚淸時期의 朝中文人詩社 龍喜社 小攷」『동아인문학』14, 2008.

허방, 「晚淸 北京詩社 龍喜社와 한중 문학 교류」『국문학연구』28, 2013.

허방, 「철종시대 燕行錄 연구」, 서울대학교 국어국문학과 박사학위논문, 2016.

한명기, 「17·8세기 韓中關係와 仁祖反正: 조선후기의 '仁祖反正 辨誣' 문제」 『한국사학보』13, 2002.

한영규, 「중국 시선집에 수록된 19세기 조선의 한시」『한국실학연구』16, 2008.

한지선, 「홍무연간의 대외정책과 '해금' -『대명률』상의 '해금'조항 재분석-」 『중국학보』60, 2009.

한철호, 「한국근대 주진대원의 파견과 운영(1883-1894)」『동학연구』23, 2007.

현광호, 「딘스모어 미국공사의 조선외교 인식과 활동」『역사학보』210, 2011.

홍선이, 「歲幣·方物을 통해 본 朝淸관계의 특징 -인조대 歲幣·方物의 구성과 재정 부담을 중심으로-」『한국사학보』55, 2014.

홍성구, 「청질서의 성립과 조청관계의 안정화 1644-1700」『동양사학연구』140, 2017.

孫成旭, 「淸代朝鮮最后赴京使團考」『歷史檔案』4, 2014.

孫成旭, 「"盛极又衰的"圓明園-以朝鮮使臣的圓明園經驗爲中心」『淸史研究』1, 2015.

孫成旭, 「十九世紀朝鮮赴京使臣的"皇都經驗"」, 北京大學 歷史學係 博士研修生學位論文, 2015.6.

張存武, 「朝鮮對淸外交的秘密經費研究」『中央研究院近代史研究所集刊』5, 1976.

嚴壽, 「從改善民生、革新行政到議員政府、普及教育-蒯光典政治思想述論」 『近代史研究』2, 2006.

鄒長淸, 「淸代翰林院庶吉士待遇及身份探究」『中國社會歷史評論』15, 2014.

黃韶海, 「淸代獻俘受俘礼初探」『淸史研究』3, 2020.

夫馬進, 「明淸中國による對朝鮮外交の鏡として對ベトナム外交-冊封問題と「問罪の師」を中心に-」『グローバル化時代の人文學-對話と寬容の知を求めて』, 京都大學學術出版會, 2007a.

森 万佑子, 「朝鮮政府の駐津大員の派遣(一八八三-一八八六)」『史學雜誌』122, 2013.

찾아보기